U0103170

# 圖書館讀者服務

## 沈寶環教授主編

執行編輯：林荷鵑

撰稿人：國立臺灣大學圖書館學研究所學生
魏韻純·張鈺旋·歐陽芬·吳慧中
林荷鵑·林彥君·朱碧靜·周利玲
周曉雯·張安明·林巧敏·鄭景文
（依各章順序排列）

臺灣 學生書局 印行

# 我們爲什麼要寫
# 「圖書館讀者服務」?
# 代　　序

沈寶環

## 一　圖書館讀者服務的重要

　　圖書館是爲讀者而設立的，讀者進入圖書館就是爲了取得資訊，圖書館員幫助讀者檢索，滿足讀者需求的工作就是讀者服務，因此讀者服務就成了圖書館的首要任務。

## 二　讀者服務知易行難

A. 對於讀者服務的認知，讀者和圖書館員之間產生偏差，史丹斯童（ Patricia F. Stenstrom ）指稱❶，圖書館的習慣是將讀者服務與技術服務分開，在讀者服務方面是把重點放在參考工作和目錄性輔導上面，讀者對於這種組織並不關心，認爲惟有在書架上找得到自己想看的書和儘快編目才是讀者服務。

B. 讀者往往提出來的要求（ Wanting ）並不是眞正的需求

（ Needs ），例如讀者要求借一本有關南斯拉夫的書，
實際上他的需求是希望了解南斯拉夫和克羅埃西亞（Cro-
atia ） 內戰情況，這種詞不達意的因素很多，例如不想
多講話，害羞等。

C. 圖書館收藏資源，無論如何豐富，不可能滿足每一個讀者
的個別需求。

D. 讀者使用圖書館並不是毫無代價的，柏克蘭（ Michael K.
Buckland ）❷ 認爲代價不必是金錢的，時間，精力，與
不愉快都是他們眞正付出的代價（ Real Price ）。

E. 圖書館讀者服務當是吃力不討好的工作。李偉士（David
W. Lewis ）❸ 說讀者祇是根據自己的經驗和需要來決定
什麼時候和如何使用圖書館，過去調查顯示圖書館員對於
成人讀者閱讀興趣完全沒有影響力，而 61 ％ 的讀者更表
示假使沒有公共圖書館對他們個人沒有太大關係❹。

F. 在現代社會中，圖書館只是供應讀者資訊的一個機構而已，
讀者也會成爲另外資訊系統（ System ）的使用者，在這
種情形下，圖書館是處於不利的局勢下奮鬥，我稱之爲劣
勢作戰，最簡單的例子是家家戶戶都裝有電視，收音機，
大多數家庭訂有報紙，而家庭中設有書架的並不多見。

## 三　圖書館的泥足

自圖書館有史以來，一直只對少數人民服務，若干學者採取
的觀點頗有商榷的餘地。

A. 班菲德（Edward Banfield）說：一般而論圖書館是爲中產階級設立的。社會低層人民（Lower Class）的知識程度太差而志願又低落，無論圖書館如何努力爭取都不會發生作用❺。

B. 西拉（Jesse Shera）竟然聲稱如果圖書館希望吸引太多的讀者上門，就會浪費資源，逃避了歷史責任，更違背了傳統❻。

C. 馬丁（Lowell Martin）更提出兩項方法：

    ⑴  降低採購圖書標準，多買合乎讀者味口的通俗書籍（他自己顯然不以爲然）。

    ⑵  接受現有的少數讀者爲固定讀者，盡力改善對他們的服務（他認爲這是比較實際的作法）。

## 四　我們的立場

讀者服務是國立臺灣大學圖書館學研究所的必修課程。我和我的一群研究所學生深深的體會到圖書館讀者服務工作的重要，也能想像到可能遭遇的困擾，所以我們師生決定以分工合作的方式進行研究，同學們提出的論文都曾在課室詳加討論，經過整理才行出版。我一向認爲不發表的研究算不得研究，同學們在沉重的功課壓力之下仍然如期交卷，使我深感欣慰，希望海內學者專家不吝指教。

# 附　註

❶ Patricia F. Stenstrom, Our Real Business, in the Journal of Academic Librarianship, May, 1990, p. 78.

❷ Michael K. Buckland, Library Services in Theory and Context New York : Qergamon Press 1983 P. 107.

❸ David W. Lewis, A matteq of Return on Investment, in the Journal of Academic Librarianship, May, 1990, P. 79.

❹ Patrick Williams, The American Public Library and the Problem of Purpose, New York Greenwood Press 1988 P. 67.

❺ Verna L. Pungitore, Public Librarianship. New York Greenwood press 1989 P. 108.

❻ Ibid.

❼ Patrick Williams, op. cit P. 79.

# 圖書館讀者服務

# 目　錄

# 公共圖書館兒童服務的新課題

沈寶環

「一個社會的前途，可以從它如何照顧兒童來預測」❶（美國聯邦參議員莫理漢〔Daniel P. Moyniham〕）。

## 一　一部好書

李查遜（Selma K. Richardson）所編輯的「公共圖書館的兒童服務」是一部絕妙好書，我曾經一再閱讀這本論文集，受益匪淺。這是兒圖書館員和對兒童服務工作有興趣的人士必讀的文獻，其中伊利諾大學圖書館學研究所所長郭德荷（Herbrt Goldhor）所寫的「總結」更是精彩絕倫，讀後令人茅塞頓開。郭德荷虛懷若谷在字字珠玉長達八頁文字的開端，他聲稱「對於這個學科（指兒童服務）我不敢說有甚特殊學識和獨到見解，假定偶而說中也是由於機運而不是出之有意（by chance and not design）」❷。爲了他這句話，我遲遲不敢動筆，但是答應潘淑慧小姐在先，不便食言，祇好班門弄斧，在「關帝廟前耍大刀」了，尚祈專家學者不吝指正。

## 二　略談身世

　　兒童圖書館的早期歷史並不顯赫（humble beginnings），
有案可查的，我祇能指出 1803、1827（在美國），1861（在
英國）的幾個案例❸。在時間的因素上和「世界圖書百科全書」
（World Book Encyclopedia）所報導的適相吻合。該書在
「兒童文學」款目中斷定 1800 年代公共圖書館才開始設置單獨
的兒童閱覽室，等到康乃基圖書館學系（Carnegie Library
School）開設兒童圖書館學課程已經是二十世紀的事了❹。在
1900 與 1980 年之間對於公共圖書館兒童服務的工作績效評估
則人言人殊，圖書館界人士似乎缺乏共識。倪羅伯（Robert D.
Leigh）在極負盛名的「公共圖書館調查」（Public Library
Inquiry）中大爲贊揚美國公共圖書館在兒童及青少年服務方面
的成就，他說「在過去五十年內圖書館學院校和公共圖書館聯手
使得兒童圖書館員獲得充份的技能和豐富的兒童文學知識。在某
些方面兒童圖書館員的成就甚至超出了孩子們的老師」❺。他主
筆的「美國公共圖書館」是 1950 年問世的。前述的郭德荷教授
以統計數字指出，在 1939 年至 1964 年之間公共圖書館的兒童
青少年服務的確令人激賞，以出借圖書而論兒童青少年佔流通量
總額 52 ％，但在 1976 年重作的統計則降爲 32 ％。他的結論是
在 1970 年代公共圖書館的兒童服務亮起了紅燈❻。這段時期經
濟不景氣更是火上加油，幾乎威脅到公共圖書館中兒童服務的生存。
根據賴德（Alice Naylor）吐露紐約州教育局在 1970 年代甚

至提出公共圖書館祇對成人服務，兒童圖書館（室）則應該完全移
交與學校的構想以節省經費 ❼。這種將兒童圖書館和公共圖書館
分家的荒謬主張雖然失敗，卻造成了一場虛驚。經過一段坎坷的日
子，到了1980年代兒童圖書館事業總算步入了康莊大道。

## 三 脫胎換骨

1980年代是公共圖書館兒童服務關鍵性的十年，1970年代
的陰霾已經一掃而空，展望1990年代更將是兒童圖書館時代的
來臨。以我們的國家而論，文化中心兒童圖書館紛紛成立，工作
表現可圈可點，公共圖書館兒童服務不斷加強，這點以後再作交
代。實際上在國際大環境中兒童圖書館事業都已呈現欣欣向榮的
氣氛，促成這種現象的原因有下列數端：

### 1. 兒童文學的興起

在1800年代以前可供兒童閱讀的圖書並不多見，美國獨立
初期的兒童青少年讀物不外具有強烈宗教色彩的書籍和注重倫理
教育和行為訓練的出版物，根本不能啟發兒童青少年的閱讀興趣
和求知願望，我曾在「西文暢銷書史話」一文中予以說明。一直
到十九世紀兒童文學才開始大放異彩。例如卡露爾（ Lewis Car-
roll ）的先後兩部名著「阿麗絲夢遊仙境」（ Alice Adventures
in Wonderland 1865）、「鏡中人」（ Through the Looking
Glass 1871 ）以及史汀生（ Robert Louis Stevenson ）所
寫的「金銀島」（ Treasure Island 1883 ）都是不朽的傑作，

1980年代至1990兒童文學遍佈世界每一角落，種類齊全，其內容不外：

- 描述與兒童讀者經驗類似的兒童故事
- 滿足兒童讀者對其他地區人民及生活的好奇心
- 教導兒童讀者科學的奧秘以及藝術的真、善、美
- 介紹歷史上偉大男、女、老、少人物的生平事略
- 擴大兒童想像力的神話、歷史及未來的故事
- 愛護寵物培養兒童愛心的故事
- 加強兒童閱讀能力的讀物
- 重視環保、社會安全的兒童讀物
................

由於兒童出版品好像雨後春筍，圖書選購成為極為重要的工作。為了幫助圖書館員、家長與兒童，美國的出版品可以運用美國圖書館學會（A. L. A）所編製的書目「讓我們一起來看書」（Let's Read Together）、赫妮（Betsy Hearne）「為兒童選擇讀物」（Choosing Books for Children : A Common Senss Guide 1981- ），其他如「世界圖書百科全書」也編輯有「看那些書」書目（Books to read）著眼於提高兒童讀物的素質。美國圖書館學會每年頒發獎章兩種，The Newbery Medal 1921-（最佳美國兒童文學）和 The Caldecott Medal 1937-（最佳美國兒童圖畫書），類似我國新聞局所頒發的金鼎獎和中國圖書館學會近兩年來所頒發的優良兒童讀物金龍獎（與中華民國兒童文學學會合作）。

由兒童期刊雜誌而論，美國較為重要的是「兒童生活」（Boy's

Life )，由美國童子軍總會發行（1911-），美國女童子軍總會不甘後人，於六年之後發行「美國女生」（American Girl 1917-），在美國學校之中最受歡迎的刊物是「我的每週讀物」（My Weekly Reader 1928-），我國較為著名的兒童期刊雜誌為「兒童的」、「小牛頓」、「小科學眼」、「新學友」、「哥白尼」、「智慧」、「新生兒童」、「全國兒童週刊」等。

在兒童報紙方面，我國的「國語日報」可以說家喻戶曉，新近出版的「兒童日報」以創造兒童文化，美化兒童人格，啓迪兒童思維為目的，急起直追。這體積十六版附有彩色圖片的兒童報紙是光復書局又一傑作。其他光復兒童圖書系列包括：

21 世紀世界童話精選（ 120 冊 ）

大不列顛科技小百科（ 25 冊 ）

世界童話百科全書（ 20 冊 ）

新編光復兒童百科圖鑑（ 10 冊 ）

科學探索文庫（ 9 冊 ）

光復科學圖鑑（ 25 冊 ）

光復自然圖鑑系列（ 20 冊 ）

新編世界兒童文學全集（ 25 冊 ）

世界兒童傳記文學全集（ 25 冊 ）

彩色世界童話全集（ 30 冊 ）

這些兒童讀物都精美絕倫，多次獲得金鼎獎。為我國兒童文學奠定了良好基礎。


・早安，小朋友・

天生我才必有用，

連耳聾的愛迪生，

都能成為偉大的發明家，

那你呢？

不要埋怨自己已有的，

只要記住：努力去做！

— 兒童日報提供 —

## 2. 兒童服務範圍的延伸

兒童圖書館的服務對象是誰？兒童圖書館學專家鄭雪玫教授的答案是「以兒童為主」（筆者按：請注意「為主」二字），她更進一步的指出「所謂兒童，包括學前、小學及初級中學三個階段的兒童」❽。

我最近曾經出席臺北市立圖書館在遷入新館之後所召集的第一次館務發展顧問委員會會議。會中分發了一份命名為「臺北市立圖書館為您提供終身服務」的小冊子，使我欣慰無已。這是公共圖書館延伸服務最好的例證。因為其中明載「從〇開始」「直到永遠」的字樣。所謂「從〇開始」服務對象包括「準媽媽」及「學齡前兒童」。茲將部份資料剪輯於後：

■從〇開始

滿懷生命的喜悅

在多少期待與盼望中，開始人生的旅程

市圖將伴你共同成長，邁步向前

■ 準媽媽

・保健：家庭衞生 429

・胎教：文學 810、美術 900、圖案裝飾 961

・命名：命名指南 293.3

・育兒：營養、保健 411、育嬰 428、玩具選擇 426、
　　　　兒童歌曲 913.9

・教育：親職教育 528.2、兒童心理 173

■ 學齡前兒童

・啓發益智：學前書專櫃

・睡前故事：神話 280、童話 859

・學齡前兒童，可由家長憑成人借書證，借書給孩子閱讀
　或讀給孩子聽；4 至 6 歲兒童，可由家長陪同到兒童室
　閱讀。

・歡迎各公私立托兒所、幼稚園班訪問。

・編印兒童圖書目錄及視聽資料目錄，贈送各幼教團體。

・兒童活動區：充份的空間，啓發性的玩具，讓您的寶寶
　從遊戲中學習，在歡樂中成長。

　　臺北市立圖書館的延伸服務作風和近代圖書館學思潮完全吻
合。所謂「學前兒童」（ pre-schooler ）的新界說已不限於 3～6
歲的兒童。李察遜（ Selma K. Richardson ）所主編的「公共
圖書館的兒童服務」論文集（我曾在本文中一再引用）的中心思
想，就是建築在嬰兒在呱呱落地的時候開始就應該在公共圖書館
環境之中佔有一席地位 ❾。李察遜等學人的新「學前兒童」等於

臺北市立圖書館的「準媽媽」加上「學前兒童」。加拿大Toranto
的醫院歡送剛剛生產嬰兒的新媽媽打道回府時，必然附送一份
Mississauge 圖書館所編印的小冊子。這本薄薄數頁的出版品告
訴新媽媽圖書館資源中有那些可以供她參考使用。爲了達到如何
順利的哺養嬰兒，更能快樂的和嬰兒生活在一起 ❿。Mississauge
Library System只想到「新媽媽」而沒有考慮到「準媽媽」，
比我們的臺北市立圖書館的兒童服務延伸工作落後了一截。

　　鄭雪玫教授以「兒童爲主」的說明，「爲主」兩個字爲公共
圖書館的兒童服務開闢了一條新的方向。「兒童爲主」，爲「輔」
的則是「家庭」。近年以來家庭問題日趨嚴重，離婚，再婚，有
父無母，有母無父，同性婚姻等不正常現象深受社會關切。美國
政附爲了謀求解決之道特別成立White House Conference on
Families。若干專家學者例如賀姆斯（Lauri Holmes）認爲
圖書館可以扮演一種積極的角色強化家庭關係。貝琪圖（Mar-
guerite Baechtold）和麥金妮（Eleanor Ruth Mckiney）
合作的名著「圖書館的家庭服務」就是這種理論的結晶。照她們
看來圖書館應該成爲「多度空間整體環境的核心」（Core of
Multidimentional Whole Environment）。此一核心的服務對
象包括家庭、學校和社會。這些學人並不反對兒童圖書館的存在，
對於兒童個別尋求資訊也無異議，但是她們不贊成過份硬性的規
定將家庭組成份子只依照年齡隔離 ⓫。家庭組成份子應該多有聚
集結合的時間，以增進彼此之間的了解與尊重。公共圖書館不僅
對兒童、青少年、成人個別服務，也要提供機會讓全家老小聚集
起來，合作利用圖書館資源。換句話說圖書館在提供個別和團體

的資訊服務之餘，也要顧及到家庭整體的資訊需求。以我們中國人的傳統和背景，圖書館或多或少發揮「齊家」的功能，不僅是必要而且是可能的。英國學人雷恩（Sheila G. Ray）則有更進一步的想法。他所提出的「圖書館設備開放計劃」（Open Plan Library Facilities）將兒童圖書館（室）溶合於整個圖書館體系之中。在其所著「兒童圖書館學」一書中指稱「分開的兒童閱覽室，排滿了小孩桌椅，設有兒童專用的出納臺，在過去是極爲普通現象，現在已經慢慢落伍了。如果把圖書館閱覽空間完全打通，兒童能在裡面活動，可能使兒童長大成人之後從兒童圖書館轉移到成人圖書館的過程更輕而易舉」❷。「這種作法，兒童需要不斷的照應管理，自不待言」。雷恩也是公共圖書館兒童服務延伸到家庭的支持者，他說「如果能和家長們溝通比用同等時間對孩子們解說更有成效」❸。雷恩的動機不錯，但是他主張的做法並不週全，很難得到有識之士的認同。

### 3. 「女大十八變」

圖書館學是一種不斷變動的科學，圖書館是一個有生命的有機體。其能夠生存的原因在於能夠適應，也就是「變」。

兒童的成長過程可以用「變化莫測」四個字來形容。我國的諺語「女大十八變」甚至「孫悟空七十二變」都不是極爲適當恰到好處的形容詞。公共圖書館的兒童服務常常是吃力不討好，事倍功半的工作，其原因在於圖書館在「變」，兒童更是朝夕不同的「變」，兩「變」相逢使得「變數」更難控制。

兒童之「變」可以分爲兩種形態。一爲生理的變化，這種變化是自然的，今天和明天不同，去年和今年不同。這類兒童發育正常，身心也比較健康，是兒童讀者群中比較容易服務的一種，也是甚受兒童圖書館員喜愛的一群小朋友（也許我不應該這樣說，但是實情）。

另外一批兒童是受環境的影響而「變」。羅克（Till Locke）和金媚爾（Margaret Kimmel）的研究報告證實在嬰兒時期生活環境較差的兒童，在三、四歲接受測驗時，發現他們比較倔強，衝動和自私。又送到托兒所的兒童不太和朋友接近，精力充沛，但是與成人往往格格不入 ⓮。

凡人皆有「個別差異」，兒童的個別差異與「變」無關。但在兒童圖書館員看來，甲童與乙童不同也是一種「變」。不是「變化」而是「轉變」。友緣基金會主任廖清碧將兒童的行為大致分為三類：

・酷（Cool）族，依己行事、率性而為，不受外界他人約束。

・隨便族，凡事沒有意見，自信心不足。

・捍衛族，充滿攻擊性，經常擔心有人傷害自己，隨時備戰 ⓯。

由於公共圖書館的特性而讀者（當然包括兒童）是流動性極大的人群，從事正式實驗是不可能的，因為從事正式實驗需要「控制群」（control groups）和比較資料（comparison of data）。郭德荷指稱「我們只能做非正式的實驗，結果永遠找不出來『變』了多少，導致『變』的因素是甚麼」，「提供連環圖畫，他們喜愛的小說會不會誘導兒童接近館藏其他資源呢？我們沒有證據」 ⓰。

除了上述的酷族、隨便族、捍衛族之外還有所謂「鑰匙兒」（Latch-key children）。據陶德（Frances Smardo Dowd）解釋乃是學齡兒童放學後幾個小時父母才下班回家的兒童族 ⓱。哈里斯（Louis Harris）在 1987 年所作的抽樣調查（兩千家長，一千教師）報導40

％的兒童在下午三時半至六時之間成為「沒有爺娘管教，靠天照應」的孩子❶。這些孩子無處可去，經常待在公共圖書館等候父母。這些兒童把公共圖書館兒童閱覽室用為托兒所的代用場所，常常為兒童圖書館員帶來困擾，如安全問題、維持秩序問題、人手不足問題和圖書館員是否有責任或適合擔任臨時保姆的問題。關於鑰匙兒的詳情和兒童圖書館員的因應可參閱鄭雪玫著「美國公共圖書館的鑰匙兒」。

## 四 科技神童

資訊時代為社會、學校、個人帶來莫大衝擊。圖書館當然無法置身事外。兒童讀者所欣羨者不再是「書蟲」（Bookworms）「蛋頭」（eggheads），而是「科技神童」（Technokids）。這種變化對於教育有什麼影響？和公共圖書館的兒童服務又有什麼關係？

不久以前美國雜誌曾經印出一幅卡通——小孩正在玩電腦，媽媽手中拿著一件小孩從來沒有看過的奇怪東西，指著它對小孩說：「這是一本書，上面有圖有字，就好像你的電腦一樣。」

### 1. 電腦進入家庭

電腦正以驚人的成長率滲透家庭。根據林德公司（Link Resources Corporation）報導1984年11％的美國家庭擁有電腦，若干家庭甚至購買超型電腦（11％中的13％）。至1986年時設置有電腦的家庭躍升為13％，如以實際數字表示則為電腦

一千二百七十萬臺 ❿。我提出這項資料無非是指出一種趨勢而已。如果 1990 年的統計突破兩千萬臺大關我不會覺得驚訝。

感覺到不安的是前述的賴德，她以質問的口氣說：「圖書館仍然停頓在以印製媒體（ print media ）爲基礎的階段，一個典型的兒童每年有 2000 小時坐在電視機前，圖書館怎樣對這些只喜歡看電視，玩電腦，不肯看書（ Rather View than Read ）的兒童服務？我們做了什麼準備？」

## 2. 熱門題目

電腦進入家庭影響深遠，首當其衝的是學校，緊接著的是圖書館。有識之士對於這種現象深表關切。丹麥教育學者勞珊（Steen Larsen）提出一個大家都想知道答案的問題：「電腦進入家庭一定會轉變兒童的教育，但是，朝那一個方向？我們所需要的教育是更經濟的？還是更進步的？」 ㉑ 電腦語言 LOGO的製作人巴柏（ Seymour Papert）的立場是鮮明的，他認爲新的資訊技術使得學校成爲多餘的（ Superfluous）。他說：「我深信電腦將使我們革新課室以外的學習環境。學校教學花了無窮的精力與經費，成就有限，學校想教的東西，如果不是整體，也會是絕大部份電腦都可以做到，像我們現在所知道的學校，在未來沒有立足之地」。 ㉒ 巴柏的主張略嫌偏激，引起若干反彈和質疑。奚拱（ Guy-Oliver Segond ）反問：「如果這樣運用電腦來教學，是不是讓學校報廢關門呢？學生是不是可以不要老師呢？學校是不是變成了函授班呢？」 ㉓ 萊特（ Tune Wright）是贊成電腦家庭的。她說：「家長藉此可以繼續自我教育。由於全家一起運用電腦，更能增進父母和兒童相處、合作的能力」。㉔韓克孫（Joyce Hakansson）的意見極為中肯，她聲稱「家長並不願意看見溫暖的家變成了私塾，他們都望子成龍，光宗耀祖。她相信在家庭教育中如果善加運用，電腦可以作為拉攏家庭學校之間關係的橋樑」㉕。

## 3. 兒童圖書館員的因應

資訊時代的特徵之一就是工業化和現代科技從工作場所走向家庭。「大趨勢」的作者賴思比（John Naisbitt）頗有感慨的說：「這種現象使得我們的客廳變得毫無人性……最後侵入家庭的高度技術是個人電腦」㉖。托佛勒（Alvin Toffler）在「第三波」中也指稱：「電腦智力的分散情勢正快速的形成……除了工商企業和政府機構之外，另有一個正在開闢中的市場──家庭電腦。……在 IBM 和德州儀器等主要製造商展開銷售攻勢後……家庭電腦的價格很快就可以和電視機媲美了」㉗。賴思比和托佛勒是資訊時代的「先知先覺」人士，他們的話指出近代科技發展的方向。電腦進入家庭是「大勢所趨」，是抵擋不住的「洪流」，我們除了設法因應，沒有第二條可以走的路。

現代化的學校和圖書館，儘管強調「多媒體」的特色，但毋庸諱言的仍然以印製品為教學（學校的課本）和服務（圖書館的藏書）的骨幹。電腦以摧枯拉朽橫掃千軍的氣勢「鯨吞」了社會、學校、圖書館和家庭（我不用「蠶食」字樣。因為動作太慢，不符合電腦的特徵），形成了當今的空前變局。

科技的突飛猛進，電腦的大量運用是否會將圖書館降格成為祇是「收藏過時圖書的博物院」？這是我們圖書館界面臨的嚴重課題。

奚拱認為缺乏正確的觀念，加上對於未來的擔心是造成對電腦產生恐懼的原因。他進一步的指出：「電腦的能力不斷增強，而人的能力（Capacity）幾乎仍在原地打轉，一個人永遠祇有兩隻眼睛、兩隻耳朵、一個鼻子、一個口和一個頭腦。人的智慧進步是緩慢的（Slow intellectual process）。他祇能發出或收取有限的訊息。而每天祇有二十四小時」……「我們知道我們有那些可以支配運用的技術，我們也知道我們不會全部運用到所有的這些技術。但是我們並不太清楚我們會用到那些技術，和怎樣運用它」❷。奚拱的話是指一般情形而言，既不是針對蘭開斯特（W. Lancaster），也不是對圖書館員說的。

近代科技的發展，尤其是電腦，幾乎無所不在（社會、學校、圖書館、家庭），的確為圖書館帶來衝擊。但是圖書館是有生命的有機體，重視行動，不斷變動。由於這種能夠適應的本能，科技的衝擊並不能動搖圖書館的根本，威脅到圖書館的生存。

肯寧漢（Linda Ward-Callaghan）指稱「科技的出現並不能宣佈圖書的死亡。活字版印刷使資訊的傳播產生革命化的轉變。而近代科技使得通訊更為迅速，資料的輸出更有效率。圖書館員有機會扮演不同格式資訊（Diverse set of information format）樂隊指揮的角色，假使他願意搖身一變從圖書管理員轉變為資訊的經理人」❷。

勞珊對於電腦的神秘力量採取保留的態度。他說：「真正的教育絕對不會專門倚賴在學校和家庭中的電腦教學（CAI）取得。

傳送資訊與兒童，並不表示孩子們就得到了知識」。❸ 他同時強調了閱讀的重要。這種觀念得到史比利伯革(F.L. Splitberger)的支持。根據他的報告，在 1966 年至 1973 年之間所作的三十三項有關 CAI 的研究發現，運用電腦對於「練習和實習」( Drill and Practice ) 具有積極的功能，但如果以記憶的結果 ( Retention ) 而論，運用正常教學 ( Normal instruction ) 方法教育的兒童成績則遙遙領先 ❸。肯寧漢認為印製媒體和電腦的功能有所不同，他說：「又以找尋文字的拼和定義而論，運用字典遠較利用電腦來得迅速有效。但準備統計數字、期刊學報管理等需要經常修正的工作則必需仰賴電腦」。❸

## 五 寫在後面

我這篇不能登大雅之堂的文字，是應臺北市立圖書館的邀請而寫的。快到交卷時發現在國立臺灣大學「圖書館學刊」第六期上發表有張鼎鍾教授著「兒童圖書館的回顧與展望」和鄭雪玫教授著「中美兒童雜誌介說」兩篇文章。我鄭重的將這兩篇文章推薦與讀者。

## 附 註

❶ Daniel P. Moynihan, Family and Nations. ( San Diego Harcourt, Brace, Javanovich, 1986, p. 194

鄭雪玫，資訊時代的兒童圖書館，臺灣：學生書局，民 76 年，頁

7 。

❷ Selma K. Richardson, Children's Services of Public Libraries ( Urbana-Champaign, Illinois, Graduate School of Library Science, University of Illinois, 1978 ), p.167.

❸ 沈寶環，「關帝廟前耍大刀：淺談兒童圖書館、兒童文學和兒童圖書館員」，中華民國兒童文學學會會訊 5 卷 2 期，民 78 年 4 月，頁 6 。

❹ World Book Encyclopedia Reprint, p. 369.

❺ Robert D. Leigh, The Public Library in the United States ( New York : Columbia University Press, 1980 ), p. 99.

❻ Richardson, op. cit., p. 168.

❼ Alice Naylor, "Reaching all Children," in Library Trends ( Winter 1987 ), p. 381.

❽ 鄭雪玫，兒童圖書館理論、實務，臺灣：學生書局，民 72 年，頁 11 。

❾ Richardson, op. cit., p. 99.

❿ "Welcome New Arrivals," American Libraries 8 : 481 ( Oct. 1977 ).

⓫ Marguerite Baechtold and Eleanor Ruth Mckinney, Library Service For Families ( Library Professional Publications, 1983 ), p. 14-15.

⓬ Shela G. Ray, Children's Librarianship ( London : K. G. Sour, 1979 ), p. 12.

⓭ Great Britain Department of Education and Science, The Staffing of Public Libraries V. 3, HMSO, 1976.

⑭　Jill Locke and Margaret Kimmel, "Children of Information Age" in Library Trends (Winter 1987), p. 362.

⑮　中國時報,藝文生活,民79年11月14日。

⑯　Richardson, op. cit., p. 171.

⑰　Frances Smardo Dowd,"Latchkey Children, A Community and Public Library Phenomenon," Public Library Quarterly v.10 (1) 1900,p.7.

⑱　1bid, p.8-9.

⑲　New Media Five Year Outlook, Forthcoming Link Resources Corporation ( 215 Park Avenue South New York, New York, 10003 ).

⑳　Naylor, op. cit., p. 370.

㉑　Steen Larsen,"Computerized instruction in the home and the child's development of knowledge," Education and Computing 2 (1986), pp.47-52.

㉒　Papert S. Mindstorms, Children, Computers and Powerful Ideas ( New York : Basic Book,1980).

㉓　Guy-Oliver Segond,"The Computer in the Home : Is challenge to Education," Education and Computing 2 (1986), pp.3-11.

㉔　June L. Wright and Marilyn Church, The Evolution of an effective Home-School Microcomputer Connection" Education and Computing 2 (1986), pp.67-74.

㉕　Dorothy K. Deringer," Computers for Education in the Home, Can School Tap Their Potential?" Education and Computing

2 (1986), pp. 13-18.

㉖ John Naisbitt 著,黃明堅譯,大趨勢,臺北:經濟日報,民 72 年,頁 63。

㉗ Alvin Toffler 著,黃明堅譯,第三波,臺北:經濟日報,民 70 年,頁 173。

㉘ Segond, op. cit., pp. 8-9.

㉙ Linda Ward-Callaghan, " The Effect of Emerging Technologies on Children's Library Service. " in Library Trends (Winter 1987 ), p. 445.

㉚ Larsen, op. cit., p. 51.

㉛ F. L. Splitberger," Computer-based instruction, A Revolution in the Making," Education Technology 19 (1979) pp. 20-25.

㉜ Ward-Callaghan, op. cit., p. 440.

# 論公共圖書館的青少年讀者服務

沈寶環

「在青少年的身上活生生的孕育着人類的未來，如果，公共圖書館沒有整批的男女青年在大門擠進擠出，就會聞到過去的陳舊氣息，顯現出老邁龍鍾的姿態，完全缺乏生命的活力」❶。

艾南斯汀‧羅斯（ERNESTINE ROSE）「美國人生活中的公共圖書館 1954」。

## 一 背景的陳述

如何展開青少年（Young Adult 簡稱YA）讀者的服務一直是公共圖書館必需解決的難題。

羅斯（Rose）在「美國人生活中的公共圖書館」一書中對於青少年服務提出她精闢的見解，我將部份文字節錄作為本文的引言，具有三個目的：

### 1. 我鄭重推薦本書予我國讀者

在圖書館學的領域之中，羅斯這本著作可以算得近五十年來最重要文獻之一，她的整體觀念建築在圖書館必需要和人民生活密切結合的基礎之上，其理論體系無懈可擊，以我個人的閱讀習

慣而論，這部好書早已列入我的重讀書目，每隔一段時間我必然
會重新翻閱一次，而每次必會有新的發現和新的所得，我覺得我
不該獨享這種樂趣，謹將個人經驗公諸同好。希望從事公共圖書
館運作的朋友將這部名著作爲必讀之書。

**2. 我建議讀者要以正確的立場來看這本書。**

羅斯的名著是 1954 年問世的，是 1950 年代（美國）「公
共圖書館調查」（ Public Library Inquiry ） 所引發的共鳴。
但是我們不能把它看成圖書館史（當成圖書館史則應該和整套
的「公共圖書館調查」叢書共同閱讀），個人意見認爲這部書深
入的討論圖書館學哲理，我們在詳讀此書時應該同時思考四十七
年來圖書館學思想有什麼演變，這本名著產生了什麼影響，著者
的理想有沒有部份的實現，如果發生偏差，原因又在邦裡。

**3. 我覺得我們要極力避免以偏蓋全、斷章取義的眼光來看這
本書。**

這部書並不是討論 YA 服務的專書，我採用部份文字作爲引
言實在是由於個人的偏愛所致。我們的公共圖書館、文化中心的
靑少年閱覽室經常座無虛席。尤其是在準備大規模考試的期間
（例如大專及高中聯招），圖書館和文化中心門口在開館前都會
大排長龍，我們看了上列引言，不必沾沾自喜，以爲我們的 YA
服務已經達到了羅斯嚮往的境界，靑少年排隊，用書包佔據閱覽
室座位準備自己的功課，是否就等於 YA 服務是值得研究的問題
（我個人很高興看見靑少年在圖書館大門「擠進擠出」，特此聲明）。

專門爲靑少年讀者服務所作的研究主要者爲「圖書館趨勢」（Library Trends）。此一舉世聞名的學報於 1968 年 10 月份刊出「靑少年讀者服務」專號。當時ＹＡ讀者服務工作頗有一點欣欣向榮的氣象，但好景不常，自 1970 年代開始青少年讀者人數不斷下降。公共圖書館青少年讀者服務工作也跟著一蹶不振。爲了扭轉劣勢並表示對ＹＡ服務的關切，「圖書館趨勢」於 1988 年暑期再度出版「靑少年服務」專刊。這兩次特刊出版時差爲廿年。Library Trends 的捲土復來，似乎造成一種印象，這廿年來ＹＡ服務還有不盡如人意，需要改進的地方。

## 二　不快樂的年代

### 1.　北卡羅林納大學的研究

不快樂年代（The unhappy years）這個語句不是我杜撰的。而是北卡羅林納大學（University of North Carolina）歐倫伯（Peter Uhlenberg）和艾格賓（David Eggebeen）兩位教授合作研究計劃的篇名，在這項研究之中他們帶來若干令人沮喪懊惱的訊息 ❷：

A. 青少年ＳＡＴ口試成績降低 11％。

B. 青少年犯罪、吸毒、墮胎、私生子統計數字上升 100％。

C. 青少年自殺統計在過去卅年間上升 300％。

他們的研究結論指出在 1960～1980 年間，青少年的福祉已經到了每況愈下，一落千丈的地步。

## 2. 少年的煩惱

這個 Entry heading 是我信手拈來的，當我寫到「少年的」三個字之後，拿筆的手不聽大腦指揮就很自然加上「煩惱」這個名詞，顯然的我是受了過去喜愛閱讀歌德（Goether）的名著「少年維特之煩惱」（The Sorrows of Young Werther 1774）的影響。也許少年時代的確有若干讓他不快樂的地方，但是過去的維特祇是為了感情而煩惱，近年來的圖書館文獻只要討論到 Y A 服務問題都會或多或少的提到青少年的痛苦和不安。前述的1988年「圖書館趨勢」就是一個例子。傅能（Judith Flum）❸ 綜合專家學者的意見，斷定在我們現代社會中，青少年是遭受到不公平待遇和迫害的一群。其原因和現象如下：

A. 他們沒有地位，在現代社會裡「少年」一定要和老成連在一起，否則便會認為「嘴上無毛，做事不牢」。

B. 他們是「未來」主人翁，現在不是。

C. 他們沒有實際的權力，投票和決策都與他們無關。

D. 他們沒有經濟能力，童工、最低工資都是與他們有關的問題。這一點魯芬（David Ruffin）曾有詳盡的研究❹。他的報告重點雖然在於黑人，但是仍然有參考價值。

E. 他們對於自己的生活沒有太大的發言權。學校決定他們的課程、教材和師資，家長控制和影響他們的活動。

社會對於青少年的歧視幾乎已經到了不近人情的地步。在加州伯克萊市（Berkeley, California）這樣進步、開放的地區，若干青少年喜歡涉足的商店，甚至在門窗上張貼佈告：「同一時間只許兩名學生進入本店」（ Only two students in store at a time ）。傅能（ Judith Flum ）對於這種現象憤憤不平，她說：「如果『學生』兩個字換成『黑人』或『婦女』不會被民權份子鬧得天翻地覆才怪。」❺

### 3. 美國的迷惘❻

美國是一個民主國家，美國人民深深以此爲自豪。他們對人權問題極爲敏感，有時甚至關切到其他國家或地區的內政。但是美國自己是否已經做到盡善盡美的境界？丟開別的方面不談，僅就增進靑少年的福祉和加強靑少年的權力而論，前述的傅能聊以解嘲的指稱「這是一項艱難的工作，必需要經過一段緩慢的過程」❼她並指出兩件美國歷史上例子以證明「欲速則不達」：

- 柏恩（ Henry Bergh ）於1874年創立預防虐待兒童會社
  （ Society for Prevention of Cruelty to Children）。
  同爲他創立的預防虐待動物會社（ Society for the Pre-
  vention of Cruelty for Animals ）早於1866年成立。
  換言之，兒童權利落在動物權利之後八年。

- 群思媽媽（ Mothers Jones ）動員因工作受到傷害的兒童
  到羅斯福總統的住屋，抗議兒童勞動者遭受剝削的惡劣情
  勢。但這種以自力救濟的方式提醒最高行政當局的努力沒
  有下文。「美國兒童勞動法」一直到1941年才成爲法律
  ❽。

「今日的兒童學報」（ Children Today ）1987年五、六月份特刊中所登載的一篇文字則不像傅能舉出的例證輕鬆。據報導

「美國兒童福利聯盟」（Child Welfare League of America）
在一次年會中戲劇化的指出，如果青少年問題不早點想出辦法解
決，而讓這種趨勢延續下去，則在公元 2000 年高中畢業班 40 名
學生之中 ❾：

- ・2 名將生產私生子。
- ・8 名將退學。
- ・11 名將失業。
- ・15 名將在貧困情況下生活。
- ・36 名將會酗酒。
- ・17 名將吸用大麻煙。
- ・8 名將服用更強烈的毒品，古加鹼。
- ・6 名將離家出走。
- ・1 名將會自殺。

「美國兒童福利聯盟」是一個代表保守思想的組合，求好心
切。這篇文字雖然駭人聽聞，言過其實，却不可以等閒視之。

# 三 青少年讀者和圖書館

## 1. 公共圖書館的難題

青少年讀者是公共圖書館最重要的讀者群。最近統計指出，
以美國而論，青少年人數佔全國人口 10％，但在公共圖書館中
却爲讀者總數字 25％。同一統計更進一步的顯示，美國公共圖
書館購書經費中運用採購青少年讀物者爲 16％，而僱用青少年

讀者專業館員（ YA　specialist ）者僅有11％的圖書館❿。美國圖書館學報（ American　Libraries ）發表這篇統計的報導，主要的目的在於指控公共圖書館對於青少年讀者的服務沒有善盡職責。

公共圖書館本身也有一肚子苦水，首先98％ 的中等學校都設置有圖書館媒體中心（ Library Media Centers ）。青少年讀者的圖書館服務似乎成了中等學校的責任。爲了經費的理由紐約教育局在1970 年代曾經提出公共圖書館祇應該服務成人讀者，而將青少年、兒童讀者的服務移交與學校圖書館的荒謬主張⓫。圖書館學院系祇開設有限的青少年讀者服務課程，聘用專業ＹＡ人才談何容易⓬，連美國圖書館事業的大本營美國圖書館學會，也因爲受到經濟壓力幾乎撤除他的青少年服務部（ YASD ）⓭。

## 2.　青少年讀者專業館員難爲

青少年讀者專業館員（ YA　Specialist ） 是一個吃力不討好的工作，就服務的對象而論，青少年讀者可能是最難伺候的讀者群，其原因如下：

A. 青少年由於身體的發育，影響到心情的變化，今天的他和昨天的他迥若兩人。

B. 青少年社會經驗不足，對於天下事物常有不成熟或錯誤的見解。

C. 青少年有他們自己的語言和肢體動作，不容易爲外人了解。

D. 青少年的興趣和好癖經常是和時代脫節，很難爲成人接受。

除了服務對象不容易捉摸之外，ＹＡ館員也受到自己訓練和專業倫理的束縛。例如圖書館員不得幫助學生準備功課作業（Home Work），對於若干容易引起爭議的問題（Controversial issues）採取中立的立場等都不容易得到青少年讀者的認同。

　　ＹＡ專業館員本身也並不是毫無瑕疵，齊登（Mary K. Chelton）在演說中曾將ＹＡ館員的缺點逐條列舉，這篇講詞後來在「學校圖書館媒體季刊」（School Library Media Quarterly）1985年秋季號中轉載。我受篇幅所限，只能提出她所講的一小部份。她認為ＹＡ專業館員心中早已存有一個「理想」（Ideal）青少年讀者的影子。與她們理想不符合的ＹＡ，她就會下意識的感覺到不安，其次ＹＡ專業館員更有一個錯覺，認為女生比較男生喜歡到圖書館，而養成重女輕男的觀念。再者，YA專業館員都比較喜歡精裝圖書（hard-back books）而輕視青少年喜愛的袖珍本圖書（pocket books, paper backs）❹。因此與ＹＡ格格不入。麥唐納（Frances M. McDonald）補充齊登的觀點，她說：若干專業ＹＡ館員不相信ＹＡ有真正的研究需要，他們的研究成果也不會產生什麼了不起的貢獻，所以把ＹＡ的研究需求和成人的需求分開是合理的。這種雙重標準當然對YA服務有害無益❺。

### 3. 青少年讀者的反彈

　　青少年讀者進入圖書館時常常會造成一種尷尬的局面。這一群「上學族」在外型上接近成人，但在心態上却往往留連在備受長輩疼愛，甚至姑息的兒童時代，圖書館員在接待他們時也往往不知所措，漢門（Charles Harmon）指稱：「把他們當作成人則

太小，當作兒童又太大。」（ too old to be treated as child-
ren and too young to be treated as adults ） ⓰

　　實際上，青少年在圖書館所遭受的壓力何止如此。他們在圖
書館四處碰壁，這種柏林圍牆有的是屬於生理的或有形的，有的
則是屬於心理的或無形的。

　　A. 在心理上，青少年認為他們是被圖書館遺忘的一群，是
不太受歡迎的使用者。他們懷疑ＹＡ館員對他們表示友好時的誠
意，圖書館訂立的若干規則好像都是針對他們而來。同時他們的
需求也不會受到圖書館的重視。

　　B. 在實質上，圖書館所有的基本運作幾乎都受到挑戰。查
爾登（ Mary K. Chelton ） 認為笨拙的館內佈置，不方便的開
放時間，不盡情理的管理規則，不夠運用的ＹＡ專業館員教育，
不受歡迎的安全制度都構成了障礙。她以質問的口氣說：「圖書館
對於生理殘障讀者的便利想得非常週到，難道一個青少年就必需
要變成殘障才能有資格要求取得資訊的便利？」 ⓱

　　青少年對於圖書館不滿，從下列兩項研究調查中顯露無遺。
蓋羅（ Donald Gallo ）於 1982 年，在對小學四年級到高中三年
級 3399 名學生所作的調查發現從初中一年級到高中三年級的學
生普遍的不信任圖書館員，在尋求資訊希望成人輔導他們把圖
書館員名列排行榜的最後一位 ⓲。查德（ Jody Charter ）在對
6 所中學 239 名學生所作的調查中發現學生使用圖書館的滿意率
只有 58.5％。 圖書館館藏中找不到青少年需要的資料，不會使
用索引、書目、館際互借受到限制等原因使得 41％ 接受調查的
學生不願意再使用圖書館 ⓳ 。

### 4. 青少年讀者專業館員（YA specialist）所應該扮演的角色

為了積極改善和加強青少年讀者服務，YA 專業館員應該扮演一個什麼樣的角色？這個問題沒有標準答案。綜合文獻中若干專家學者的意見，我只能大體上列出下列幾項：

A. 青少年讀者專業館員必須決定自己準備扮演的角色

麥唐納（McDonald）把成人（當然包括圖書館員）可能扮演的角色和青少年取得智慧財產的權力合併在一起討論。他說成人只有兩條路可走：❷

(1) 監護人（Protector）：深信自己知道青少年的資訊需要，更知道如何滿足青少年的需求，常常善意的讓青少年取得資訊的便利受到限制。為了保護青少年使他們不致受到傷害，在發展館藏時，YA 專業館員不敢放手買書，惟恐家長和社會人士詬病。

(2) 支援者（advocate）：對青少年的能力深具信心。認為青少年知道自己的需求，也會取得資訊。對於這些資訊，支援者不加判斷。他們的責任只是從旁支持，讓青少年自己索取，接受和運用資訊，他們竭盡可能幫助清除阻擋在青少年和資訊之間的障礙。

麥唐納顯然的是希望 YA 專業館員扮演支援者的角色。

B. 青少年讀者專業館員必須和青少年讀者建立良好人際關係

公共圖書館青少年讀者服務工作不能順利展開，若干學者專家，例如前述的查德（Charter）認為 YA 專業館員的個性和青少年讀者格格不入是一個主要的原因。爲了扭轉局勢，YA專業館員必需要在青少年的心目中建立一個新的形象。傅能（Flum）認爲YA專業館員必需要對青少年讀者表示尊重，給他們機會表現自我❷，同時圖書館也應該準備一個他們喜歡的讀書環境，讓他們單獨看書時不受打擾，願意和同伴在一起時也有地方。

加強YA專業館員和青少年讀者的人際關係，和準備良好的閱讀環境可能取得青少年的好感和謝意，但不一定能得到青少年重視和尊重圖書館的回饋。青少年讀者專業館員還需要在滿足青少年讀者資訊需求上有所表現才能使良好的關係和情感繼續下去。

漢門（Harmon）指出青少年對圖書館的需求有三方面：

‧研究性的需求（學校的作業、個人的研究）。

‧休閒性的需求（讀、聽、看三方面的資料）。

‧資訊性的需求（成家、立業等方面的資訊）。❷

從表面看這三樣需求青少年和成人並沒有什麼不同，但在實質上卻有天遠地隔的差異。

漢門在（　　）符號裡面所寫出來的文字對於YA專業館員的工作指出了一個正確的方向和特定的範圍。

C. 青少年讀者專業館員的專業知識必需要能與時並進

圖書館學之所以能成爲一種科學，是因爲能「動」能「變」，如果以「不變」應環境的「萬變」，在資訊時代裡，圖書館沒有「生存」的理由，必然會遭遇到「被淘汰」的命運。

青少年專業館員在從事青少年讀者服務時好像是以落伍的裝備劣勢作戰。本來他們在圖書館學系所接受有關青少年服務的教育就很有限（請參見本文註❶），而圖書館員長遠以來奉爲金科玉律的選書標準、分類編目規則、參考服務的倫理都受到嚴重的挑戰，前述的查德（Charter）調查（請參見本文註 ⑲）足資證明。格蘭特調查小組（William T. Graut. Commission）的研究結論中指稱「我們的社團組織從事對靑少年服務工作時在本身的調整和適應方面好像不太靈光」 ㉓。

如果說圖書館事業在技術服務和讀者服務工作完全墨守成規，一成不變也有失公允，以分類標準、編目規則而論，就在不斷修正，例如美國圖書館學會（A. L. A.）就常設有杜威分類法修訂小組。若干年前曾派專人來到我國，廣泛徵求修正意見，並曾到臺中東海大學和我面談，錄音記錄，AACR已經修正爲AACR2，誰能斷定將來就不會再刊出AACR 3 ？問題是修正的幅度能不能和靑少年的程度、背景、習慣配合？圖書館的事情是做不完的，也許修訂的工作可能永無止境，狄哈特（Dehart）認爲編製目錄的原則有三 ㉔：

　　‧看得清楚（intelligibility）。

　　‧找得出來（findability）。

　　‧編得公正（Fairness）。

爲了遵守上述原則採用標題應該根據年齡、班級、讀者興趣、運用的目的等條件來決定。麥唐納（McDonald）解釋說：「目錄的神秘性仍然是當前使用者找尋資訊的絆脚石。」 ㉕柏林尼（Richard H. Perrine）在「目錄利用的研究」（Catalog Use Study）曾指出主題目錄的五大缺點：

　　‧整個主題標目體系是武斷的。

　　‧編目選用的主題和讀者心中所想到的未必相同。

‧由於語意的變動，主題標目的概念隨着時間更變。

‧書的內涵有很多主題，編目能選用的有限。

‧主題標目缺乏衡量標準。那些重要，那些次要殊難取捨。㉖

在圖書選擇方面，儘管美國圖書館學會在 1983 年已經提出「圖書館閱讀權利宣言」( Library Bill of Rights )，指明不得以種族、年齡、背景和觀念的原因影響到讀者利用圖書館的權利㉗。美國最高法院在 Tinker V. Desmoines 判例中說明「在我們的制度裡，學生不得看成閉路電視的收視人，只能接受政府選擇出來的訊息㉘」。青少年讀者專業館員如果仍然--憑自己的喜愛選擇和推薦讀物，則他們成了青少年讀者的「監護人」而不是「支援者」，那就是有虧職守，扮演了錯誤的角色。

D. 青少年讀者專業館員的神聖使命

從事青少年讀者服務工作，YA 專業館員必需首先具有強烈的使命感，漢門( Harmon )認爲圖書館責無旁貸。因爲在我們的社會裡沒有其他的機關社團和個人能夠背起供應青少年資訊的擔子㉙。這項工作無比重要，因爲青少年讀者如果在離開中學以前就能體會到圖書館的功能，善用圖書館的設備，當他們長大成人的時候就會養成利用圖書館的習慣。

爲了做好自己的工作，達到上述目的，YA 專業館員必需設計一項整套的方法，結合各方面的人力資源。

(1) 接近青年

‧讓青少年在圖書館裡的活動和他們在學校所得到的經驗連接起來。

・鼓勵青少年對於他們資訊的需求，和圖書館的運作，都能自由的提出意見。

・訓練青少年會用圖書館各種工具和設備以取得資訊，祇能算是部份的完成任務。YA 專業館員要進一步的教導青少年讀者如何評估、處理和運用找到的資訊。

(2) 動員家長

YA專業館員為了做好青少年服務，有必要將工作的範圍延伸到青少年的家庭。其原因如下：

・圖書館的服務對象本來是老少咸宜的（ Cross-generational ），也就是臺北市立圖書館所提倡的「從 0 開始，直到永遠」。

・家長本來是學生最好的老師，這也是家長的責任❸。

・在近代社會裡，家庭份子聚集的機會不多，在青少年眼光中家長祇是掌管經濟者和執法者，如果在知識和資訊的園地中，家長能夠參與，可以加強子女對家長的尊敬和家庭的和諧❸。

・家長參與圖書館的活動，YA 專業館員也可藉此多了解青少年的家庭背景。

・鼓勵青少年在家中擔任小老師，利用圖書館借來的圖書對弟妹講解，或是說故事。此項工作想順利進行也需要家長合作。

・歡迎家長參加讀書會、討論會，使整個家庭和圖書館發生關係。家長無義工之名却有義工之實，一方面有助於YA 服務工作的展開，同時也讓書香社會的理想邁前一大步。

(3) 結合社會人力資源

圖書館只是社區中社教機構之一，青少年工作極爲繁雜瑣碎，圖書館旣無力量，也沒有必要一手包辦，傅能(Flum)在「加強青少年工作的途徑」一文中曾經詳細分析借用社會人力資源的原因和方法，她的建議可以歸納爲下列幾項 ❷：

・YA 專業館員首先要調查在社區中有那些單位和社團從事青少年工作。尤其要注意由青少年自己主持的組織。

・YA 專業館員必需要和社區中從事青少年工作的人士保持密切聯繫，將圖書館介紹給他們。

・YA 專業館員必需要和上述這些青少年工作者積極配合，交換訊息，發現問題，並且對如何解決青少年困擾取得共識。

在實際運作上，若干公共圖書館已經開始採納傅能的設計。例如讀書會和書評小組已經不再是圖書館的專利，圖書館和學校合作辦理逐漸成爲風氣。美國加州的兩個組織 —— 海灣地區青少年專業館員小組 ( Bay Area Young Adult Librarians ) 和南加州青少年書評人小組 ( YA Book Reviewer of Southern California ) 可以說建立了良好的模式和榜樣 ❸。

# 四 任重道遠 —— 公共圖書館青少年讀者服務 的遠景

## 1. 他山之石，可以攻錯

美國爲圖書館事業最發達的國家，在中國圖書館學會會務通訊中，我曾經拜讀一篇陳泠先生所寫篇名爲「且話圖書館——比較紐約、臺北公立圖書館之不同」的文章●。

這篇文字寫得極爲流暢生動。我極爲欣賞其中幾句話：

「美國圖書館實在是最美妙，最令人難忘的地方，對於愛書的人來說，美國的圖書館更只有『天堂』二字差可形容……。圖書館幾乎從未讓我失望過。儘管客居美國，收入照扣稅不談，但僅僅使用圖書館一事，我已覺得不但夠本，而且是夠幾倍的本了。」

記得我曾經服務過的丹佛市立公共圖書館（D. P. L.）組織方面極爲完善。除了流通、採編……等行政部門科技，商業、音樂……等學科部門之外，還成立了公共事務（Public Affairs Division 此一單位是我的主要責任）、成家立業（Home Makers Division）和靑少年讀物（Young Adults Division）三個特藏室，我極爲滿意那份工作。當我於民國 44 年回國擔任國立中央圖書館閱覽部主任（那時央圖還沒有開館閱覽）兼省立臺北圖書館研究員（蔣慰堂先生兼任兩館館長，我眞正的職務是留守省館）的時候，看見省館閉架書庫書架上的鐵絲網時，心中的感受和陳泠先生一樣。

現在的情形是否不大一樣？賀姆斯（Fontayne Holmes）指出●由於經濟不景氣的影響，1965 年洛杉磯市立公共圖書館（Los Angeles Public Library）的 64 所分館中共聘用全勤 YA專業館員 45 名，兼任 YA專業館員 19 名，在 1977～1983

年之間，員額逐漸裁減爲YA專業館員25名，兼任YA專業館員
34名，他形容這種萎縮的情形是青少年讀者服務工作的悲劇
（Tragedy）。

自從圖書館推動自動化以來，線上檢索查出來的資源，圖書
館由於經費的理由不能完全收藏❻以及圖書館必須收取費用所引
起的是否應該收取費用的問題（Fee V. Free Debate）❼都加
深了美國圖書館界的不安和迷惘。美國朋友求好心切，有時難免言
過其實，如果我們天眞到以爲美國的圖書館事業正在走下坡和靑
少年讀者服務工作一無是處，就會鬧笑話了。

## 2. 我國青少年讀者服務工作急起直追

陳冷先生的高見我極爲重視，我想這也是我們的會訊轉載他
的大作的理由。但我也有不盡苟同的地方。我覺得近年來我們的
公共圖書館在讀者服務方面確有長足進步，以臺北市立圖書館爲
例，我極爲喜愛他們印製的一本小冊子——「臺北市立圖書館爲
您提供終身服務——從0開始」。關於青少年讀者服務部份我特別
剪輯下列部份供關心人士參考。

■13～22歲

風輕雲淡的日子，

心情似乎也跟著飛揚起來，

捧一本好書，沉醉其間，

我知道：我的未來不是夢！

圖書借閱：〔開架閱覽室、期刊室、參考室〕

・研習進修：思想110、文學810、藝術900

・勵志模範：傳記 780

・心理輔導、人際關係：心理學 170、倫理學 190

・求職與就業：職業問題 542.7

・戶外活動：運動 528.9、旅遊指南 673、休閒娛樂 990

・儀容服飾：衣飾 423、美容 424

參考諮詢：〔總館參考室〕

「國內大學各科系概況」、「教室佈置與壁報製作資料」、「高普考的報名時間與資格」、「臺北近郊郊遊、烤肉的地點」……生活周遭的事或偶發的好奇，歡迎走進參考室，或撥個電話──3962510，您將會有滿意的答案。

自修場所：〔一般閱覽室〕

■推廣服務：

・每月一書活動

・各類書展

・雷射影碟片欣賞：每週六下午二時總館視聽室邀您共享身歷聲

臺北市立圖書館視聽中心所編製的視聽資料目錄中也收藏有部份青少年讀者極為歡迎的錄影帶，例如：

| 分類號 | 節目名稱 | 集數 | 主　　要　　內　　容 |
|---|---|---|---|
| 308.9 5982 | 青少年科學園地 | 13 | 以生活化科學的介紹，培養中小學生對基礎科學的興趣，提高青少年科學知識。 |

| 分類號 | 節目名稱 | 集數 | 主　　　要　　　內　　　容 |
|--------|---------|------|---------------------------|
| 309.8<br>2714 | 科學尋根 | 26 | 介紹對人類有重大影響的科學家及所提出的定理和發明，和在日常生活中如何應用這些原理。 |
| 426<br>2122 | 自己動手 | 39 | 介紹一些製作簡單實用之器具。 |
| 544.67<br>5772 | 成長與衝突 | 13 | 探討青少年成長過程可能遭遇的問題。 |
| 547.208<br>3514 | 空中張老師 | 55 | 解決青少年問題，提高學習能力，為青少年指出正確的人生方向。 |

　　此外政府和社會人士的大力支援更是一個可喜的現象，臺北市政府新聞處刊出優良青少年讀物目錄到民國 78 年 12 月止已經推薦出來 15 期（這祇限於我所收藏的部份，事隔一年有餘，想必已經遠超出這個期數）。臺北市國教輔導團圖書館輔導小組（一個純義務性組合）在研究報告裡也經常刊載適合國中生閱讀的書目。

　　民意代表不甘後人，臺北市議員馮定亞、江碩平建議台北市立圖書館在各分館中提供場所，讓青少年及兒童交換圖書和玩具❸。諸如以上例證不勝枚舉。青少年讀者服務問題已經得我國學國一致的重視與支持，我預期一個美麗的遠景。

# 附　註

❶ Ernestine Rose, The Public Library in American Life ( New York : Columbia University Press, 1954 ), p.112.

❷ "The Unhappy Years," 1987, Scientic American 256 ( January ).

❸ Judith G. Flum, "The Path to Empowerment for Young Adult Library Services", Library Trends vol. 37 no.1 ( Summer 1988 ), pp. 4 - 18.

❹ David C. Ruffin, 1984, "The Price of Youth Labor," Black Enterprise 16 ( August ).

❺ Flum, op. cit, p.5.

❻ 借用王道先生名著的書名。

❼ Flum, op. cit, p.14.

❽ Sylvia S. Isabel, 1986, "How to be an advocate," Children's Advorcate 13( November - December ).

❾ "Youth enpowerment," 1987, Children Today 16 (May-June).

❿ "Preliminary Stats Prove Libraries Shortchanging YAs," 1988, American Libraries 19 (April), pp. 246-48.

⓫ Alice Naylor, "Reaching all children" in Library Trends ( Winter 1987 ), p.381.

⓬ Flum, op. cit., p.7.

⓭ Regina Menudri to Flum, personal communication 29, Dec.

1987.

⑭ Mark K. Chelton, " Issues in Youth Access to Library Services," School Library Media Quarterly 14 (Fall), pp. 21-25.

⑮ Frances M. McDonald, " Information Access for Youth " Isssues and concerns. Library Trends vol. 37 no. 1 ( Summer 1988 ) p. 35.

⑯ Charles Harmon and Frances B. Bradburn, "Realizing the reading and information needs of you," Library Trends vol. 37 no. 1 ( Summer 1988 ), p. 19.

⑰ Chelton, op. cit., p. 33.

⑱ Donald A. Gallo, 1985, " Ask your Librarian ! " American Libraries 16 ( November ).

⑲ Jody Charter, 1987, " An open invitation? Access to Secondary School Library Media Resources and Services," School Library Media Quarterly 15 ( Spring ), pp. 158-60.

⑳ McDonald, op. cit., p. 30.

㉑ Flum, op. cit., p. 8.

㉒ Harmon, op. cit., p. 21.

㉓ The William T. Grant Commission on Work, Family and Citizenship, 1988, The Forgotten half : Non-College Youth in America.

㉔ Florence E. DeHart and Marylouise D. Meder, " Cataloging Childrens Materials: A Stage of Transition," in Cataloging Special Materials Critiques and Innovations, ed, by

Sanford Berman, pp.71-97 ( Phoenix, AZ : Oryz Press ).

㉕ McDonald op. cit., p.37.

㉖ 沈寶環，圖書館學與圖書館事業（臺北：臺灣學生書局，民77
年），頁141。

㉗ American Library Association, 1983, Intellectual Freedom
Manual 2nd, ed, Chicago, ILL.

㉘ McDonald, op. cit., p.39.

㉙ Harmon, op. cit., p.24.

㉚ Marguerite Baechtold and Eleanor Ruth McKinney, Library
Services for Families ( Hamden, Conn. ), 1983, p.151.

㉛ Ibid, p.150.

㉜ Flum, op. cit., p.12.

㉝ Ibid, p.12.

㉞ 陳冷，「且話圖書館──比較紐約臺北公立圖書館之不同」，中國
圖書館學會會務通訊，第69期，民78年7月31日，頁8-9。

㉟ Fontayne Holmes,1987,"Why YA Coordinators Disappear :
A Rebuttal,"VOYA 10 ( June ) pp.66-67.

㊱ Harmon, op. cit., p.24.

㊲ "Fees for Library Service : Current practice & Future
policy," 1986, Collection Building 8.

㊳ 中時晚報，民80年2月9日。

# 論公共圖書館對老人讀者的服務

沈寶環

## 一 公共圖書館

### 1. 民主社會的精神堡壘——公共圖書館的神聖使命

公共圖書館是民主社會的產物，也祇有在民主進步的開發社會中，公共圖書館才有蓬勃發展的可能。印第安那大學教授彭淇託（ Verna L. Pungitore ）以頗為驕傲的口氣指出：「在美國，公共圖書館遍地開花，無所不在。」❶相形之下，我國並不遜色，未來三年之內臺灣省309個鄉鎮都將設立圖書館❷。公共圖書館之可貴在於保障人民取得資訊的自由。其座右銘為「圖書館權利宣言」（ Library Bill of Rights ）。此一重要的文獻於1939年由美國圖書館協會（A. L. A.）提出，經過1948、1961、1967及1980年修正。1984年正式宣告代表協會對「學術自由」（ Intellectual Freedom ）的嚴正立場和基本政策❸。我之所以不厭其詳討論圖書館宣言，因為其中一段文字與本文主題有關——「讀者使用圖書館的權利不得因為種族、年齡、背景和觀點的原因受到拒絕和影響」。

## 2. 全民服務，理想落空 ——公共圖書館未能完成使命

圖書館事業，尤其是公共圖書館，多年以來一直堅持以「人民有自由取得資訊」（ Free access to Information ）為運作的最高指導原則，就是依據「圖書館權利宣言」的崇高理想。然而理想與事實卻有一段極為遙遠的距離。

A. 公共圖書館調查（ Public Library Inquiry ）的報導

公共圖書館調查是圖書館界空前盛舉，等於將美國公共圖書館在 1950 年代以前的運作來了一個總的評鑑。調查主要執筆人帕寧森（ Bernard Berelson ）在圖書館的讀者大眾（ The Library's Public ）一書中陳示下列統計：（圖見下頁）


根據以上調查統計（加上其他研究報告）帕寧森指出：

• 青年讀者離開校門以後，利用圖書館情形直線下降。換言之

• 青年讀者進入成年期後，圖書館只能維繫其中極小部份繼續利用圖書館資源。

他更斷定：

• 「一般而論，讀者年齡愈大，利用圖書館機會愈少。公共圖書館調查的結論是圖書館是中產階級 Middle Class ）的社教機構，有錢的富人自己買書，窮人則沒有閱讀的能力」。❺

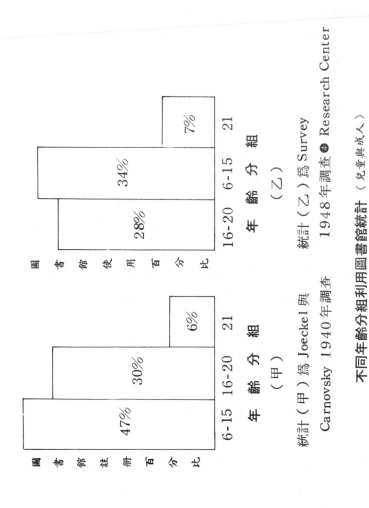

不同年齡分組利用圖書館統計 （兒童與成人）

統計（甲）為 Joeckel 與
Carnovsky 1940 年調查

統計（乙）為 Survey
1948 年調查 ❷ Research Center

B. 20 年後，美國全國圖書館諮詢委員會（The National Advisory Commission on Libraries）所作的調查，也就是我們習慣稱謂的 NACL Survey，也有極爲近似的結論。此一調查指出美國的公共圖書館使用者特徵爲❻：

- 女性
- 年齡 21～34 之間
- 大學教育程度
- 中小城市居民
- 單身或有家庭者
- 白領階級職業者

奈特（Douglas M. knight）指稱，根據此一調查，圖書館讀者群是高級知識份子而不能看成社會各階層人士的整體 ❼。

C. 1976 年蓋諾普民意調查（Gallup Organization INC）

顯示公共圖書館的讀者群，主要爲具大學教育程度的青年人。而經常到圖書館利用資源的忠實讀者，僅佔成人總人口的 10 % 至 20 %❽。儘管美國公共圖書館有 8,639 所之多（加上分館總數已經超過 70,000 所大關 ）❾；有資格、有條件的使用者 2/3 以上對圖書館敬而遠之。

杜娜克（Betty J. Turock）對於這種不可樂觀的現象，感慨頗深。她認爲「服務全民」（Service to all）的理想是一條行不通的路。她說：「『服務全民，大家有份』的宗旨是公共圖書館最大優點，同時也是最嚴重的弱點，最受到傷害的是老人讀者。」❿ 杜娜克是積極提倡圖書館老人服務的專家，何以「服務全民」的哲學影響老人讀者的服務，以後再作交待。

### 3. 改弦更張，重建重點──公共圖書館扭轉命運的努力

經過多年累積的痛苦經驗，圖書館界慢慢覺悟，不得不承認公共圖書館，無論有如何豐富的資源、悠久的歷史和龐大的影響力，沒有能力做所有該做的事❶。圖書館是有生命的有機體，其特徵在於由「動」而「變」。前述的彭淇託指稱：公共圖書館可貴之處就是在於擁有分散性（Diversity）、適應性（Adapta-bility）和持久性（Capacity to endure）三大特色❷。圖書館之所以能存在，就是能夠在「此路不通」的困境之下找出另外的通道。狄孟（Rosemary Du Mont）在檢討公共圖書館的社會責任時說：公共圖書館應該用若干「深入民間」（outreach）的計劃和方法，以未經服務的（unserved）以及服務程度不夠的（underserved）人口作為針對的目標對象，這些對象群（Target groups）包括老人讀者、殘障人士、住院病患、少數民族等❸。也就是所謂的「特殊人口」（Special population）。近年來特殊人口服務問題，已經逐漸成為圖書館界所關心的熱門話題。主要圖書館文獻出版公司如鮑克公司（R. R. Bowker），還特別出版了整套的服務特殊人口叢書（Serving Special po-pulations Series）。杜克娜所撰的「如何服務老人讀者」（Serving the older adult）就是叢書中極為重要的一種。

## 二 老人讀者

## 1. 長春社會的來臨

隨著醫藥衛生的發達、社會福利改善以及經濟結構之發展，人類壽命不斷延長，高齡人口有增多的現象❹。此種情況在我國和美國尤為顯著。

A. 我國的情況

根據 1988 年中華民國年鑑報導❺：

・在 1947 年，成人人口超過四十歲者為人口總數 17.8％。

・在 1987 年，此一百分比 提升為人口總數 25.6％或 4,980,000 人。

・在 1987 年，成人人口超過六十五歲者為人口總數 5.41％或 1,083,000 人。

・估計 2000 年時，成人人口超過 65 歲者為人口總數 8.4％

此一統計數字與我國經建會發表的資料相符（見下頁）❻。

B. 美國的情況

根據杜克娜報導：

1900 年，美國老人人口為人口總數 4.1％。

1980 年，美國老人人口為人口總數 11.3％。

1980 年，人口調查，美國老人人口為 25.55 百萬人。

2030 年，美國老人人口將驟增為 56 百萬人，等於全美總人口 14～22％。

又在 1970～1980 年間 65 歲以下人口增加率 10％以上❼。

## 2. 老人問題與特徵

# 中華民國人口年齡分配統計（人數）

## 2-6b. POPULATION BY AGE GROUP

（ Number ） Unit : 1,000 persons

| End of Year | 15-64 | | | | | | 65 & Over | | |
|---|---|---|---|---|---|---|---|---|---|
| | 35-39 | 40-44 | 45-49 | 50-54 | 55-59 | 60-64 | Subtotal | 65-69 | Over-70 |
| 1952 | 454 | 395 | 313 | 245 | 175 | 131 | 203 | 103 | 100 |
| 1953 | 461 | 414 | 325 | 247 | 182 | 131 | 209 | 102 | 107 |
| 1954 | 467 | 430 | 343 | 260 | 192 | 135 | 215 | 103 | 112 |
| 1955 | 488 | 445 | 361 | 276 | 204 | 143 | 222 | 104 | 118 |
| 1956 | 523 | 455 | 379 | 287 | 215 | 146 | 229 | 105 | 124 |
| 1957 | 549 | 461 | 402 | 301 | 227 | 152 | 236 | 106 | 130 |
| 1958 | 574 | 470 | 424 | 316 | 231 | 162 | 248 | 108 | 140 |
| 1959 | 604 | 483 | 443 | 335 | 243 | 171 | 256 | 111 | 145 |
| 1960 | 632 | 504 | 454 | 350 | 257 | 181 | 268 | 118 | 150 |
| 1961 | 654 | 538 | 463 | 365 | 270 | 191 | 278 | 123 | 155 |
| 1962 | 677 | 564 | 466 | 393 | 283 | 203 | 287 | 128 | 159 |
| 1963 | 711 | 588 | 474 | 414 | 298 | 209 | 303 | 138 | 165 |
| 1964 | 742 | 616 | 485 | 432 | 316 | 220 | 317 | 146 | 171 |
| 1965 | 771 | 646 | 507 | 446 | 330 | 233 | 335 | 155 | 180 |
| 1966 | 791 | 671 | 540 | 458 | 347 | 247 | 352 | 165 | 187 |
| 1967 | 805 | 694 | 565 | 457 | 374 | 257 | 367 | 174 | 193 |
| 1968 | 816 | 735 | 594 | 467 | 397 | 271 | 382 | 178 | 204 |
| 1969 | 852 | 830 | 662 | 489 | 418 | 287 | 404 | 189 | 215 |
| 1970 | 846 | 850 | 698 | 515 | 431 | 300 | 429 | 201 | 228 |
| 1971 | 839 | 860 | 725 | 552 | 440 | 318 | 453 | 212 | 241 |
| 1972 | 847 | 860 | 751 | 584 | 442 | 345 | 480 | 224 | 256 |
| 1973 | 856 | 849 | 786 | 612 | 451 | 364 | 504 | 235 | 269 |
| 1974 | 871 | 838 | 811 | 645 | 463 | 381 | 533 | 250 | 283 |
| 1975 | 893 | 831 | 832 | 676 | 485 | 392 | 564 | 262 | 302 |
| 1976 | 916 | 823 | 840 | 702 | 522 | 404 | 599 | 277 | 322 |
| 1977 | 925 | 830 | 838 | 727 | 552 | 407 | 643 | 301 | 342 |
| 1978 | 938 | 841 | 828 | 760 | 579 | 417 | 682 | 321 | 361 |
| 1979 | 936 | 858 | 820 | 788 | 610 | 429 | 724 | 337 | 387 |
| 1980 | 905 | 884 | 815 | 809 | 644 | 452 | 762 | 350 | 412 |
| 1981 | 884 | 904 | 807 | ℃16 | 699 | 486 | 799 | 359 | 440 |
| 1982 | 906 | 913 | 815 | 814 | 694 | 515 | 838 | 363 | 475 |
| 1983 | 952 | 924 | 823 | 804 | 727 | 539 | 875 | 372 | 503 |
| 1984 | 1,034 | 924 | 842 | 798 | 754 | 569 | 922 | 385 | 537 |
| 1985 | 1,157 | 892 | 866 | 793 | 774 | 602 | 973 | 405 | 568 |
| 1986 | 1,313 | 876 | 887 | 788 | 781 | 625 | 1,027 | 437 | 590 |
| 1987 | 1,428 | 900 | 901 | 800 | 784 | 654 | 1,089 | 466 | 623 |

# 中華民國人口年齡分配統計（百分比）

## 2-7b. POPULATION BY AGE GROUP

| End of Year | 15-64 | | | | | | 65 & Over (Percentage) | | |
|---|---|---|---|---|---|---|---|---|---|
| | 35-39 | 40-44 | 45-49 | 50-54 | 55-59 | 60-64 | Subtotal | 65-69 | Over-70 |
| 1952 | 5.6 | 4.9 | 3.8 | 3.0 | 2.2 | 1.6 | 2.5 | 1.3 | 1.2 |
| 1953 | 5.5 | 4.9 | 3.8 | 2.9 | 2.2 | 1.6 | 2.5 | 1.2 | 1.3 |
| 1954 | 5.3 | 4.9 | 3.9 | 3.0 | 2.2 | 1.5 | 2.5 | 1.2 | 1.3 |
| 1955 | 5.4 | 4.9 | 4.0 | 3.0 | 2.2 | 1.6 | 2.5 | 1.2 | 1.3 |
| 1956 | 5.6 | 4.9 | 4.0 | 3.1 | 2.3 | 1.6 | 2.4 | 1.1 | 1.3 |
| 1957 | 5.7 | 4.8 | 4.1 | 3.1 | 2.3 | 1.6 | 2.4 | 1.1 | 1.3 |
| 1958 | 5.7 | 4.7 | 4.2 | 3.1 | 2.3 | 1.6 | 2.5 | 1.1 | 1.4 |
| 1959 | 5.8 | 4.6 | 4.3 | 3.2 | 2.3 | 1.6 | 2.5 | 1.1 | 1.4 |
| 1960 | 5.9 | 4.7 | 4.2 | 3.2 | 2.4 | 1.7 | 2.5 | 1.1 | 1.4 |
| 1961 | 5.7 | 4.8 | 4.2 | 3.3 | 2.4 | 1.7 | 2.5 | 1.1 | 1.4 |
| 1962 | 5.9 | 4.9 | 4.0 | 3.4 | 2.5 | 1.7 | 2.5 | 1.1 | 1.4 |
| 1963 | 6.0 | 4.9 | 4.0 | 3.5 | 2.5 | 1.7 | 2.6 | 1.2 | 1.4 |
| 1964 | 6.0 | 5.0 | 4.0 | 3.5 | 2.6 | 1.8 | 2.6 | 1.2 | 1.4 |
| 1965 | 6.1 | 5.1 | 4.0 | 3.5 | 2.6 | 1.9 | 2.6 | 1.2 | 1.4 |
| 1966 | 6.1 | 5.2 | 4.1 | 3.5 | 2.7 | 1.9 | 2.7 | 1.3 | 1.4 |
| 1967 | 6.1 | 5.2 | 4.3 | 3.4 | 2.8 | 1.9 | 2.8 | 1.3 | 1.5 |
| 1968 | 6.0 | 5.4 | 4.3 | 3.4 | 2.9 | 2.0 | 2.8 | 1.3 | 1.5 |
| 1969 | 6.0 | 5.8 | 4.6 | 3.4 | 2.9 | 2.0 | 2.8 | 1.3 | 1.5 |
| 1970 | 5.8 | 5.8 | 4.7 | 3.5 | 2.9 | 2.0 | 3.0 | 1.4 | 1.6 |
| 1971 | 5.6 | 5.7 | 4.8 | 3.7 | 2.9 | 2.1 | 3.0 | 1.4 | 1.6 |
| 1972 | 5.5 | 5.6 | 4.9 | 3.8 | 2.9 | 2.2 | 3.2 | 1.5 | 1.7 |
| 1973 | 5.5 | 5.5 | 5.1 | 3.9 | 2.9 | 2.3 | 3.2 | 1.5 | 1.7 |
| 1974 | 5.5 | 5.3 | 5.1 | 4.0 | 2.9 | 2.4 | 3.4 | 1.6 | 1.8 |
| 1975 | 5.5 | 5.1 | 5.2 | 4.2 | 3.0 | 2.4 | 3.5 | 1.6 | 1.9 |
| 1976 | 5.5 | 5.0 | 5.1 | 4.3 | 3.2 | 2.4 | 3.6 | 1.7 | 1.9 |
| 1977 | 5.5 | 5.0 | 5.0 | 4.3 | 3.3 | 2.4 | 3.8 | 1.8 | 2.0 |
| 1978 | 5.5 | 4.9 | 4.8 | 4.4 | 3.4 | 2.5 | 4.0 | 1.9 | 2.1 |
| 1979 | 5.4 | 4.9 | 4.7 | 4.5 | 3.5 | 2.4 | 4.1 | 1.9 | 2.2 |
| 1980 | 5.1 | 5.0 | 4.6 | 4.5 | 3.6 | 2.5 | 4.3 | 2.0 | 2.3 |
| 1981 | 4.9 | 5.0 | 4.4 | 4.5 | 3.7 | 2.7 | 4.4 | 2.0 | 2.4 |
| 1982 | 4.9 | 4.9 | 4.4 | 4.4 | 3.8 | 2.8 | 4.6 | 2.0 | 2.6 |
| 1983 | 5.1 | 4.9 | 4.4 | 4.3 | 3.9 | 2.9 | 4.7 | 2.0 | 2.7 |
| 1984 | 5.4 | 4.9 | 4.4 | 4.2 | 4.0 | 3.0 | 4.8 | 2.0 | 2.8 |
| 1985 | 6.0 | 4.6 | 4.5 | 4.1 | 4.0 | 3.1 | 5.1 | 2.1 | 3.0 |
| 1986 | 6.7 | 4.5 | 4.6 | 4.1 | 4.0 | 3.2 | 5.3 | 2.2 | 3.0 |
| 1987 | 7.2 | 4.6 | 4.6 | 4.1 | 4.0 | 3.3 | 5.5 | 2.4 | 3.1 |

關於老人問題的研究近年來不斷出現，足見社會、學術界人士對於此一問題的重視。賴榮信認爲老人問題狀態可用老、貧、孤、閒、病、弱、危等七個字形容❸。我的學生陳雅文、吳慧中、周菁菁在著作中，對於老人的一般特質則有較爲詳盡的解釋，綜合她們的意見如下：

- 在衰退的過程中常有疾病、心智退化、心理失調等現象
- 心理上不太能接受自己老化的事實，常常希望被肯定，自己仍被需要。
- 收入減少，閒暇時間增加。
- 沒有工作寄託，缺乏溝通對象，常常感覺孤獨寂寞。
- 喜歡以一己的經驗與下代分享。
- 依戀日常熟悉的事物，回味過去以取得歡樂、安全感與滿足感。
- 過去所養成的習慣不容易更改，通常閱讀習慣早已確立❸

### 3. 老人學（ Gerontology ，也有譯爲衰老學 ）的理論體系

老人學的發展歷史並不悠久，據大美百科全書報導不過是20世紀近幾十年的事。對圖書館從事老人讀者服務而言，老人學的知識極爲重要。杜娜克說：「僅僅知道衰老的生理變化和能夠辨識誰是老人是不夠的，必需要能將老人學的理論和圖書館的實際運作配合起來。❹ 」

過去研究顯示老人在社會中的地位（ Status ）不外下列幾種情況：

- 在靜止（Static）情況的社會中，例如農業社會，老人地位較為穩固，而且也受到尊重。
- 社會變動（Social Change）將老人的主導地位削弱。
- 科技發展的結果使得老人的技能落伍。
- 老人的地位與老人人口數字成反比。
- 老人愈能參與社會中有意義與價值的活動，他們的地位愈受尊重❷。

近二十年來，老人學的理論體系，大體定型。茲分別介紹如下：

A. 逐漸撤退說（Disengagement Theory）

逐漸撤退說為老人理論中最先出現的一種，為康明（Elain Cumming）與赫利（W. E. Henry）於 1961 年提出。此一理論假定老人接受「削減社會與個人相互關係」為不可避免的事，而能安享餘年。站在老人立場，他們自認來日無多，個人能力極為有限，因此對於維持自己社會地位缺乏鬥志。另一方面，社會則不斷後浪推前浪，新人換舊人，力行新陳代謝。此一理論的主要信念有三：

- 老人與社會相互撤退在大多情形之下是典型的。
- 整個過程無論在生理上和心理上都是不可避免的。
- 逐漸撤退的過程不僅對與老人完美的生活有關，而且是必要的。

由於需要，社會經常是雙方關係逐漸撤退的發動者 ❷。

B. 繼續活動說（Activity Theory）

繼續活動說的理論為杜克大學（Duke University）老人與

人類發展研究中心（Center for study of Aging and Human Development）提出。此一理論的特色有三：

- 研究時間10年以上。
- 與逐漸撤退說的立場完全相反。
- 取得以後研究壓倒性的支持。

其理論的重點如下：

- 大多數老人保持與社會接觸，不斷活動。
- 活動層次以及社會接觸，受過去生活方式以及社會經濟力量的影響。
- 保持和發展適當的體力、心智以及交誼活動，對成功的老人生活是必要的。

C. 次級文化說（Subculture Theory）

何謂次級文化？據創始人羅斯（A. M. Rose）解釋，當一群人（Group） 中的成員，彼此交往密切，遠超過與其他人群中成員的關係時，次級文化自然產生。在1965年羅斯與皮特遜（W. A. Peterson ）更提出若干促成老人次級文化的人口統計數字與社會趨勢。

- 65歲以上人口大量增加。
- 老人身心健康的人數加速成長。
- 對老人隔離（Segregation）的趨勢不斷加強。
- 提前退休人口增加，而雇用老人工作的機會相對減少。
- 老人生活標準的改善。
- 老人有能力（包括經濟能力、知識與閒暇時間） 做他們認為有意義的事。

　·老人社會福利工作將老人聚集。

　·成年子女與老人分居。

次級文化說認為老人與老人容易聚集在一處，他們的態度慢慢調低財富與影響力，而維持身價的重心放在健康與社會交誼上。

D. 層次進展說（Continuity Theory）

何以若干老人不能適應，經常怨天尤人，而其他的老人則能活得心平氣和，怡然自得？心理學家認為個性的培養有以致之。人們面對來自各方壓力，日久形成一種行為與心理的反應，此一模式就是個性。杜賓（S. S. Tobin）認為行為特徵（personality traits）有堅持（persistent）的本能㉓。馬仕陸（Abraham Maslow）則有更深的看法，他重視個性一貫的老人生活中所能遭遇到的轉變和發展，他將老人人格可能發生轉變劃分為若干層次㉔：

第一層次　衣食溫飽的生理需要。

第二層次　生命安全保障的需要。

第三層次　需要人情的溫暖，老人需要與友人合群，希望為人接受、愛戴。

第四層次　為人敬重的需求，老人必需能夠顯示自己能力，藉以取得讚許與認同。

第五層次　知識的需求——知道、了解與發現。

第六層次　美學的需求——勻配（Symmety）、次序與美感。

第七層次　此一層次為巔峰，老人個性修養到此境界，則已達到「心滿意足」（self-fulfillment）、「從心所欲不踰矩」的程度。

E. 年齡組合說（Age Stratification Theory）

年齡組合說，乃由人種學研究演變而來，其基本思想爲社會自然的將人民依照年齡安排爲若干群體（Groups）。年齡每一層次均安排有責任義務與權利。其主要理念爲：

- 人群可依實際年齡分組。
- 由於體力、社會與心理的因素，相同年齡層次的成員可以對社會提供不同的貢獻。
- 人群在社會所扮演的角色具有與年齡相關的期待。㉕

# 三 服 務

## 1. 老人服務並非一般的讀者服務

在本文中，公共圖書館對老人讀者的服務和公共圖書館對一般讀者的服務完全不同。凱西（Geneviere M. Casey）指出讀者群中湊巧有一兩位白髮老公公，圖書館對他們作日常一般性（routine）服務（例如，借書還書，詢問如何使用目錄），都不算是老人服務，我們所謂的老人讀者服務有四項特徵㉖：

- 讀者群中至少50％的成員是老人（65歲以上）。
- 服務、資源及活動專門爲老人設計者。
- 圖書館活動幫助讀者準備退休者。
- 針對照顧老人的家庭、機構或人員特別設計的服務。

## 2. 老人讀者的資訊需求

1971 年的白宮老人福利會議（White House Conference on Aging）建議公共圖書館注意老人的五項資訊需求❷：

A. 介紹並指引社會資源。

B. 幫助老人和他們的家庭取得如何減少因爲年齡老大而帶來的困難，同時擴張機會的資訊。

C. 有關衣、食、住、行、保健、工作、收入等方面的資訊。

D. 有關退休準備的資訊，例如休閒、減少收入以後如何維持生活。

E. 提供必要的教育，使得老人對於高齡建立一種積極的生活態度。

## 3. 公共圖書館對老人讀者的責任

爲了落實圖書館（尤其是公共圖書館）對老人讀者服務，美國圖書館協會特別制訂下列條款，定名爲公共圖書館對老人讀者的責任（The Library's Responsibility to the Aging）：

A. 對於老人及高壽，圖書館應該協助建立正面的態度。

B. 對於退休者，爲老人服務的專業和一般人士，圖書館應該提供資訊與教育。

C. 改良圖書館計劃，以便老人讀者利用圖書館。

D. 對於老人讀者，包括行動不便及居住醫院的老人圖書館，應該提供適合他們需要的服務。

E. 利用年長的人士爲義工。

F. 爲老人讀者服務特別設計的活動要動用年長的人。

G. 讓老人讀者參與爲他製作的活動設計。

H. 與有關機構團體合作。

I. 爲準備退休的老人提供資源與服務。

J. 儘量改善方法，使老人讀者服務更有成效 ㉓。

## 4. 公共圖書館設計老人讀者服務的步驟

A. 估計需求

　・找出問題：

爲甚麼要提出（或修正）老人讀者服務計劃？

　・取得有關社區及所包含老人資料，指出沒有做到的圖書館
　　和資訊需求。

　・根據社區面積、地點、年齡以及其它人口統計和社會經濟
　　指標之類資料，以查明作爲工作對象的老人群。

B. 估計本身能力

　・查明可運用的資源以衡量是否能因應老人讀者需求。

　・取得圖書館統計，當前老人讀者服務的程度、趨勢、需用
　　經費等資料，更考慮這些資料是否合用。

　・查出本館爲其他年齡讀者群提供服務動用的經費與本計劃
　　所擬用的經費作一比較性研究。

C. 選擇策略

　・爲老人讀者服務決定目標，及優先工作。

　・準備備用計劃。

D. 實際運作

- 挑選工作策略，付諸實施。
- 取得資料以觀察效果，評量目標是否完整，並檢查是否有未預期的情形出現。
- 提出比較資料、成效資料以考慮是否繼續、修正或停止工作計劃㉙。

# 四　寫在後面

我國是文化大國，「敬老尊賢」、「老吾老以及人之老」是我中華民族優良的傳統，幾千年來這種倫理觀念始終屹立不搖。身為老人，說來慚愧，我不僅對於老人學並沒有甚麼知識，甚至因為不大用大腦，常常忘記自己也是老人。一直到臺北市立圖書館向我邀稿，我才開始閱讀資料，蒐集文獻。使我驚訝的是社會各階層對於老人福利、老人服務的熱情和關懷，我是五月十八日開始寫作本文的（其中病了一個星期，真正動筆的時間祇有三個晚上），到交稿的兩週內，在聯合報上至少發表了四篇以上的報導。

- 五月十九日　輔導青少年，白髮族上陣
- 五月二十四日　具醫療法律專長銀髮族，請再出馬
- 五月二十五日　服務老人，社衞單位請攜手
- 五月二十八日　解決老人問題，多建文康中心

我之所以例舉這些新聞消息，並不是為聯合報做廣告，而是我家訂閱這一份報紙，深信其他新聞媒體中也會找到相關資料，不過這四項報導確與我寫的文字有密不可分的關係。我寫作本文談到老人讀者服務只談理論。並沒有提出方法，因為我對我們的

圖書館具有信心。像臺北市圖書館的口號——「從零開始，直到永遠」這種漂亮的字句，我就想不到，也寫不出來，我想我祇淺顯的談談原則是正確的。公共圖書館有的是人才（例如臺北市圖書館），讓他們放手去做，比我在「紙上談兵」會更有效益。

在本文結束的時候，聽說黃永春小姐已奉命代理館長。她極為優秀，是理想的專業人才，謹將本文送給她，希望她好自為之，多為老人讀者服務，出幾個點子。

## 附　註

❶ Verna L. Pungitore, Public Librarianship, New York : Green Wood press, 1989, p. xi.

❷ 沈寶環主編，「鄉鎮圖書館的理論與實務」，臺北：臺灣書店，民78年，頁1。

❸ Pungitore, op. cit., pp, 155-156.

❹ Bernard Berelson, The Library's Public ( New York : Columbia University Press, 1949 ), pp.22-23.

❺ Ibid, p.126.

❻ Pungitore, op. cit., p.104.

❼ Douglas M. Knight and Shepley Noures, Libraries at large, Tradition, Innovation and the National Interest ( New York: R.R. Bowker, 1969 ), p.73

❽ Pungitore, op. cit., p.105.

❾ Ibid, p.15.

⑩ Betty J. Turock. Serving the Older adult ( New York : R.R. Bowker , 1982 ), p.14.

⑪ Pungitore, op. cit., p.35.

⑫ 1bid, p. xiii.

⑬ Rosemary R. Du Mont, Reform and reaction : the Big City Public Library in American Life ( Westport , C.T. : Greewood, 1977 ), p.139.

⑭ 陳雅文，「活到老，學到老 ─ 談圖書館對老人的服務」，國立臺灣大學圖書館學研究所學生報告，民78年，頁1。

⑮ Republic of China Yearbook 1989 Taipei : Kwang Hwa Publishing Co. p.427

⑯ Taiwan Statistical Data Book 1988 Taipei : Council for Economic Planning and Development R.O.C, pp.10-11.

⑰ Turock, op. cit., p.21.

⑱ 賴榮信，「試論臺灣老人問題及臺灣聖公會宣教策略及應該走的方向」，臺灣聖公會通訊，民80年5月15日，頁7。

⑲ 陳雅文，cp. cit., p.3.
吳慧中，「圖書館對老人的服務」，國立臺灣大學圖書館學系74級畢業班編，圖書館學的沉思，民76年，頁167。
周菁菁，「也談圖書館對老人的服務」，書府9期，民77年，頁144。

⑳ Turock, op. cit., p.33.

㉑ Ewald W. Busse, " Theories of Aging," in Behavior and Adaptation in Later Life, 2nd, by Emald W. Busse and Eric Pfeiffer ( New York : Little, Brown, 1977 ), pp 23-25.

㉒ Jon U. Hardricks and C. Davis Hendricks, Dimensions of Aging (Cambridge : MA. Winthrop, 1979 ), p.194.

㉓ " Personality and Patterns of aging," in Middle ages and aging, ed., by B. L. Neugarten ( Chicago : University of Chicago press, 1968 ) , pp. 173-177.

㉔ Abraham Maslow, Motivation and personality ( New York : Harper, 1954 ).

㉕ Joh U. Herdricks and C. Davis Hendricks, eds, Dimensions of Aging ( Cambridge : MA. Winthrop publications, 1979), pp. 202-203.

㉖ Encyclopedia of Library and Information Science ( New York : Marcel Dekker, Inc., 1975 ), V.14, p.291.

㉗ I bid, p.294.

㉘ American Library Association," The Library's Responsibility to the Aging," AHIL Quart. 12:23 ( Spring／Summer 1972 ) .

㉙ Turock, op. cit., pp.49-50.

# 從老人福利觀點看圖書館對
# 老年人的服務

魏韻純

## 一 前 言

本世紀以來，文明社會在人工長壽與節育技術的雙管發展下，普遍面臨社會高齡化的趨勢。而隨之而來的老人問題，更迫使各先進國家致力於老人福利工作的推行，動員社會資源以減輕老年人口增多所帶來的社會負擔。圖書館，身為重要的社會資源之一，自然不能自外於這一全面性的社會運動。而從美國經驗來看，圖書館正是在這樣的背景下開始加強對老年人的服務。因此，談及圖書館對老年人的服務，從老人福利的觀點出發應是相當合宜的。

再者，從有效運用社會資源的角度來看，圖書館雖是重要的社教機構，但畢竟只是許多支援老人福利的機構之一。它負有許多其他的任務，服務對象也不限於老人。因此，圖書館在為老人提供服務之前，應先瞭解老人福利的整體發展，掌握其他機構對老人的服務範圍及重點，如此才能站在支援的角度，發揮其獨特功能，甚至進一步整合社會資源。

本文即是在上述理念下的嘗試之作。文中擬將圖書館對老年人的服務作比較廣義的解釋：即不限於老年人直接從圖書館得到

的服務，而是涵蓋一切有益於老人福利之服務。而文中所討論之
圖書館，也不限於公共圖書館。

# 二　老人問題與老人福利

### 1. 老人問題的成因

　　老人問題的形成原因相當錯綜複雜，從個人的角度來看，「老
化」的事實引發種種不適應症，使得老人在健康、經濟、精神三
方面產生問題。然而，當社會中多數老人都有問題，且足以影響
社會中其他年齡層的人口時，老人問題就不再是個人的問題，而
是反映了社會問題。

　　探討老人問題的根源，固然可以從醫學、生物學等角度切入，
不過，近代全球老人問題愈演愈烈的導因，主要應是社會變遷的
結果。根據社會學家的整理，老人問題的成因有下列幾點 ❶：

　　a. 生產形態工廠化：工業革命之後，生產由家庭轉入工廠，
　　　　人的勞動價值愈受重視。老人的勞動力遜於青壯人口，
　　　　而農業社會中強調的經驗及土地都不再那麼重要，職業
　　　　世襲現象減少，老人權威一落千丈。

　　b. 生活方式都市化：工廠密集區形成工業化市鎮，工、商
　　　　業發達之地更形成大都市。鄉村與都市之本質不同。前
　　　　者的居民是具有共同價值的純質人口（ homogeneous
　　　　population ）， 居民間守望相助，患難相扶，而都市
　　　　人口則為不同價值觀念的異質人口（ heterogeneous

population ），每個人的觀點與行為多以本身利益出發。
老人移居都市，生活難以適應，而留守鄉村則形成只有
老人的家庭。

c. 社會組織科層化：科層組織（ bureaucracy ）是高度專
業化的組織，其內部係依組織功能特性分科辦事並依工
作職權分層，且用人講求效率，注重生產技術的創新與
速度，老年人由於生理機能衰退，就業條件大受限制。

d. 家庭結構核心化：工業社會的生產由家庭走向工廠，人
口個別流動。年輕人組成小家庭後，或因經濟能力有限，
或因觀念改變，不再與父母同住。舊式大家庭的養老功
能逐漸消失。

e. 人口結構高齡化：由於醫療及公共衛生的進步，死亡率
下降，人類平均壽命不斷延長；又由於生活空間有限及
觀念的改變，生育率普遍降低。這兩種因素共同造成人
口高齡化趨勢，造成勞動人口的負擔及社會福利經費的
需求增加。

我們由以上的分析可以看出老人問題實為工業化的必然結果，
絕不是靠浮面的救濟政策就能解決的，而是必須從事全面性的社
會改革。小至個人對老化，老年生活的認識與關注，大至社會整
體資源的分配，均需要重予考量、設計。而在大環境一時難以改
變之時，老人問題的解決之鑰仍在老人自己身上，學者咸認使老
人了解自身處境，將會有助於克服老年期的種種困難，這也引出
圖書館在老人福利運動中扮演的一個重要角色——即老人教育。
此部分容後再述。

## 2. 老人福利的起源

　　我國很早以前就有遠大的福利思想,《禮記‧禮運篇》有「人不獨親其親,不獨子其子,使老有所終,壯有所用,幼有所長……」的大同世界理想;西方國家也早在古希臘、古羅馬、希伯來時期就有慈幼、養老、賑窮等綜合性福利思想❷。然而北歐各先進國家及美國,在工業革命以前雖應社會需要訂有各種濟貧法案,且其中需要救濟的大部分是老人,但是自工業革命以後,由於貧富差距拉長,家庭制度變遷,人類壽命延長,人口結構高齡化等趨勢使得老人問題日趨嚴重,老人問題及老人福利遂逐漸引起先進國家之重視,並提出各種解決辦法或學術性研究。最早發現老人需要社會照顧者是英國的查爾布斯（Charles Booth），他在1886年調查倫敦貧戶時發現大部分的老人都在貧窮線掙扎。英格蘭的龍垂（Seebohm Rowntree）也發現貧窮與人口、老年、失業之間有連帶關係。英國受此影響在二十世紀初期積極推行保障老年及貧民生活之措施,後來俄國人麥奇尼可夫（Lliya Metch-nikoff）及其學生柯梭啓夫斯基（V. Koronchovsky）從生物學的觀點去研究老人,並正式命名爲老人學。老人學的研究影響到英、美兩國的社會福利。後來的一些學說更使老人學與老人福利結爲一體。所以現代各國所推行的老人福利雖然有些是古代社會所遺留下來的優良傳統,但大部份是以老人學的研究結果爲基礎,擬定滿足老人各方面需要的措施。故老人學與老人福利是相輔相成的❸。

### 3. 老人福利的基本觀念

每個圖書館員都應該具備老人福利的基本觀念,才能與其他福利機構合作,共謀老人福利的進展,並藉著圖書館與民眾接觸的機會,將正確的老人福利觀念傳播給社會大眾。綜合幾位學者的說法,老人福利的基本觀念約有下列幾點❹:

a. 老吾老以及人之老:我們應該尊敬自己的長輩,也應該尊敬別人的長輩,這樣互相尊敬長輩,自然會減少老人問題的產生。

b. 預防重於治療:老人福利的主要目的是使老人身心健康。在老人問題發生前即設法加以防範,可以避免老人本身、老人的家人受到傷害,而政府及整個社會也可以省下事後彌補所需之龐大人力、財力。

c. 老人福利是社會全體的責任:造成老人問題的原因很多,雖然老人及其家人也有責任,但大部份原因還是社會變遷太快所引起的。因此社會全體均應幫助老人及老人的家人,給予老人妥善的照顧。

d. 老人福利是綜合性的工作:人有多層面的需求,而老人問題的成因更是錯綜複雜。今日的老人學已發展為跨科際的學問,內容涉及生物、心理、社會、經濟、教育、工程、建築等各學門,而老人福利旨在解決現有老人問題並預防可能形成之老人問題,工作內容自是包羅萬象,而且不能各行其是,必須綜合起來才能徹底解決老人問題。

　e. 老人福利是專業性工作：從事老人福利工作者不僅要了解老人心理活動和反應，也要了解老人的生理變化，因此需要高度的專業教育和訓練，不是光靠經驗就可以從事的。

### 4. 歐陸老人福利思潮之演變

　a. 原始時期：初民社會，民智未開，老人福利思想與宗教習慣混淆，救濟事業大部分是由教會或私人負責辦理，一般都認為是施捨。

　b. 福利法案確立時期：社會進化之後，國家之規模粗具，統治者積極負起社會救助工作，推行社會福利，遂產生各種福利法案及制度。惟當時國家組織未達完善，福利觀念不出應付社會需要之範圍。

　c. 進化時期：十八世紀的歐洲，國家組織極度發展，學術思想進步快速。個人主義興起，個人勇於爭取其權利；資本主義檯頭，失業及貧困者日增，社會救助非宗教團體及個人能力所能負荷，非政府積極擔負救助業務不可。法國大革命發生，民權主義見諸實踐，其影響福利制度顯著，雖有亞當史密斯（ Adam Smith ）及馬爾薩斯（ Thomas Malthus ） 之反對大量增加救助金之言論，也無法改變合乎人道的福利思想。

　d. 社會化時期：十九世紀以後，社會愈趨進化，社會利益終於超越個人利益之上，新社會學說興起，影響社會福利思想。福利精神著重於社會改革。學者基於科學研究，認為老人問題是由社會變遷以及人口、貧窮、失業等連環關係而產生。這些現象並非個人的過失，而是社會共同的責任。此時期之老人福利精神注重共同生活利益之維護，福利觀念由消極之救濟趨向積極之預防。

e. 福利時期：第二次大戰以後，綜合主義之福利思想佔優勢，歐陸學者大都基於福利觀點說明老人福利的本質，主張充分發揮老人福利之預防性功能。英國依據畢立奇報告之精神，對老人福利服務之改進更為進步。美國由於強調老人之社會政策，研擬行動計畫確保老人有均等之就業機會，並鼓勵、協助老人從事各項研究工作，使老人福利範圍更廣更大，是綜合老人生理、心理、社會各方面所需之福利對策時期❺。

## 5. 臺灣地區老人福利現況

本節分醫療保健、經濟保障、社會生活、教育四個方面簡介臺灣地區的老人福利概況，並簡介臺灣省政府及臺北、高雄兩直轄市提供之安老計畫。

a. 在醫療保健方面：

(1) 免費健康檢查，費用由政府負擔。

(2) 免費醫療或醫療優待。

(3) 設立療養院收容照顧癱殘老人。

(4) 推展居家服務。

(5) 提供居家護理服務。

(6) 提供廉價「敬老午餐」。

    (7)　辦理老人「巡廻醫療服務」及「衞生保健」巡廻講座。

    (8)　在醫院開設老年醫療部門。

b.　在經濟保障方面：

    (1)　低收入老人：

       (a)由「仁愛之家」收容，可獲膳宿生活起居照顧，足夠之衣著日用品、免費醫療，每月800元零用錢。

       (b)不願住進仁愛之家者可獲社會救助，每月從政府領取生活補助費（每人每月1,200元），並可得免費醫療服務。

    (2)　一般老人：

       (a)子女奉養。

       (b)退休給付。

       (c)工作時之積蓄。

c.　在社會生活方面：

    (1)　乘坐交通工具及觀賞文敎影劇半價優待。

    (2)　縣、鄉均有「老人會」組織，退休公敎人員有「長春俱樂部」，社區有「長壽俱樂部」，加強老人之聯誼與社交。

    (3)　政府補助興建「老人活動中心」，提供多元服務。

    (4)　鼓勵老人組織「長靑志願服務隊」，對社區提供服務。

    (5)　訂農曆九月九日爲老人節，以示敬老。

    (6)　政府每年定期選拔表揚長靑楷模。

    (7)　政府及民間辦理各種敬老活動。

    (8)　政府編印《長春叢書》。

d. 在教育方面

尚無特殊的老人學校。不過國民義務教育爲早期失學者
提供「補習學校」，各級學校亦設有夜間部，退休老人
均可進修。政府及老人團體辦有「長青學苑」，提供各
種短期課程。政府與大學利用寒暑假合辦「老人大學」，
提供更深一層知識之研習❻。

單就政府方面而言，臺灣省政府擬有安老計畫，包括老有所
健，老有所用，老有所安，老有所學，老有所養。臺北及高雄兩
市則提供了醫療保健、敬老優待、休閒教育，和安養機構❼。

## 三　圖書館與老人福利的關係

如前所述，老人福利的增進乃社會全體之責任，因此，政府
及民間應合力在合乎經濟原則的前提下，動員一切社會資源，共
謀老人福祉。而圖書館正是極爲重要的社會資源。尤其今日老人
福利的內涵已從消極地解決老人生活需求的物質層面，走向積極
發掘老人智慧及潛能的精神層面，這種時代的要求，正與圖書館
強調其教育功能的理念不謀而合！此外，欲預防老人問題的發生，
除了需教育老人本身，更需要教化社會大衆，使之對「老化」及
「老人」有正確的認識，而這也正是圖書館責無旁貸的使命！由
這兩個簡單的例子，便可看出圖書館對老人福利的推動是如何的
重要了！

底下我們再進一步說明圖書館在老人福利的推行上究竟是扮
演什麼樣的角色。

### 1. 圖書館的社會角色與職責

　　以圖書館立場而言，各館之角色，當由設館宗旨與工作目標談起❽。而各類型圖書館的宗旨頗有不同，因此底下便先分國家圖書館、公共圖書館、學校圖書館、專門圖書館四大類型，分別說明其任務，亦即其社會角色，再衍出各類圖書館在老人福利運動中當發揮怎樣的功能。

- a. 國家圖書館：典藏國家文獻，保管維護古籍，編印國家書目、研究編目技術、推動出版品國際交換、輔導全國圖書館事業❾。
- b. 公共圖書館：彌補正規教育之不足，配合自修教育的需要；推展文化建設與心理建設，為所屬社會單位發掘文化特色，保存文化遺產，促進文化薪傳；配合各階層研究之需，提供合宜資料；提供娛樂休閒讀物。
- c. 學校圖書館：支援教學與學習。
- d. 專門圖書館：配合母機構的發展目標，如支援研究或提供休閒讀物及活動。

　　由上述列舉的功能，我們可以看到國家圖書館應負責編印老人學及老人福利研究之國家書目，並推動我國有關這兩方面出版品與國外相關資料之交換，並輔導全國圖書館事業加強對老人的服務。而公共圖書館應當儘可能提供老人繼續教育的機會，推廣老人福利理念，並蒐集一般程度之老人學及老人福利資料，供有興趣的民眾閱讀、研究。此外，並應考慮老年讀者之需，提供合乎老人閱讀程度與興趣之消遣性讀物，並善用當地老年人力資源，

從老人身上挖掘當地文化特色，促進文化薪傳。至於學校圖書館，
應備有合乎學生程度之老人生理、心理、社會各方面資料，配合
學生的學習活動，使之對老人問題、老化現象、老人福利等課題
有正確認識。而專門圖書館，則應視母機構與老人福利之關係來
界定其職責。如為設有相關科系之大學圖書館，應配合學術及研
究需要慎選館藏，甚至提供老人學方面新知選粹服務；立法院圖
書館應多收藏有關老人福利立法，老人問題研究等資料供立法諸
公參考。

## 2.　圖書館與老人福利機構的關係

圖書館，特別是直接為老人提供服務的公共圖書館，應與社
區內的老人機構建立關係，一方面可以向他們學習有關成人教育
工作的經驗與心得，再者必要時可請求其他老人機構的工作人員
支援，或是與他們合辦活動，以減輕人力、財力的負擔 ❿。

如果經費與人力許可的話，圖書館最好能製作當地老人福利
機構的名錄，附上通訊地址、電話及服務內容簡介。對圖書館內
部來說，可據以加強連繫，或回答老人的某些諮詢問題。對整個
老人福利事業來說，各福利機構均可透過當地公共圖書館了解其
他福利機構的概況，也是很經濟、有效率的方法。在美國公共圖
書館發展老人服務的過程中，即有圖書館員提出以圖書館為所有
老人資訊中心的看法 ⓫，而參議員德斯蒙（Thomas　Desmond）
更鼓勵圖書館與所有提供老人服務的機構結合，甚至帶頭推動各
項老人服務 ⓬。雖然這樣的目標，需要大量的經費及人力支援，
而且可能不是現階段我國的公共圖書館所能負荷的，但是却是公

共圖書館值得努力、爭取的方向。

　　退而求其次，圖書館可以爲社區內的老人福利機構提供資料，支援它們的活動，並可輔導機構內的小型圖書室，提供選書、採購等方面的協助，或與之建立館際互借、合作採購等關係，以充份運用購書經費，使得社區內有關老人的資料能儘可能完整。

# 四　圖書館服務老人的具體做法

## 1.　宣傳老人福利措施

　　前文曾提及政府近年來舉辦之老人福利措施計有「醫療保健」、「敬老優待」、「休閒教育」，與「扶養機構」等四種。而老人對這些福利措施的認知及利用情形如何呢？根據行政院主計處78年底的統計[13]，老人知道以上四種福利措施的比率依序爲65.54％，77.15％，43.08％，54.78％，而曾經利用之比率則分別爲30.55％，37.72％，4.39％，1.56％。從這些數據可以看出現有的老人福利措施還需要再廣爲宣傳，而公共圖書館便可負起一部分宣傳的責任。

　　雖然嚴格說來圖書館不能算是大眾傳播機構[14]，很難達成快速而強勢的宣傳效果，然而由於圖書館可說是社區的活動中心，與讀者的關係親密，長期看來，應該會有不錯的宣傳效果。政府有關單位最好能擴大編印老人福利手冊，置於各公共圖書館供民眾取閱，各老人機構舉辦活動時，也最好能主動與當地圖書館連絡，或將宣傳文件交給圖書館。館方也應該調配人員，負責了解各種老人福利措施，以便回答讀者的諮詢，或引導讀者獲得進一步的資訊。

## 2. 鼓勵老人問題研究

老人問題是全面性的社會問題，我們必須瞭解老人，找出老人問題的癥結，才有可能做好老人福利工作。因此老人福利的基礎，在於蓬勃而深入的老人學研究。而研究的基礎在文獻。因此圖書館鼓勵老人問題研究的第一步，就是廣泛蒐集文獻並善加整理。

由於提供老人服務的機構必然會隨著老年人口的增長而增加，加上老人學已發展為跨科際的學問，舉凡生理學、醫學、人類學、營養學、社會學、經濟學、法律學，甚至工程學均可涵蓋在內❶，有關老人學的文獻勢必散見於各處，各圖書館根據本身的任務及研究重點予以收藏，也不可能全數收藏。因此這方面的書目控制便格外重要。圖書館界應該有系統地將老人學各類研究成果整合起來，務求國內老人研究資料之完整性，方便讀者能夠有效運用。

基礎的館藏建立之後，各類型圖書館並可以活動方式來鼓勵讀者接觸這些館藏。如公共圖書館以每月一書方式向大眾推薦，或舉辦讀書小組帶動討論老人問題的風氣。學術或研究圖書館的參考部門可提供老人學新知選粹、書目選粹等服務，以利學者研究工作的進行，國家圖書館更可考慮成立老人問題研究室，以推動全國性的老人問題研究。

## 3. 提供老人諮詢服務

　　諮詢服務除可支援老人福利措施的書面宣傳之外，尚可考慮提供有關營養、醫療、休閒、交通等資訊與轉介（ Intormation & referral ）服務。美國公共圖書館曾於1975年開始嘗試，某些圖書館甚至利用特殊的三方通話電話系統，使得圖書館員能夠確保諮詢者的問題已得到圓滿解決 ⑯ 。

　　在人力原本就不很充足的情況下，我們的公共圖書館可能會覺得無力再撥出人手來負責老人諮詢事宜。然而，假如我們的公共圖書館還秉持著全民服務（ Service to All ） 理念的話，這項服務便不應被視爲額外的工作負擔。美國發表於 1976 年的一篇圖書館文獻中亦指出 ⑰，惟有將資訊轉介服務納入圖書館正常體系，不視爲特殊服務，這項服務才能夠長期持續下去。該文並以「資訊轉介＝參考服務」（ I & R = reference ）爲題目，充分點出作者的觀點。不過，經過近十年的發展，美國圖書館界又於 1984 年探索出一套結合善用老年人力與提供老人教育機會兩大優點，「一石三鳥」的老人諮詢服務模式，名爲「年長者連線」（ Senion Connection ）。這套辦法是徵求老人義工，由圖書館學系及社工科系的實習學生施以 15 個月的訓練，其間並接受圖書館及社工專業人員的坐鎮指揮。發明這套模式的圖書館發現，自從使用高齡義工來從事諮詢服務之後，尋求諮詢服務的人比以往更多了。由於實行得相當成功，這套模式已經引起鄰近圖書館的興趣了 ⑱ 。

## 4. 落實老人終身教育

　　1972年修訂的〈聯合國敎科文組織公共圖書館宣言〉

（UNESCO Public Library Manifesto）中明白闡述：公共
圖書館是民主信念的具體表現；此民主信念包括對繼續的、終身
的普通教育，以及人類在知識、文化追求上的成就之信心 ❶ 。

我國教育部組織法中規定：「社會教育司掌理圖書館等社教
機構。」❷ 而社會教育法第一條即規定:「社會教育法以實施全民
教育及終身教育爲宗旨。」❸

以上所引法條或宣言，均說明了圖書館對老人教育所負之責
任。

近代老人福利中所提倡的老人教育，也漸漸脫離偏重危機調
整或角色適應的服務取向觀念，而回歸到強調發揮老人潛能的教
育本質理念 ❹ 。

而近年來有關老化的研究發現：a. 老人仍具有某些優勢的
認知能力； b. 老化對個體在不同認知領域所造成的影響亦不相
同； c. 老年期屬自我發展的統整期，是人生整個階段智慧與經
驗的結晶期；d. 65～74 歲之間的老年人在身體上通常不會有
很嚴重的不利狀況；e. 基於人類餘命（life expectancy） 的
延長，老年期可能較生命其他各期爲長，據估計佔生命全程之25
～30％ ❺ 。凡此種種均顯示老人教育不僅可行，而且有必要。
學者甚至建議將老人教育納入正規教育體系。此種對老人看法的
轉變，實爲將爲老人做事的消極福利服務導向，轉移爲自我協助
與貢獻社會之積極教育導向 ❻ 。

我們既已明白老人教育的重要性及圖書館負有終身教育之使
命，在老人教育未納入正式教育之中，而福利機構提供的進修機
會又十分有限的情況下，圖書館理應擔負起落實老人教育的重責

大任。

# 五 結 語

有關圖書館服務老人的注意事項，已有許多精彩的文章發表
❷，而最近這期市圖館訊更以老人讀者服務為主題，顯示老人服
務在我國也已逐漸受到重視。

有鑑於美國公共圖書館在社會福利的推動下發展老人讀者服
務，且卓然有成，本文乃嘗試從老人福利觀點來探討此問題，希
望圖書館界也能重視這個問題，與其他福利機構結合，共謀老人
福利。

先進國家的老人福利工作重點已漸由醫療、經濟層面轉向精
神、教育層面，老人學對老化之研究也由老人不易學習轉向支持
老人的學習潛能，凡此種種，都正與圖書館強調「終身教育」、
「人民大學」之理念不謀而合。我國老人福利的進展可能較先進
國家落後許多，然而國外的經驗卻足以借鏡。今後我國老人福利
應當朝向物質、精神雙軌並進，在此趨勢下圖書館應可有很大的
貢獻。期勉今後圖書館在老人福利工作上能扮演更積極、主動的
角色。

## 附 註

❶ (1)江亮演，老人福利與服務（臺北：五南，民77年），頁7-13。

(2)徐立忠，老人問題與對策 （臺北：桂冠，民78年），頁50-52。

❷ 同❶ (1)，頁 157-158。

❸ 同❷，頁158-159。

❹ 同❷，頁90-91。

❺ 同❷，頁159-160。

❻ 邱汝娜，〈中華民國臺灣地區老年人的社會支持網絡－在醫療、社會、經濟暨教育面的措施〉，社會福利54期（民77年2月），頁35-37。

❼ 行政院主計處，〈臺灣地區老人狀況調查〉。中華民國臺灣地區統計調查資訊季報6期（民79年11月），頁53。

❽ 高錦雪，角色定位與圖書館之發展，（臺北：書棚，民78年），頁85。

❾ 國立中央圖書館讀者通訊創刊號（民80年1月），頁1。

❿ 陳雅文，〈活到老學到老：談圖書館對老人的服務〉，書香季刊8期（民80年3月），頁25-26。

⓫ Muriel C. Javelin, " How Library Service to the Aging Has Developed," *Library Trends* v21 n3（Jan.1973），p.359.

⓬ Ibid, p.370.

⓭ 同❼。

⓮ 王振鵠，〈圖書館與圖書館學〉，中國圖書館學會出版委員會編，圖書館學（臺北：學生，民71），頁48。

⓯ 徐立忠，〈老年問題與老人福利〉，東吳政治社會學報11期（民76年12月），頁317。

⓰ John B. Balrema, " Library Services to Older Adults," in *ALA Yearbook*（Chicago：Americago Library Association. 1976），p.255.

⑰ Carolyn Luck, and Robert Croneberger, Jr., " I & R = Reference," *Library Journal* 101 ( Jan. 1976 ), p318- 319.

⑱ (1)Doris Weinschenk, " I & R Service from Volunteer Senior Citizens, " *Library Journal* 111 ( Oct. 1986), p50.

(2)Risha W. Levinson, " New I & R Teams in Library-based Services : Librarians, Social Workers, and Older Volun- teers," *The Reference Librarian* 21 (1988), pp 121-134.

⑲ 盧秀菊,〈淺談公共圖書館之服務理念和目標〉,臺北市立圖書館 館訊 5 卷 4 期 ( 民 77 年 6 月 ),頁 9。

⑳ 行政院文化建設委員會編印,文化法規彙編㈠,民 72 年,頁51。

㉑ 盧荷生,圖書館行政,( 臺北:文史哲,民 75 年),頁 42。

㉒ 林靜芬等,〈永不休止的樂章:學校辦理老人教育系列活動〉,社 教雙月刊 41 期 ( 民 80 年 2 月 ),頁 45-48。

㉓ 林美和,〈老人問題研究的新課題〉,社教雙月刊 34 期 ( 民 78 年 11 月 ),頁 24-27。

㉔ 同㉓,頁 25-26。

㉕ (1)吳慧中,〈圖書館對老年人的服務〉,國立臺灣大學圖書館學系 74 級畢業班編,《圖書館學的沈思》,( 臺北:編者,民 76 年 )。

(2)周菁菁,〈也談圖書館對老人的服務〉,書府 9 期 ( 民 77 年 6 月 ),頁 143-151。

(3)同⑩,頁 22-33。

(4)曾以文,〈我國未來社會中老人問題及圖書館對其服務的探討〉 國立臺灣大學圖書館學系 74 級畢業班編,《圖書館學的沈思》 ( 臺北:編者,民 76 年 )。

# 參 考 書 目

## 中文論文

* 王培勳。〈老人心事誰人知？老人問題之探討及對策〉。《中國論壇》24 卷 8 期＝284 期（民 76 年 7 月），頁 37 - 39。

江玉龍。〈臺灣地區老年問題與其對策〉。《社會福利季刊》20 期（民 71 年），頁 16-38。

* 李宗派。〈老年之身心適應與福利服務〉。《社區發展季刊》48 期（民 79 年 1 月），頁 28-33。

沙依仁。〈臺灣地區老人身心狀況及需求之研究〉。《社會安全》6 卷 1 期（民 76 年 12 月），頁 43-51。

* 吳百能。〈老人問題及諮商〉。《輔導月刊》23 卷 3 期（民 76 年 6 月），頁 34-48 ＋。

* 吳慧中。〈圖書館對老年人的服務〉。國立臺灣大學圖書館學系 74 級畢業班編。《圖書館學的沈思》。臺北：編者，民 76 年 3 月。

吳麗麗。〈公共圖書館的社教活動〉。《書府》7 期（民 75 年 6 月），頁 143-146。

* 沈寶環。〈21 世紀的公共圖書館〉。《臺北市立圖書館館訊》5 卷 4 期（民 77 年 6 月），頁 1-5。

* 沈寶環。〈成人使用者的教育問題：讀者服務的焦點〉。《書府》8 期（民 76 年 6 月），頁 7-13。

* 林美和。〈老人問題研究的新課題〉。《社教雙月刊》34 期（民 78 年 11 月），頁 24-27。

* 林靜芬等。〈永不休止的樂章：學校辦理老人教育系列活動〉。《社教雙月刊》41 期（民 80 年 2 月），頁 45-48。

周建卿。〈我國老人問題的特質〉。《社會福利季刊》20 期（民 71 年，老人福利專輯），頁 90-97。

周家玲。〈養兒難防老，老來依靠誰？：談老年人的經濟、醫療及居住問題〉。《婦女雜誌》229 期（民 76 年 10 月），頁 66-73。

* 周家華。〈臺灣地區人口高齡化與老人問題〉。《臺北工專學報》22 期（民 78 年 3 月），頁 497-530。

* 周菁菁。〈也談圖書館對老人的服務〉。《書府》9 期（民 77 年 6 月），頁 143-151。

周業仁。〈參考館員與讀者溝通行為之探討〉。《書府》9 期（民 77 年 6 月），頁 41-51。

* 邱汝娜。〈中華民國臺灣地區老年人的社會支持網絡──在醫療、社會、經濟暨教育面的措施〉。《社會福利》54 期（民 77 年 2 月），頁 34-37。

洪榮昭。〈高齡人力資源的培訓〉。《社教雙月刊》26 期（民 77 年 7 月），頁 55-58。

徐立忠。〈中國老年政策（過去與現在）總檢討〉。《社會建設》65 期（民 77 年 3 月），頁 16-23。

* 徐立忠。〈老人問題與老人福利〉。《東吳政治社會學報》11期（民76年12月），頁313-323。

* 徐立忠。〈老人福利的基本理念〉。《社會福利》62期（民77年10月），頁29-32。

徐立忠。〈如何利用社會（區）資源辦理老人福利工作〉。《社會福利》47、48期連載（民76年7-8月），頁43-46、36-40。

* 莊芳榮。〈公共圖書館吸引讀者之途徑〉。《臺北市立圖書館館訊》5卷4期（民77年6月），頁1-5。

張隆順。〈老年人的人生哲學〉。《社會安全》6卷1期（民76年12月），頁52-60。

張隆順。〈我國老人休閒活動現況與展望〉。《輔仁學誌——法、管理之部》20期（民77年），頁261-271。

張穎眞整理。〈訪白秀雄談邁入老人國的因應之道〉。《婦女雜誌》229期（民76年10月），頁134-138。

* 陳雅文。〈活到老學到老：談圖書館對老人的服務〉。《書香季刊》8期（民80年3月），頁22-33。

* 曾以文。〈我國未來社會中老人問題及圖書館對其服務的探討〉。國立臺灣大學圖書館學系74級畢業班編。《圖書館學的沈思》。臺北：編者，民76年3月。

* 楊菊吟。〈論高齡化社會與我國老人福利的需求及展望〉。《復興崗學報》41期（民78年6月），頁363-381。

董碧惠。〈資訊時代的圖書館與讀者的服務〉。《臺北市立圖書館館訊》5卷3期（民77年3月），頁58-60。

詹火生。〈英國的老人福利政策與措施〉。《社會福利》74
　　期（民78年10月），頁13-18。

蔡宏昭。〈日本老人福利政策與措施〉。《社會福利》74、
　　75、76、77期連載（民78年10-12月、79年1月）、
　　頁18-21、43-46、35-37、49-53。

蔡宏昭。〈老人在宅服務之理論性探討〉。《社會建設》61
　　期（民76年2月），頁28-35。

* 蔡宏昭。〈開拓老人的精神福利〉。《社會福利》51期（民
　　76年11月），頁16-21+。

* 蔡宏昭。〈高齡社會、老人家庭與老人福利政策〉。《經社法
　　制論叢》2期（民77年7月），頁227-251。

蔡漢賢。〈推廣老人福利的構想和做法〉。《社會福利》62
　　期（民77年10月），頁10-15。

* 蔡漢賢。〈老人面臨的問題及其因應對策〉。《社會福利》74
　　期（民78年10月），頁7-12。

* 盧秀菊。〈淺談公共圖書館之服務理念和目標〉。《臺北市立
　　圖書館館訊》5卷4期（民77年6月），頁9-11。

* 鄭雪玟主講、黃永春記錄。〈公共圖書館之服務〉。《臺北市
　　立圖書館館訊》5卷2期（民76年12月），頁9-17。

劉贊周。〈老人問題〉。《公保月刊》29卷5期＝334期（民
　　76年11月）：頁4-11。

蕭新煌。〈老人福利與家庭功能的探討〉。《勞工之友》454
　　期（民77年10月），頁5-7。

蘇麗瓊。〈美國老人福利服務特色概況〉。《社區發展季刊》

42 期（民 77 年 6 月），頁 59-62。

# 統計資料

內政部編。〈中華民國臺閩地區老人狀況調查民 78 年〉。臺北：
　　該部，民 79 年 12 月。

行政院主計處。〈臺灣地區老人狀況調查〉。《中華民國臺灣地
　　區統計調查資訊季報》6 期（民 79 年 11 月），頁 48-54。

行政院主計處。〈臺閩地區圖書館調查〉。《中華民國臺灣地區
　　統計調查資訊季報》5 期（民 79 年 8 月），頁 101-107。

行政院主計處。《中華民國臺灣地區社會指標統計　民國七十八
　　年》。臺北：該處，民 79 年 11 月。

行政院衞生署。《中華民國七十八年衞生統計》。臺北：該署，民 79
　　年 8 月。

# 西文論文

* Allen, Bryce L., and Wilkinson, Margaret Ann. "What
　　Do Our Senior Citizens Want from Public Librari-
　　es. " *Canadian Library Journal* 47 ( April 1990 ):
　　105-10.

* Angelis, Jane, and Bedient, Douglas. "Library Service
　　to Older Adults." in *The ALA Yearbook of Library
　　and Information Services* v.14, 1989.

American Library Association, 1989.

* Angelis, Jane, and Bedient, Douglas. " Library Service to Older Adults." in *The ALA Yearbook of Library and Information Services*, v.13, 1988. American Library Association, 1988.

* Balkema, John B. " Library Services to Older Adults," in *ALA Yearbook*. Chicago: American Library Association, 1976, p. 255.

* Balkema, John. " Library Services for Older Adults." *Catholic Library* World vol. 51 ( Feb. 1980 ) : 286 -9 .

* Blake, Fay M. , and Newman, H. Morton. " Senior Power." *Collection Building* vol. 8 no. 3 (1986) : 34-6.

* Bowron, Albert. " Old People: Serving Special Needs." *Canadian Library Journal* 45 ( June 1988 ) : 137-8.

Casey, Genevieve. " Public Library Service to the Aging." *American Libraries* vol. 2 no. 9 ( Oct. 1971 ) : 999-1004.

* *Catholic Library World* vol. 50 ( February 1979 ). Entire issue.

* Clark, Philip M. , and Benson, James. " Linkages between Library Uses through the Study of Individual Patron Behavior." *RQ* 24 ( Summer 1985 ) :

417-26.

Dietrich, Jerrolyn M. " Library Use Instruction for Older Adults." *Canadian Library Journal* 41 ( Aug. 1984 ) : 203-8.

Donnally, Anna. " Rip Van Winkle at the Reference Desk ? " *North Carolina Libraries* 46 ( Winter 1988): 223-7.

Drickhamer, Jewel. " Phode Island Project: Book Reviews by Older Citizens." *Library Journal* 96 ( Sep. 1971) : 2737-2743.

* *Drexel Library Quarterly* vol.15 no.2 ( April 1979). Entire issue.

Elser, Hellen. " Bibliotheraphy in Practice. " *Library Trends* 30 ( Spring 1982 ) : 647-659.

* Eisman, Harriet L. " Public Library Programs for the Elderly." *Wilson Library Bulletin* 53 ( April 1975 ) : 564-69.

Haws, Richard. " Ice-Breakers to Serve the Elderly." *Library Journal* 103 ( March 15, 1978 ) : 622-623.

Haynes, Jean. " Film Service to the Elderly. " *Library Trends* 27 ( Summer 1978 ) : 51-57.

* Kiefer, Marjorie L. " Cooperative Outreach Services for Seniors." *Illinois Libraries* 69 ( Dec. 1987 ): 716-19.

＊ Lauderdale, J. A. "Special Report: The Answer is Yes to Consumer Education for Senior Adults," *Wilson Library Bulletin* 53 ( October 1978 ) : 126 -27.

＊ Levinson, Risha W. "New I & R Teams in Library - based Services : Librarians, Social Workers, and Older Volunteers." *The Reference Librarian* 21 (1988): 121-34.

＊ *Library Trends* Vol.21 no.3 ( Jan. 1973 ). Entire issue.

Long, Fern. "The Live Long and Like It Library Club ——The Cleveland Public Library." *Library Trends* 17 ( July 1968 ) : 68-71.

＊ Long, Fern. "Research in the Field of Aging and Its Relation to Public Library Services." *Library Trends* 21 ( Jan. 1973 ) : 431-40.

Luck, Carolyn, and Croneberger, Robert, Jr. " I & R= Reference." *Library Journal* 101 ( Jan. 1976 ) : 318-319.

May, Cecilia. "Senior Booktalking." *Wilson Library Bulletin* 65 ( Nov. 1990 ) : 2-3 ( insert between p. 72-3).

Meyers, Arthur S. "The Unseen and Unheard Elderly." *American Libraries* vol. 2 no. 8 ( Sep. 1971 ) : 793

-6.

* Monroe, Margaret E. " Conceptual Framework for the
Public Library as a Community Learning Center
for Independent Study." *Library Quarterly* 46
( Jan. 1976 ) : 54-61.

* Moore, Bessie Boehm, and Fisk, Carl Fraser.
" Improving Library Services to the Aging. "
*Library Journal* 113 ( April 88 ) : 46-7.

* Moore, Bessie Boehm, and Young, Christina Carr.
" Library / Information Services and the Nation's
Elderly. " *Journal of the American Society for
Information Science* 36 ( Nov. 1985 ) : 364-8.

Morehead, Joe. " Twilight and Evening Bell : A
Meditation upon Aging and the Elderly in American
Society. " *The Serials Librarian* 13 ( Dec. 1987):
5-19.

Paparella, Julia B. " Library Service for the Aging."
*Catholic Library World* 44 ( April 1973 ) : 540-
44.

* Parker, Jean, and Cannon, Eileen. "Work with Older
People in the Community: The Countess Club,
Waltham Forest." *Library Association Record* 91
( Jan. 1989 ) : 40-1.

Parson, Sue, and Coe, Nick. " Time on Their Hands?

Library Services for the over 50s and the Housebound." *Library Association Record* 91 ( Feb. 1989)：103.

Rait, S. K. " Reading & Information Needs of Elderly Punjabis." *Library Association Record* 91 ( May 1989 ) : 279-80.

Rubery, Nancy M. " A Grand Idea. " *School Library Journal* 36 ( Jan. 1990 ) : 42.

* Rubin, Rhea, and Bostic, Linda. " Packaging Programs : New Models of Library Service to Older Adults." *Public Library Quarterly* 3 ( Fall 1979 ): 271-280.

* Smith, Eleanor Touhey. " Information Needs and Reading Interests of Older Adults." *Catholic Library World* 53 ( July/August 1981 ) : 27-31.

Surprenant, Thomas T., and Claudia Perry-Holmes. " The Reference Librarian of the Future: A Scenario." *RQ* 25 (Winter 1985) : 234-238.

* Tevis, Jean Ann., and Crawley, Brenda. " Reaching Out to Older Adults." *Library Journal* 113 ( May 1988 ) : 37-40.

" The Library's Responsibity to the Aging ." Chicago : American Library Association, 1971.

Thompson, Diane G. " Serving Older Adults in North

Carolina Public Libraries: A Survey." *North Carolina Libraries* 46 (Fall 1988): 163-80.

Van Fleet, Connie. " Public Library Service to Older Adults: Survey Findings and Implications. "*Public Libraries* 28 ( March/April 1989 ) : 107-13.

Weinschenk, Doris. " I & R Service from Volunteer Senior Citizens." *Library Journal* 111 ( October 1986 ) : 50.

* Zimmerman, John L. " Developing a Geriatric Information System. " *Bulletin of the American Society for Information Science* 13 ( June/July 1987 ): 18-19.

# 西文專書

* Casey, Genevieve M. *Library Services for the Aging*. Connecticut: Library Professional Publications, 1984.

* Turock, Betty J. *Serving the Older Adult*. New York: R. R. Bowker, 1982.

Carolina Public Libraries' Outreach ... (1977)

... Carolina Libraries to (Fall 1976): 65-80.

Van Fleet, Connie. "Public Library Service to Older Adults: Survey Trends and Implications." Public Libraries 28 (March-April 1989): 103-11.

Wingfield, Maria. "Age Segregation without Senior Citizens." Access, Jan 141, October 1980.

Zimmerman, Jane L. "Developing a Senior Citizen Information Services." Bulletin of the American Society for Information Science, 13 (June-July 1987): 15-16.

※ ※ ※

Casey, Genevieve D. Library Services for the Aging. Connecticut: Library Professional Publications, 1984.

Lane, Betty J. Serving the Older Adult. New York: R.R. Bowker, 1987.

# 殘障讀者服務之法律觀

張鈺旋

## 一 前 言

司馬遷有言：「左丘失明，厥有《國語》，孫子臏脚，《兵法》修列。」這是殘障者克服生理、心理上因素，而獲得成功的例證，亦說明了「殘而不廢，障而不碍」的事實。目前各先進國家莫不對其殘障國民施以醫療、養護、教育、職業等輔導，朝著這個理想努力，這不僅表達了民胞物與的胸懷，亦表現了人權理念的崇尚。

本文試以圖書館服務之宗旨及法令現況之得失，來探討殘障讀者就其資訊需求的障碍，進而提出若干己見，望「殘障讀者服務」能更加得具體性，整體性及前瞻性！

## 二 殘障福利之哲理

### 1. 中國「民胞物與」的精神

我們可以從《禮記‧禮運篇》「……鰥寡孤獨廢疾者皆有所養

……」到《管子》「九惠之教」所陳述「所謂養疾者，凡國都皆有掌養疾、聾盲、喑啞、跛躄、偏枯、握遞、不耐自生者，上收而養之，疾官而衣食之，殊身而後止，此之謂養疾」之說，了解到自古以來，中國人便已有人性互助、人道關懷的理念基礎。先賢聖哲所倡導的這些殘障福利思想，曾爲歷代帝王推行仁政的主要內涵，以示愛民如子的德意。

## 2. 西方「人權理念」的演化

近代民主政治制度之運作，主要在於法治（ The Rule of Law ）精神的建立與推行，自〈權利典章〉（ Bill of Right ），〈權利宣言〉（ Declaration of Right ）爾後之二、三百年，人權理念便與近代民主政治制度成了相輔相成的關係，它不僅基於自然法，亦爲實證法所保障。現代各國憲法雖明白規定人權，但其重點却由政治轉向經濟，從自由平等轉向社會福利。

就「人權理念」的演化過程，來探究殘障人士最爲需求的二種人權內容：

a. 平等權

古典的權利學說，大致是以洛克、盧梭、孟德斯鳩等人之「自然權利」、「天賦人權」、「權力思想」爲範疇，強調人生而自由平等，要求個人不被國家政府或其他個人團體所侵犯或歧視，其時代背景乃在於反對當時帝王貴族之欺壓平民、自由人之踐踏奴隸、富豪之榨取貧困等不合理現狀❶。

b. 福利權

進入二十世紀後，資本家壟斷財富引起的階級對立以及經濟利益衝突日趨明銳激烈，激起社會的不安，因此人權理念的重心就由消極地防範國家政府侵害人民自由權利，推移至積極地國家政府調和社會經濟利益，增拓社會的各種利益❷。因此，現今世紀是一個講求福利國家（Welfare State）的時代。

　　1919年德國的《威瑪憲法》（Weimar Constitution），可謂是「人權理念」演化之分界，其中有關「生存權的基本人權」及同法第二篇之規定，尤為現代各國憲法中有關國民經濟、社會安全及教育文化條項之典型與先導，茲以如下的文獻為佐證：

a．中華民國憲法

　　第七條：「中華民國人民，無分男女、宗教、種族、階級、黨派，在法律上一律平等。」

　　第一五條：「人民之生存權、工作權及財產權，應予保障。」

　　第一五五條：「國家為謀社會福利，應實施社會保險制度。人民之老弱殘廢、無力生活，及受非常災害者，國家應予以適當之扶助與救濟。」

　　第一五九條：「國民受教育之機會，一律平等。」

　　及第十三章基本國策（第一三七條至第一六九條）等相關規定。

b．世界人權宣言

　　第一條前項：「人皆生而自由；在尊嚴及權利上，均各平等。」

　　第二十五條第一款：「人人有權享受其本人及家屬康樂所需之生活程度，舉凡衣、食、住、醫藥及必要之社會服務均包括在內，且於失業、患病、殘廢、寡居、衰老或因不可抗力之事故致有他種喪失生活能力之情形時，有權享受。」

第二十六條第一款：「人人皆有受教育之權。……」

第二十七條第一款：「人人有權自由參加社會之文化生活，欣賞藝術，並共同裏享科學進步及其利益。」

c. 經濟社會文化權利國際盟約：

其前文明示規定，「鑒於依據聯合國憲章揭示之原則，人類一家，對於人人天賦尊嚴及其平等而且不可割讓權利之確認，實係世界自由、正義，與和平的基礎，

確認此種權利源於天賦人格尊嚴，

確認依據世界人權宣示之昭示，唯有創造環境，使人人除享有公民及政治權利而外，並得享受經濟社會文化權利，始克實現自由人類享受無恐懼、不虞匱乏之理想，鑒於聯合國憲章之規定，各國負有義務，必須促進人權及自由之普遍尊重及遵守。……」。

其有關的條款，如第一條至第十五條。

以上明文，在在揭櫫現代國家「平等權的基本人權」和「福利權的基本人權」兼重之理念。

關懷殘障，不少人心中都有「情應如此，理應如此」的看法，但在許多可見的公共政策或公共設施，總是被人有意或無心地遺漏，聯合國為促進及鼓勵各國政府、民間組織共同致力於殘障福利工作，將1981年訂為「國際殘障年」，（The International Year for Disabled Persons），所提出的口號為「全面參與和機會均等」（Full Participation and Equality），更是提醒我們應視殘障福利工作為全民共同的責任。

因此，我國傳統文化上民胞物與的胸懷，是推展殘障福利在

精神層面上取之不竭的泉源，而保障殘障者的基本人權，是推展殘障福利在實質層面上明確不移的指標，所以，在闡述殘障讀者服務之前，先對殘障福利之哲理加以釐清。

## 三 「殘障」的闡釋

「殘障」一詞，實包括「殘疾」與「障碍」二義，而根據1983年聯合國新聞處所出版的「周詳設計」（Design witn Care）一書指出，「殘疾」（Disability）是人類因某種損傷，導致活動能力缺乏或受到限制，而「障碍」（Handicap）是失去與他人同等的參與機會，或機會受到限制。前者乃肇因於主體本身，亦即客觀的、醫學上的生理或心理缺陷，而後者則可能由主體本身，也可能由客觀環境造成，亦即社會的、心理學上的行為問題亦包括之。

根據美國聯邦法規（Code of Federal Regulations）第七一三部第Gz部，所認定之「障碍」標準：「所謂障碍人士（a Handicapped Person），即為曾經有過，或目前正有著生理或心理的缺陷，而使其主要生活功能受到限制者。」主要生活功能，係指照顧個人需要，以手做事、行走、站立、聽、說、呼吸、學習、工作等種種活動；缺陷則指生理方面的顏面傷殘，或神經系統、肌肉骨骼系統、心臟血管循環系統、呼吸系統等的疾病，以及心理方面的智能不足、腦組織病變、心智情緒違常、學習障碍等，範疇相當廣泛 ❸。

綜其上述，以原因分之，有先天遺傳、疾病形成、職業罹患，戰爭受傷、過失招致、公害引起、年齡等因素；以程度分之，可以有輕殘、部分殘、重殘、多重殘障等程度；以傷害部份分之，根據七十九年修正之殘障福利法第三條的規定，分爲以下幾種：①視覺障碍者，②聽覺或平衡機能障碍者，③聲音機能障碍者，④肢體障碍者，⑤智能障碍者，⑦重要器官失去功能者，⑧顏面傷殘者，⑨植物人、老人痴呆症患者，⑩自閉症者，⑪其他經中央主管機關認定之殘障者。將六十九年公布之殘障福利法之殘障者適用範圍擴大。而有關認定各類型障碍之標準因法律、醫學、教育等觀點各不完全相同，於此就不便贅述。

基於殘障福利的哲理及本著圖書館服務之宗旨及發展趨勢，對於殘障讀者，不論是殘疾或障碍，亦不論是生理或心理因素，更不論其殘障的原因、程度、種類或標準，都值得我們對於殘障讀者服務進行研究，藉著本文，我們爲如下一般性的探討。

## 四 圖書館對於殘障人士的讀者服務

### 1. 圖書館的責任

美國圖書館學大師麥威爾‧杜威（Melvil Dewey）曾提出有關圖書館服務的一項準則："The best reading for the largest number at the least cost."足可驗證圖書館爲最廣泛化，最平民化，最價廉化的社會資源之一。

因此，對殘障人士而言，圖書館資源可使之具備基本的生活經驗，克服適應之困難，達其自力更生外，進而回歸主流(Mainstreaming）❹，回饋於社會。由此可見，在殘障人士的教育上，圖書館不但居於重要的地位，且擔負著任重道遠的使命，1948年美國圖書館協會所發表之〈圖書館權利宣言〉（ Library Bill of Rights ）即強調：「舉凡圖書之選擇及個人使用圖書館之權利，不得因其種族、宗教、國籍，或政治觀點而遭否定或排斥。」❺將隱含其中之基本人權之自由平等觀點加以延伸，同時亦標榜著創造一個無障礙的讀者服務之理想。

## 2. 殘障人士對資訊提供的需求度

根據美國 National Library Service ( NLS ) 對殘障者的資訊需求 ( Information needs of disabled persons ) 作了一番闡釋：「殘障讀者與一般民眾在資訊的需求上是沒有什麼差異，所不同的乃在於資訊媒體的種類 ( the kinds of media ) 和傳佈的方法 ( the methods used for dissemination )，但在主題涵蓋的範圍 ( the range of subjects covered ) 和資料的利用上 ( the uses of materials ) 是相同的。」❻

因此就其資訊需求的範疇，便可能包括：障礙本身的、日常生活的、醫療的、法令的、就學或就業的、心理重建的、社會服務的、社會福利的、休閒的等❼。

## 3. 殘障人士對圖書館使用的障碍度

圖書館構成之三大要素，乃為人員、館藏及建築，所以殘障人士對資訊需求的障礙亦大多由此，即態度障礙 ( Attitudinal Barrier )、書籍障礙 ( Print Barrier ) 及建築障礙 ( Architectural Barrier）❽，此外大眾認知（Public awareness）的缺乏，即忽略的障礙（a barrier of ignorance）❾，亦足構成殘障人士在使用圖書館時的障礙。

a. 態度的障礙

　　館員在面對殘障讀者服務時，最常發生的情況，便是手足無措的窘境❿，這可能源於二者彼此以往欠缺良善的溝通管道，或是館員本身欠缺相當之學科背景的知識（如社會學、心理學、教育學、醫藥護理學等），尤甚者，成見與誤解更是加深了彼此的溝通上的障礙：

　　(1)　擴展觀念（spread）⓫：
　　　　某人具某種生理上障礙，便以為他生理和心理上皆有所障礙。

　　(2)　社會期望的偏誤（social desirability bias）⓬：
　　　　社會大眾會給予這些少數的團體較次等的社會地位及負向評價，但在一般公開場合表示態度時，通常不會表現負向的情感。

　　(3)　偏愛階層現象（hierarchy of preference）⓭：
　　　　在許多文獻中，可發現若以心智異常者與身體殘障者二者相較，對前者的負向評價較多，而對後者表示接受的情形較多。

　　(4)　標名問題（labeling）：
　　　　亦是障礙者在其生活環境中所須承受的一項重大社會壓力。

b. 書籍的障礙

　　對於殘障讀者而言，一般類型資訊媒體，尤其是印刷型的書籍，其利用便會在生理或心理的因素下受到限制，例如視障者的視覺受損，或是身障者不能持有書籍或移動注視，或是神經中樞的障礙者（ neural inability ）不能理解書中含義，凡此種種，進而造成文化和教育上的障礙（ cultural and educational handicap ）❶；尤其七〇年代以後，各圖書館普遍面臨物價膨脹、經費有限的困境，為少數殘障讀者提供有選擇性的資料媒體（ alternative formats ），只能心有餘而力不足！

　　c. 建築的障礙

　　館舍之建築與交通的障礙在於「可用性」（ Accessibility ）的不足，乃源自法令規章的不周延及執行效果的不彰顯。因為就圖書館建築的障礙，並非無特殊的設計，最大的癥結在於不貫徹的設計❶，亦即殘障人士雖得進了圖書館大門，但入門以後卻未必能暢所欲行，而其障礙，又可區分為以下三種❶：

　　(1)　情報障礙：如視障、聽障或其他患有精神病等殘障者，在生活環境所遭遇之知覺及情報訊息掌握之障礙。

　　(2)　移動障礙：如下肢障礙而產生行動上之不便。

　　(3)　動作障礙：如上肢障礙或運動調節神經失常所引起，對於開門、轉頭、提物、按鈕等之動作造成不便。

　　d. 大眾認知的缺乏

　　圖書館是「資訊資源的中心」的共識，未能普及於一般大眾，這個忽略的障礙（ a barrier of ignorance ），便會忽略到潛在的使用者（ potential user ）──即殘障人士，使得圖書館的館藏規劃、建築設計，甚至館員心態上，自始便已遺忘了這群讀者。

### 4. 創造「無障礙」的殘障讀者服務環境

「無障礙」（Barrier-free）的生活環境，是近代福利國家
所要追求的理想社會，亦由於這股思潮下，大家才開始注意到應
提供殘障者的「可用性」（Accessibility），而圖書館又應如何
將此理想面創造爲現實面，茲以人、物二方面的配合來加以討論：

a. 人的配合：

(1) 主管人員的職責：

基本上他須具備相關之專業知識，擁有服務的熱忱和豐
富的行政技巧，才能在以下幾方面盡其所責❼：規劃
（planning）、組織（organization）、人員（staff-
ing）、監督（directing）、協調（coodinating）、
報告與資料蒐集（reporting and data collecting）、
預算（budgeting）和評鑑（evaluation），尤以規劃
和評鑑最爲重要，因爲明確的政策，才能確實推動殘障
讀者服務，而根據評鑑的結果來判斷服務的成效，才能
爲日後修正或改進的參考。

(2) 館員的基本條件：

(a)正確的態度與服務的熱忱：

如何改變對殘障人士已往的成見與誤解，是館員提供服
務的一個前提條件，尤其不經意的面部表情或肢體語言，
更是應小心謹慎。

(b)具備相關之專業素養：

可由三方面討論——

①正規教育：

聘用跨科系背景之圖書館系畢業的館員，是位多面性的專業人才。但較難尋覓。

②自我教育：

閱讀相關資料，隨時向專家請益，或是主動參與殘障者團體活動，以了解其需要。

③在職訓練：

在職訓練主要是由館方透過工作之介紹、設備使用之訓練、人際溝通、新知傳授等方式，增強個人在特定職務上的能力，以此方式，亦可增強館員面對殘障讀者服務的能力❸。

(c)各項服務：

①流通服務：

除了注意館藏目錄的完整性、借閱瀏覽的時間性外，尚須利用「服務到家」（outreach）的方式，以有效達其服務品質❹：如電話溝通、小冊子（handling books）之製作、郵遞流通（Books by post）、巡迴專車（Delivery and route planning)等之方式。此外，另有兩項極可能成為未來新服務型態❷：

ⓐ廣播閱讀服務（radio-reading services）：

透過廣播頻道，將即時性的資訊傳遞給家中的殘障讀者。

ⓑ即時圖書服務（on-demand book services）：

利用廣播或有線電視頻道上特定的週率(freguency)

　　　　傳遞，讀者可與發訊中心聯繫，告知想要閱讀的圖
　　　　書和收聽的頻道位置，便可在家中立即進行閱讀。
②參考服務：
　　殘障讀者的參考服務，有兩種內容的服務值得加以討
　論：
　　ⓐ「書目治療」（ Bibliotheraphy ）㉑：
　　　可分為兩種，其一是發展性（ development ），其
　　　二為臨床性（ clinical ），前者可以增加讀者個人
　　　學識及工作的能力，而後者是可以幫助改善讀者之
　　　情感及行為問題。二者都是透過已選擇的文學創造
　　　或視聽資料，和專業人員（ bibliotheraphists ）
　　　的指導，協助殘障讀者肯定自我（ self-affirma-
　　　tion ），教育自我（ self-knowledge ）的復健目
　　　的。
　　ⓑ「轉介服務」(Information and Referral,I&R)
　　　　　近年來，有關殘障福利之機構，社團相繼成立
　　　，及「資源共享」的潮流趨勢，因此當館藏不符讀
　　　者所需時，可以轉介他們利用其他相關之圖書館或
　　　資訊單位。
③推廣服務：
　　推廣服務可視為圖書館讀者的延伸，積極上的意義是
　吸引潛在讀者的參與，包括服務地的推廣、服務對象
　的推廣、服務項目的推廣㉒，因此前述服務到家（out-
　reach ）的方式在此，便顯其重要性。

(3) 人力資源的開發 ❷：

館外人力資源亦是協助圖書館推展殘障讀者服務的重要助力，其運用的方式有二，其一是組織障礙讀者服務顧問委員會，參與服務的規劃；其二是召募義工以解決人力不足的困擾，提昇服務的品質。

(4) 聘用殘障館員的強制性：

《殘障福利法》第十七條第一項：「各級政府機關、公立學學及公營事業機構員工總人數在五十人以上者進用具有工作能力之殘障者人數，不得低於員工總人數百分之二。」第二項：「私立學校、團體及民營事業機構員工總人數在一百人以上者，進用具有工作能力之殘障者人數，不得低於員工總人數百分之一。」

如果圖書館符合上述條件，則便須強制聘用殘障館員，此固是殘障人士的就業機會保障，但對圖書館的意義，便在於藉由殘障館員的親身經驗，修正圖書館殘障讀者服務的方向，使之更能切合其需要。

b. *物的配合*：

由於殘障者所受到之障礙因素個個不同，因此須配合不同類型的讀者，提供其資訊需求的滿足

(1) 肢體障礙：

肢體障礙大多來自移動障礙，及動作障礙，因此就圖書館的建築設計上，更值得重視──如輪椅的廻轉空間、地板高度差、輪椅斜坡度、扶手設備、輔助工具的配製及圖書館的周邊設計，如殘障者的人行步道、專用停車

位……等設計。

並可參考ANSI（America National Standard Ins-
titute ）的第A 117.1條文 ㉔ ，下舉一些圖示，引以
爲參考：

資料來源：同註

斜坡在二個平地之間，最長不能大於30呎，斜率最好小於
1/12，如果大於1/10，則一定要有扶手。

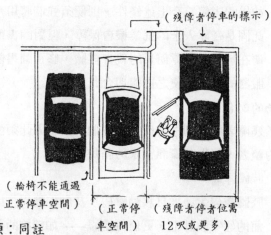

資料來源：同註

殘障者可以與路邊垂直、平行，或斜角停車，要留 2％之
停車位或至少1％位置給殘障者專用，且路寬至少12呎。

(2) 視覺障礙：

注意宜以色彩、光源、材質等之差異來賦予方向，其構成一定要單純明確，如門、樓梯、坡道等使用比較強烈的色彩，加以扶手誘導、觸覺文字、避免高低差地板、突出的牆壁等；另外在周邊的設計上，宜有導盲磚、點字牌、盲人音樂用號誌等。

另外在館藏資料類型，亦相當特殊，如大字體書（large-print book）、點字書（traille）、有聲圖書（talking book），此外藉由大眾媒體（mass communication）之廣播、電視及有聲報紙和雜誌（Talkcing newspapers and magazines）[25]，亦能有效為視覺障礙讀者服務。

(3) 聽覺障礙：

建築應採音質良好的建材，並利用視覺來提供情報，如文書資料、公告、電視、電腦顯示板或具有轉換裝置電化信號的特殊電話[26]，以提供服務。

(4) 其他服務：

語言障礙者可以利用手語或字幕的視聽器材；心肺殘障者，便要考慮其體力的不勝負荷，建築設計之基本原則就應與肢體殘障者為相似的考量……等。

## 5. 殘障讀者服務的新猷

### a. 館際合作與專門圖書館的設立

最大的意義在於衡量需求對服務資源為最委善的規劃與利用，包括二個範疇：(1)資料媒體的共享（Sharing Materials），(2)

訊息和計劃的共享（Sharing Information and Ideas）㉗。

又如美國聯邦政府對特殊團體的服務（Library Service for Special Groups）有國立視障者和肢體殘障者圖書服務中心（National Library Service for the Blind and Physically Handicapped），聯繫美國、波多黎各、維京群島等地組織，一起提供服務，包含書籍、雜誌、書目、索引等資料的提供。這些以有效的點字或錄音資料隨同必備的硬體設備，確可服務於視障者或某些肢體殘障者這些無法掌握或閱讀標準印刷品的美國人民（本土或國外）。

b. 自動化發展

圖書館自動化是不可避免之趨勢，尤其改良式電腦的問世，對於殘障讀者服務更顯其時代意義。改良式電腦是一種多功能的設計，不僅爲輸入方式的改良，還涵蓋了輸出的調整㉘。

(1) 輸入的改良：
包括壓式的按鈕、放大型鍵盤、縮小型鍵盤、聲音辨識器、視覺讀字機，及有預測簡化功能。

(2) 輸出的調整：
包括大字螢幕、影像擴大鏡、語音合成器，點字印表機，及觸覺設計 OPTACON 摸讀機、KUREWEIL 聽讀機等設計。

## 五 殘障讀者服務之法規適用問題

1. 法律位階理論（Theory of Legal Stage）

依據《憲法》第一七○條：「本憲法所稱之法律，謂經立法院通過，總統公布之法律。

《憲法》第一七一條第一項：「法律與憲法牴觸者無效。」

《憲法》第一七二條：「命令與憲法或法律牴觸者無效。」

而《中央法規標準法》第二條：「法律得定名為法、律、條例或通則。」而其第三條又規定：「各機關發布之命令，得依其性質，稱規程、規則、細則、辦法、綱要、標準或準則。」

茲以圖示：

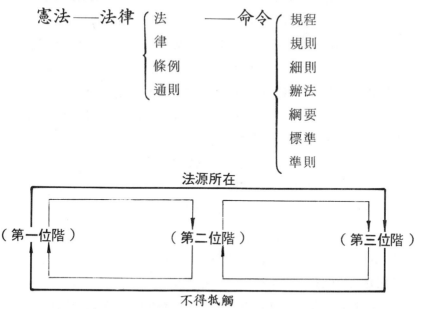

即憲法為法律之法源，而法律又為命令之法源，亦言之，命

令不得牴觸憲法和法律。

　　殘障福利的哲理，如果只訴諸於憲法的規定，通說以爲仍停留在「綱領式規範階段」，只是基本原理的宣示，並非可適用於具體案件，如《憲法》第七條、第一五條、第一五五條、第一五九條、第一六二條、第一六四條等之規定，因此要落實殘障讀者服務的工作，仍有待具體法規之制定與實行。

### 2. 法規適用

#### a. 圖書館法

　　制度的建立，必須有所本，圖書館事業，自是不能例外，而其根本大法，便是圖書館法。

　　舉凡先進國家的英、美，鄰近國家的日、韓，皆早已制定了圖書館法，而我國行政院七十二年七月三十日⑺文字第一四〇七號函頒修訂「加強文化及育樂活動方案」才將圖書館法之制定列爲重要措施之一。教育部並於七十八年成立「教育部圖書館事業委員會」，研擬了《圖書館法草案》（修正稿），計列五章三十三條，其結構包括：㈠總則，㈡設立與標準，㈢組織、人員與經費，㈣營運與輔導，㈤附則。

　　其中第十五條第一項規定：「圖書館得視業務需要設副館長，並得分組辦事，辦理採訪、編目、閱覽、典藏、參考、期刊、推廣、視聽服務、輔導、出版品交換、特藏、電腦化資訊、特殊讀者服務及研究發展等業務。」

　　此外教育部爲推展圖書館事業，特委託中國圖書館學會法規委員會籌組「公共圖書館標準研擬小組」，重新訂定一份公共圖書館標準，俾通令全國各公共圖書館遵行。

　　本《標準草案》計列七章四十七條，其內容包括：㈠總則，㈡組織、人員與經費，㈢圖書資料，㈣建築與設備，㈤服務，㈥管理，㈦附則。

　　其《標準草案》（初稿）第五條：「圖書館得分組（股）辦事，……並得視需要，設置電腦化資訊，兒童及特殊讀者服務等業務單位。」

　　第二十一條：「圖書資料宜兼顧成人、青少年、兒童及特殊讀者之需要。」

　　第二十四條：「圖書館建築與設備應力求實用美觀，注意防火、耐震、通風、防潮、採光、隔音及人類環境工學等要求，並應考慮特殊讀者之需要。」

　　第二十七條：「圖書館得備置下列設備：

　　一、一般傢具及設備：……盲人點字設備及圖書巡迴車等。

　　二、視聽器材及電腦等設備：……。」

　　皆明文規定圖書館對殘障讀者服務的要項。

　b. 殘障福利法

　　為了落實民生主義社會福利政策之美意，一方面亦是順乎各國殘障福利立法保障之趨勢，我國於民國六十九年頒布《殘障福利法》，全文二十六條，但自施行以來，隨著世界潮流與社會變遷，以及更加落實照顧殘障者並保障生活權益，綜合各界輿論及因應聯合國殘障人十年世界行動綱領之建議，於民國七十九年完成「殘障福利法」之修正，全文共三十一條條文。

　　其中第三條，將殘障者之適用範圍擴大，可以據以服務更多之殘障讀者。

　　第八條規定，各級政府應按需要，設立、獎助，或補助有關之殘障福利機關，並於第一項第三款明文規定盲人讀物出版社及盲人圖書館亦在其獎助、補助範圍之列。

　　第二十一條規定，殘障者搭乘交通工具之半價優待。

　　第二十三條是有關便於殘障者行動使用之設備設置的規定，若未符合規定者，不得核發建築執照；舊有公共設備及設施不符前項之規定者，則應編預算，逐年改善，但本法公布施行五年後，尚未改善者，應撤銷其使用執照。此規定乃以全面無障礙之生活環境為理想，對於圖書館之建築，設備具有強制性的規定。

　　c. 建築、交通法規

　　我國有關之法規，如建築法、鐵路法、公路法、大眾捷運法、道路交通管理處罰條例等規定，對於殘障者「行的方便」之考量是付之闕如的，可引美國於這方面的努力作為借鏡 ❷ 。

　　(1)　建築障礙法（Architectural Barriers Act of 1968; Public Law 90-480）：
　　　　其中規定，凡所有使用聯邦經費之建築物，其結構、出租或變更，都必須考慮殘障者之暢行無阻(accessibility)的權利。

　　(2)　聯邦補助公路法（Federal Highway Act of 1973；Public Law 93-87）：
　　　　有關對殘障者良好運輸服務的規定。

　　(3)　殘障復健法（Rehabilitation Act of 1973; Section 502 of Public Law 93-112）

據此法，成立了「建築和交通障礙申訴中心」（Archi-tectural and Transporation Barriers Compliance Board；A&R TBCB），增強法律的執行力，如果有關建築物上不便之申訴，或相關資料的函索，此中心可以提供技術協助，包括建築、型態障礙、住宅、娛樂、交通等問題。

此外，有關交通之相關法規❸，如都市大眾運輸法（Urban Mass Transportation Act of 1970；PL 91-453），大眾運輸法（Mass Transit Act of 1974；PL 93-503），亦有效協助殘障者更方便的交通系統。

d. 特殊教育法

其立法目的，即已明言爲使資賦優異及身心障礙之國民，均有接受適合其能力之教育機會，充分發展身心潛能，培養健全人格，增進社會服務能力（第一條前項）。

其中第三章——「身心障礙教育」，更是提供殘障學生無障礙學習環境的保證，亦是圖書館爲殘障讀者服務所應重視的。

此外，亦引述美國對特殊教育的重視 ❸：美國國會在 1975 年通過了《殘障兒童普及教育法案》（Education for All Handicapped Children Act of 1975；PL 94-142），並於 1978 年全面實施，在其保障下，州政府和地方學校必須對 6 歲至 21 歲的殘障者提供適當的初級和次級教育，並且一些州政府也對學前兒童、學步兒童、嬰兒提供相關之教育與服務。本法之第四部分（Part IV）爲這些特殊（exceptional）兒童之教育及學校圖書館服務提供了更完整的說明。

e. 著作權法

　　著作權法有二大基本課題，其一是保障著作人的權利，尤其是經濟上收益，以免影響其創造之動力與意願，其二是公衆使用的權利，以免阻碍知識的傳播與文化的發展 ㉜，亦即求取私利與公益之間的平衡點。

　　由於「尊重智慧財產權」的觀念已成了國際間達成的共識，對於圖書館之殘障讀者服務則造成某種程度的影響，試舉部分重要內容加以討論：

(1) 公共出借權制度：

　　　早期認爲公共圖書館的普遍設立，是普及教育最方便的途徑之一，近來由於著作權益觀念日趨高漲，著作權人方才覺醒圖書館之大量出借書籍，或已侵害其權益，例如原來一百位讀者的購書量，會因圖書館所蒐購的十本書之流通量，造使此著作權人減損了九十冊書籍的銷售量，因此主張出借權亦屬著作權的保護之列，圖書館應給付權利金。而圖書館基於以下理由，則持反對的意見：圖書館若付出權利金，勢必影響本身經費的運用，必且在出借次數的統計及權利金分配技術上，皆有待突破！對殘障讀者服務所配合之「館際合作」、「服務到家」等措施，對於原來不甚流通的書籍借閱，更會影響其借書的方便與意願，因此「公共出借權」有關的問題，尤其是英、德、澳、紐等國家於這方面的努力，頗值得探討。

(2) 重製權：

　　　由於某些殘障者之生理障碍因素，對於一般資料媒體，尤其是印刷品，根本無法加以利用，因此需要他法重製可選擇性的資料媒體（ alternate media materials），以便其利用，但卻牽涉著作權之相關問題，值得探究：根據我國著作權法修正草案 ❸第三條第一項第五款規定：

「重製：指以印刷、複印、錄音、錄影、筆錄或其他有形之重複製作。……」

因此就書籍障礙的殘障讀者可以利用之大字體書、點字書、有聲圖書、廣播電視、電腦……等之資訊媒體，此卻牽涉著作權侵害與否的問題，因為著作權人可以在法律上對其作品獨佔地（ exclusive ）予以利用（ 出版為其中的一種，稱為出版權 ），因此除非在合理使用（ fair use ）❸的原則下，否則未徵得原著作權人之同意而以任何方式重製者，都可能造成著作權的侵害。

現行著作權法第三十條及著作權法修正草案第五十三條皆明文規定：

「已公表之著作，得為盲人以點字重製之。

經政府許可以增進盲人福利為目的之機構，得錄音已公表之著作專供盲人使用。」

不過只列舉「點字」及「錄音資料」適用於「合理使用」之原則下，對於其他的資訊媒體而言，不免引起爭議。而 The IFLA Round Table of Libraries for the Blind 曾提及三項建議，以解決殘障讀者在資料媒體上的障礙 ❸：①著作權人不應有權去拒絕其著作物為殘障者而改變成其他資訊媒體；②國家應以立法手段或是強制授權的方法，使殘障者儘速獲得重製後的資訊媒體；
③這些資訊媒體應國際化，並要求資源共享，以排除人
爲上的障碍（ artifical barriers ）。

3. 適用法規應爲之處境

a. 殘障福利應視爲憲法上人權的保障，但亦須具體的法律
加以落實：尤其圖書館是殘障同胞具備基本生活經驗，
克服適應之開始，「制度化的建立」對他們才尤顯意義，
不但要求法規的周延外，最重要的是執行力的彰顯。

b. 期待政府積極地參與及行政角色的介入：回顧行政權力
的發展，可以感受到含有強烈之福利服務，而行政院八
十一年度（民國八十年七月至八十一年六月）之施政方
針，就殘障福利之項目，便有以下努力方向：(1)研擬完
成殘障福利法施行細則及相關子法規定；(2)積極籌辦殘
障人口資料處理電腦化，期以建立完整之資料檔；(3)加
強殘障福利法之執行，保障殘障者就醫、就學、就養等
福利。

c. 政府部門應於法令、措施上促其誘因，鼓勵民間的參與：
國家爲社會福利發展時，常有財政上的考量，基於分散
與自立的觀點，鼓勵民間參與是頗符合目前潮流，因爲
現今歐美的發展，逐漸由福利國家（Welfare State）之
模式轉爲福利社會（Welfare Society）。舉例如殘障福
利法第八、第二十四條規定，即爲明證。

d. 政府之行政干預可用強制性條文，甚或罰則來規範：如

殘障福利法第二十三條關於殘障者行動使用之設備條款，即用「應」字爲強制性規範。

e. 不可光只期待法令的制定和實行，便能做好殘障福利的工作：殘障福利的體系應求全面性，因此除了法令的配合外，社會大眾更須共同致力於「殘而不廢，障而無碍」的生存空間。

## 六　結　論

「殘障讀者服務」，不應只是一種抽象概念或崇高理想，治事之張本，無貴乎制度的建立，因此就有力的保障及長遠的規劃，具體可行的法令是相當重要的，它具有二個層面上的意義，其一是要求法令規章的周延性，不足之處宜參酌外國先例加以修正；其二是要求執行效果的確實性，但亦宜於考慮現存社會環境各因素加以配合。

此外，我們亦不宜抱持「法律萬能」的迷信，光徒法令之制定與修改，便能滿足殘障者就學、就醫、就業、就養的需求，實屬困難。一個完整的福利制度體系的建立，是來自多方面的配合，因此就圖書館之殘障讀者服務，尋求其資訊提供的重重障碍，輔以人、物資源上的配合，以建立無障碍的生活空間，是今圖書館事業更應加強的一環。

# 附　註

❶ 李鴻禧，《憲法與人權》（臺北：著者，民75年），頁530。

❷ 同❶，頁531。

❸ 雷叔雲，〈機會均等與全面參與：圖書館對生理障碍人士的服務〉，《中國圖書館學會會報》39期（民75年12月），頁46-47。

❹ Michael B. Murphy, " Library Services for the Disabled," *Catholic Library World* 59 ( Jan./Feb. 1988 ) :174.

❺ G. Edward Evans, *Developing Library Collections* (Littleton, Conn.: Libraries Unlimited, 1979 ), pp.302-303.

❻ William L. Needham and Gerald Johoda, *Improving Library Service to Physically Disabled Persons* ( Littleton : Libraries Unlimited, 1983 ), P.12.

❼ 同❸，頁51-52。

❽ Elizabeth W. Stone, " Educating Librarians and Information Scientiests to Provide Information Services to Disabled Individuals," *Drexel Library Quarterly* 16( Apr. 1980) : 13.

❾ Needham, op. cit., pp.13-14.

❿ Stone, op. cit., p.14.

⓫ Kieth C. Wright and Indith F. Davie, *Library and Information Services for Handicapped Individuals* 2nd ed.( Littleton: Libraries Unlimited, 1983 ) p.15.

⓬ 林淑玟，〈身體殘障對個人心理與社會適應的影響〉，《特教園丁》

5 卷 2 期（民 78 年 12 月），頁 17。

⑬ 同⑫，頁 17。

⑭ Stone，op. cit．，p.16

⑮ 同❸，頁 52。

⑯ 藍武王，〈無障碍的交通環境〉，《特殊教育季刊》26 期（民 77 年 3 月），頁 31。

⑰ Leslie L. Clark ed., *A Guide to Developing Braille and Talking Book Services*（ New York : K. G. Saur，1984 ），pp 31-34．

⑱ 呂姿玲，〈公共圖書館對視覺障碍者服務之研究〉（ 國立臺灣大學圖書館學研究所，碩士論文，民 80 年 6 月），頁 31。

⑲ Gerald Bramley, *Outreach*（ London : Clive Bingley, 1978 ），pp. 125-129．

⑳ 同⑱，頁 54-55。

㉑ Barbara Allen," Bibliotheraphy and the Disabled," *Drexel Library Quarterly*, 16 ( April 1980 ) : 81-82．

㉒ 同⑱，頁 32。

㉓ 同㉒，頁 60。

㉔ Rutu A. Velleman, *Serving Physically Disabled People : An Information Handbook for All Libraries*（ New York : R.R. Bowker，1979 ）: 108-115．

㉕ Emile C. White," Library Service to the Blind : Progress Through Technology and Social Awareness," *Catholic Library World* 56 ( May 1985 ) : 436．

㉖ Frank Kurt Cylke, et al.," Research to Develop Information

Service Aids and Programs for Handicapped Individuals,"
*Drexel Library Quarterly* 16（April 1980）：66.

❷ Jan Ames,"Libraries Serving Handicapped Users Share
Resources,"*Catholic Library World* 52（Feb. 1981）:297
-299.

❷ 黃玉枝編譯，〈改良式電腦對重殘者的應用〉，《特殊教育季刊》
36期（民79年9月），頁11-12。

❷ Velleman, op. cit., pp.56-58.

❸ Ibid.

❸ Ibid.

❸ 楊崇森，著作權法論叢。

❸ 參見立法院議案關係文書，院總第五五三號。案由：行政院函請審
議〈著作權法修正草案〉。

❸ 參見美國新著作權法（Copyright Law of the United States of
America）第一○七條（Sec. 107）："Limitations on exclu-
sive rights : Fair use."

❸ ──────,"From IFLA Sections," *IFLA Journal* 6
（Feb. 1980）：43.

# 參 考 書 目

## 一、中文部份

### 圖　書

李鴻禧。《憲法與人權》。臺北：著者自印，民75年。

楊崇森。《著作權法論叢》。臺北：華欣，民72年。

### 期刊論文

立法院議案關係文書，院總第553號。

呂姿玲。〈公共圖書館對視覺障礙者服務之研究〉。國立臺灣大
　　學圖書館學研究所，碩士論文，民80年6月。

林淑玫。〈身體殘障對個人心理與社會適應的影響〉。《特教園
　　丁》5卷2期（民78年10月），頁15-19。

徐金芬。〈圖書館指標與殘障者〉。《社教雙月刊》30期（民
　　78年3月），頁66-69。

張文鐸。〈淺談臺北市立圖書館大同分館盲人資料中心〉。《社
　　會教育年刊》42期（民77年12月），頁29-30。

許天威。〈無障礙的學習環境〉。《特殊教育季刊》26期（民
　　77年3月），頁7-19。

張慧蓉。〈無障礙環境的圖書館服務〉。《書香季刊》8期（民

80年3月），頁14-21。

郭麗玲。〈圖書館對盲人的服務〉。《教育資料科學月刊》15
　　卷3期（民　　年　　月），頁2-12。

雷叔雲。〈機會均等與全面參與：圖書館對生理障礙人士的服務〉。
　　《中國圖書館學會會報》39期（民75年12月），頁45-59。

賈玉華。〈沒有印刷書的圖書館：盲人圖書館〉。《幼獅月刊》
　　57期（民72年6月），頁44-48。

黃玉枝編譯。〈改良式電腦對重殘者的應用＞。《特殊教育季刊》
　　（民79年9月），頁11-　。

藍武王。〈無障礙的交通環境〉。《特殊教育季刊》26期（民
　　77年3月），頁29-44。

## 二、西文部份

圖　　書：

Association of Specialized and Cooperative Library
Agencies. *Standards of Servies for the Library of
Congress Network of Libraries for the Blind and
Physically Handicapped.* Chicago: American Library
Association, 1979.

Association of Specialized and Cooperative Library
Agencies. *Revised Standards and Guidelines of Ser
vice for the library of Congress Network of*

*Libraries for the Blind and Physically Handicapped*·
Chicago: American Library Association, 1984.

Brown, Eleanor Frances. *Library Service to the
Disadvataged*. Metuchen, N. J.: Scarecrow, 1971.

Craddock, P. *The Public Library and Blind People*: *A
Survey and the Review of Current Practice*.
London: British Library, 1985.

Davis, Emmett A., and Davis, Catherine M. *Mainstrea-
ming Library Service for Disabled People*. Metuchen,
N. J.: The Scarecrow Press, 1980.

De-Cleene, Clare. *Library Services to the Blind and
Physically Handicapped*. Washington, D. C.: Office
of Educational Research and Improvement, 1985.

Eldridge, Leslie ed. *Speaking Out*: *Personal and Profes-
sional Views On Library Service for Blind and Phys-
ically Handicapped Individuals*. Washington, D. C.:
National Library Service, 1982.

Eldridge, Leslie ed. *R is for Reading*: *Library Service
to Blind and Physically Handicapped Children*. Wa-
shington, D. C.: National Library Service, 1985.

Kraus, Krandall ed. *Summary Proceedings of a Symposium
on Educating Libarians and Imformation Scientists
to Provide Information and Library Services to Blind
and Physically Handicapped Individuals* ( San

Francisco, California, July 2-4, 1981 ). Washington, D.C. : Library of Congress, 1982.

Lewis, M. Joy. *Libraries for the Handicapped*. London: The Library Association, 1969.

Marshall, Margaret R., ed. *Libraries and the Handicapped Child*. Boulder, Colo.: Westview Press, 1981.

McCrossan, J., Swank, R., and Yacuzzo, D. *Library Services for the Handicapped in Ohio*. Kent, Ohio: Kent State University, School of Library Science, 1968.

Moos, Charles A. *Planning Barrier Free Libraries: A Guide for Renovation and Construction of Libraries Serving Blind and Physically Handicapped Readers*. Washington, D. C.: National Library Service, 1981.

Needham, William L., Jahoda, Gerald. *Improving Library Service To Physically Disabled Persons: a Self-Evaluation Checklist*. Littleton, Colo.: Libraries Unlimited, 1983.

Schauder, Donald E., and Cram, Malcolm D. *Libraries for the Blind: An International Study of Policies and Practices*. Stevenage, Hertsfordshire: Peter Peregrinus, 1977.

Storm, Maryalls G., ed. *Library Services to the Blind and Physically Handicapped*. Metuchen, N. J.: The

Scarecrow Press, 1979.

Thomas, James L., and Thomas, Carol H., ed. *Library Services for the Handicapped Adult*. Phoenix, Arizona: The Cryx Press, 1982.

Velleman, Ruth A. *Serving Physically Disabled People: An Information Handbook for All Libraries*. New York: R. R. Bowker, 1979.

Wright, Kieth C. *Library and Information Services for Handicapped Individuals*. 1st ed. Littleton, Colo.: Libraries Unlimited, 1979.

Wright, Kieth C., and Davie, Judith F. *Library and Information Services for Handicapped Individuals*. 2nd ed. Littleton, Colo.: Libraries Unlimited, 1983.

Wright, Kieth C., and Davie, Judith F. *Library and Information Services for Handicapped Individuals*. 3rd ed. Littleton, Colo.: Libraries Unlimited, 1989.

## 期刊論文

*ALA World Encyclopedia of Library and Information Services*, 1st ed. (1980) S. V. "Handicapped, Services to" by F. K. Cykle.

*ALA World Encyclopedia of Library and Information*

*Services*, 2nd ed. (1986) S. V. "Handicapped, Services to," by F. K. Cykle.

Allen, Barbara. "Bibliotheraphy and the Disabled." *Drexel Library Quarterly* 16 (April 1980): 81-93.

Ames, Jan. "Libraries Serving Handicapped Users Share Resources." *Catholic Library World* 52 (Feb. 1981): 297-300.

Brown, D. "Serving Disabled People in Public Libraries." *Public Libraries* 23 (Spring 1984): 8-10.

Brown, E. G. "A Library for Listeners." *Canadian Library Jorunal* 29 (May-June 1972): 241-244.

Clarke, Jean M. "IFLA and the Handicapped Readers." *UNESCO Journal of Information Science* 3 (sep. 1981): 182-184.

Currie Margaret; McLean Howe Dallas; Howe D. McLean. "Bibliographic instruction for the print-handicapped." *College and Research Libraries News* 39 (Nov. 1988): 672-674.

Cylke, Frank Kurt, and Deschere, Allen R. "Information and Communication Devices for Blind and Physically Handicapped Readers." *Bulletin of American Society for Information Science* 5 (April 1979): 9-11.

Cylke, Frank Kurt. "International Coordination of Library Services for Blind and Physically Handicapped

Individuals: An Overview of IFLA Activities."
*Unesco Journal of Information Science, Librarianship
and Archives Administration* 1 (Oct. -Dec. 1979):
242-248.

Cylke, Frank Kurt et al. "Research to Develop Infor-
mation Service Aids and Programs." *Drexel Libary
Quarterly* 16 (April 1980): 59-70.

Dziedzic, Donna. "The Same Difference Srevice." *Il-
linois Libraries* 63 (October 1981): 633-638.

*Encyclopedia of Library and Information Science*, (1968)
S. v. "Blind and Physically Handicapped, Library
Service to," by R. S. Bray.

*Encyclopedia of Library and Information Science*. (1970)
S. v. "Braille," by S. Marjorie Hooper.

*Encyclopedia of Library and Information Science*, (1973)
S. v. "Homebound Handicapped," by Roberts Bray.

*Encyclopedia of Library and Information Science*, (1980)
S. v. "Talking Books," by F. K. Cylke.

*Encyclopedia of Library and Information Science*, (1989)
S. v. "Blind and Physically Handicapped, Library
Service to," by F. K. Cylke.

Ensley, Robert F. "State Library Agencies and the
Provision of Library Servies for Blind and Physical-
ly Handicapped Person." *Catholic Library World* 52

（November 1980）：150-154.

Ensley, Robert F. "Report on Library Services for Blind and Physically Handicapped Persons in Illinois." *Illinois Libraries* 64 （Sep. 1982）: 911-916.

Ensley, Robert F. "A Summary of Activities for the Illinois Network of Libraries Serving the Blind and Physically Handicapped." *Illinois Libraries* 69 （January 1987）: 40-42.

Evensen, Richard H., Levering, Mary Berghaus. "Blind and Physically Handicapped: Services Are 500 Per Percet Better." *American Libraries* 10（January 1979）: 373.

Ferrandiz, Susan. "Modest Beginnings to Services for Disabled Persons." *Canadian Library Journal* 38 （October 1981）: 287-294.

Friedman, Morton H. "A Computerized Service for the Blind and Physically Handicapped." *Journal of Library Automation* 8 （April 1975）: 322-335.

Graham, Neil H. "The Braille Library." *Library Journal* 77 （June 1952）: 1030-1033.

Grannis, Florance. "Book Selection for the Blind." *Catholic Library Worlb* 40 （April 1969）: 491-496.

Hook-Shelton S. A. "Library Services for the Blind in West Germany." *Public Library Quarterly* 8 (1988):

41-49.

Huang, S. T. "Reference Services for Disabled Indivi
duals in Academic Libraries." *Reference Librarian*
25-26 (1989) : 527-539.

Irwin, R. B. "Survey of Library Work for the Blind in
the United State and Canada." *ALA Bulletin* 23
(1929) : 250-252.

Jeske, D. "Library for the Blind and Handicapped."
*Connecticut Libraries* 23 ( Winter 1981 ) : 31-32.

Kamisar, H., Pollet, D. "Those Missing Readers: the
Visually and Physically Handicapped." *Catholic
Library World* 46 (May-June 1975) : 426-431.

Karrenbrock, Marilyn H., and Lucas, Linda. "Libraries
and Disabled Persons: A Review of Selected
Research." In *Advances in Library Administration and
Organization*. Vol. 6. pp. 241-306. Edited by Gerard
B. McCabe, Bernard Kreissman. Greenwich, Conn.:
JAI Press, 1986.

Knight, N. H. "Library Service to the Disabled: A
Survey of Selected Equipment." *Library Technology
Reports* 17 (1981) : 497-622.

Lewis, M. G. "Providing library support for a communi
ty-based mental handicap project: some experiences
from a recent setting-up exercise." *Aslib Proceeding*

37 ( May 1985) : 221-229.

Major, Jean A. "The visually impaired reader in the academic library." *Coll. Res. Libr.* 39 ( May 1978): 191-196.

Massis, Bruce. "Libraries for the Blind." *IFLA Journal* 7 ( March 1981 ) : 300-301.

Meadows, Sally. "An assessment of the major computer ised databases relating to disable people in the UK and Sandinavia. " *Journal of Information Science* 12 (1986) : 185-191.

Pletz, J., and Ensley, R. "Share Our Voices-Feel Our Words: The Illinois Network of Libraries Serving the Blind and Physically Handicapped-FY 1985. " *Illinois Libraries* 68 ( January 1986 ) : 18-19.

Prescott, Katherine. "New Standards for Library Service to the Blind and Physically Handicapped." *Catholic Library World* 52 ( Nov. 1980 ) : 160-163.

Prine, Stephen, Wright, Kieth C. "Standards for the Visually and Hearing Impaired. " *Library Trends* 31 ( Summer 1982) : 93-108.

Roberts, M. L. "Welcoming Disabled Readers to a New World of Information. " *Texas Libraries* 46 ( Fall 1985 ) : 54-59.

Roth, Helga. "Information and referral for handicapped

individuals. " *Drexel Libr. Q.* 16 (Apr, 1980) : 48-58.

Russel, Robert. " The World Will Never Be So Small Again: A Thanksgiving Story Form a Blind Reader." *Wilson Library Bulletin* 46 ( November 1971) : 238-245.

Selvin, Hanan C. " The Librarian and the Blind Patron." In *Serving Physically Disabled People: An Information Handbook for All Libraries*, pp.116-139. Edited by Ruth A. Velleman. New York: R. R. Bowker, 1979.

Shaw, A. E. " Better Services for the Visually Handicapped. " *Library Association Record* 88 ( Fall 1986) : 85.

Stone, Elizabeth W. " Educating Librarians and Information Scientists to Provide Information Services to Disabled Individuals. " *Drexel Library Quarterly* 16 ( April 1980 ) : 10-31.

Strider, Fred D.; Menolascino, Frank J. " Resources for the mentally (spring 1982 ) : 577-589.

Swaim, Jessica. " The Challenge of Talking Books." *School Library Journal* 31 ( October 1984 ) : 99-102.

Tegler, Patricia. " Enabling Librarians to Serve the Disabled. " *American Libraries* 11 ( April 1980 ) : 217.

Thiele, Paul E. "New Technologies for the Blind Reading Community." *Canadian Library Journal* 41(June 1984 ) : 131-139.

Thomsen, Paulli. "The Establishment of a Library Service to Visually Handicapped People in African Developing Countries." *IFLAoJournal* 11 (January 1985) : 36-42.

Vasi, John. "Building Libraries for the Handicapped: A Second Look." *Journal of Academic Librarianship* 2 ( May 1976 ) : 82-83.

Velleman, Ruth A. "Architectural and Program Accessibility: A Review of Library Program, Facilities and Publications for Librarians Serving Disabled Individuals." *Drexel Library Quarterly* 16 (April 1980 ) : 32-47.

Vitzansky, Winnie. "The Work of to the Section of Libraries for the Blind." *IFLA Journal* 11 (January 1985 ) : 43-49.

Wellons, J. "Service to Blind, Sometimes." *Kansas Library Bulletin* 35 ( Fall/Winter 1966 ) : 10-11.

Werner, Mona M. "Collection Development in Division for the Blind and Physically Handicapped, Library of Congress." *Catholic Library World* 47 (October 1976 ) : 418-419.

Wexler, Henrietta. "Books That Talk." American Education 17 ( Jan.-Feb. 1981 ) : 15-17.

White, Emilie C. "Library Service to the Blind: Progress Through Technology and Social Awareness." *Catholic library World* 56 ( May 1985 ) : 434-437.

Wigmore, H., Morris, D. "Opening Doors to Disabled People: Improving Services for the Disabled Library User." *Library Association Record* 90 ( March 1988 ) : 153-157.

Wilkins, Barratt, Cook, Catharine. "Library Services for the Blind, Handicapped, and Institutionalized." *Library Trends* 27 ( Fall 1978 ) : 175-178.

Willoughby, Edith L. "Library Services in a School for the Blind." *Catholic Library World* 60 ( Nov./dec. 1988 ) 120-121.

Wright, Kieth C. "Educating Librarians About Service to Special Groups: The Emergence of Disabled Persons Into the Mainstream." *North Carolina Libraries* 45 ( Summer 1987 ) : 79-82.

# 技術服務與讀者服務的互動關係

歐陽芬　吳慧中

## 一　前　言

　　圖書館服務目的在於使讀者能方便地取得資訊，在作法上，一般圖書館多分爲技術服務部門（ Technical Services ）和讀者服務部門（ Reader Services ），彼此分工合作，以達成阮甘納桑（ S. R. Ranganathan ）所提倡的「圖書館學五律（ The Five Laws of Library Science ），其第二、三律的「每讀者各有其書，每書各有其讀者」的經營目標。

　　但是多年來，傳統的技術服務與讀者服務的組織劃分型態使得圖書館某些工作缺乏適當的館員和多樣化的設計；而技術服務部門和讀者服務部門由於彼此工作方式、哲學理念、關注對象的差異，致使這兩個部門逐漸形成各自封閉的系統，彼此不完全了解對方的工作情況，雙方因而會有隔閡情形產生。

　　技術服務的終極目的即是讀者服務，因此技術服務的好壞會影響到讀者服務的品質，由此可知二者相互依存關係非常密切；就圖書館整體服務而言，如果這兩個部門能夠整合互動，彼此了解，打破固有的藩籬，結合兩者之力，必可發揮圖書館最大的服務效益。

　　本文擬從技術服務與讀者服務的工作性質，闡述互動的意義
與重要性，進而探討這二者之間的互動整合關係，最後並就管理
上所面臨的問題及未來發展加以討論，期望圖書館部門之間能夠
有良好的互動關係出現，使圖書館業務運作更有效率，圓滿達成
服務宗旨。

## 二　技術服務與讀者服務的界說

　　根據美國圖書館協會圖書館學暨資訊科學詞彙（ALA Glos-
sary of Library and Information Science）所下的定義：「技
術服務的運作包含採購、資料組織、書目控制、書刊處理和館藏
維護。」❶ 而讀者服務則爲「任何館員和讀者有直接接觸的作業，
比如流通服務、資訊服務以及其它類似服務，廣義而言，實際上
也包括了館藏發展和評鑑活動」❷。

　　藍開斯特（F. W. Lancaster）認爲一般所稱作的技術服務，
指的就是將資訊資源組織與管理的活動，目的在於產生各種工具
（比如目錄、書目），以供讀者服務利用。至於讀者服務，可以
區分爲兩大類型，即需求服務（On Demand Services）與通
知服務（Notification Services），前者係針對讀者的需求所
做的被動反應，而後者則對讀者感興趣的出版品或其它資訊資源
所提供的主動服務。需求服務又可分爲兩種型式：文獻傳遞服務
與資訊檢索服務；通知服務主要是指檢索服務，說得更精確一點，
它就是資訊傳播服務❸。藍開斯特用下圖描述技術服務與讀者服

務的活動：

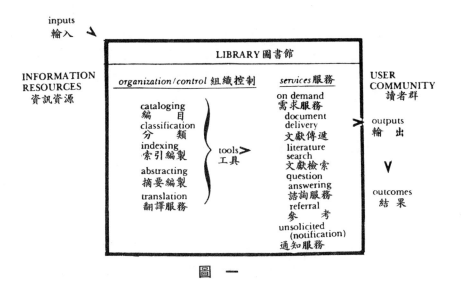

inputs
輸入

INFORMATION
RESOURCES
資訊資源

USER
COMMUNITY
讀者群

outputs
輸出

outcomes
結果

圖　一

資料來源：F. W. Lancaster, *If you want to eva-
luate your library* ……（ Champaign,
I L：Graduate School of Library and
Information Science, Universis of Illi-
nois, 1988 ）

　　而陶勃（ M. F. Tauber ）認為凡與資料的獲得、記錄和保
存有關的業務運作和技術就是技術服務 ❹。

　　王振鵠先生則認為讀者服務，「廣義而言，圖書館一切服務
均可視為對讀者的服務；狹義而論，僅指對來館利用館藏或設備

人士提供的各項服務 ❺ 」。

　　歸納上述各家看法，圖書館的運作可以區分為兩大活動，一為技術服務，一為讀者服務；這二者之間的分野在於技術服務乃是處理圖書館所有文獻的工作，而讀者服務則是與讀者直接接觸的工作。但有一點必須注意的是圖書館的所有業務並不是全部都可截然劃分完全是屬於技術服務或讀者服務的範圍。

# 三　互動關係的意義與重要性

### 1.　意　義

　　賴特（ Donald Light ）和凱勒爾（ Suzanne Keller ）二位社會學者認為社會互動（ Social　Interaction）是人們彼此間會互相而對等地影響態度、感覺和行動的過程 ❻ 。

　　史麥瑟（ Neil J. Smelser ）先生則認為社會互動是人們相互間行動和反應的過程 ❼ 。

　　雲五社會科學大辭典中介紹互動（ Interaction ）是指分子間互相交感的行為過程 ❽ 。而社會互動係指人與人或團體與團體在行動間的交互影響 ❾ 。

　　謝高橋先生認為人間互動是一種過程，彼此會互相影響，進而創造、維持、改變彼此行動的模式。如果沒有互動，我們將會孤獨而缺乏生氣；唯有從互動建立起組織與文化，人類才能創造、維持並改進社會 ❿ 。

　　龍冠海先生則認為互動係指社會分子間的心理交感作用或行

為的互相影響❶。

社會工作辭典中則認為互動是「社會團體工作的主要動力，工作人員利用之為媒介，以協助團體及其成員」❷。

綜合上述，可知互動（或社會互動）是分子間心理和行為的互相影響過程，而此過程為整個團體工作上的重要基礎。互動關係良好，則團體可獲取最大利益。

## 2. 重要性

圖書館作業一般劃分為技術服務部門和讀者服務部門，這種分法行之有年且也為圖書館界所接受，其原因如下❸：

(1) 歷史背景演進：大約從 1939 年起圖書館開始有技術、讀者服務部門的區分，而此分工趨勢一直持續至今。

(2) 分工專業化需求。

(3) 借用工廠生產線的分工概念，以獲取經濟利益。

(4) 建立書目控制系統的複雜性。

(5) 為維持國際書目與網路的標準，致使傳統組織結構不易變化。

但是事實上，在這種組織結構下，技術／讀者服務部門由於是各自封閉的系統，缺乏開放的溝通管道，對彼此的服務重心不了解，鮮少分享彼此的專業知識與工作經驗，且由於缺乏對圖書館整體組織目標的認識，「故也不了解對方的專業知識對自己有何用」❹，因而容易形成本位主義，忘卻圖書館服務的整體觀念，忽略了共同的任務。再加上彼此互競的心態而致使圖書館的技術／讀者服務部門處於一種冷漠敵對的狀態，常常技術服務部門或讀者服務部門會與其他機構中的同一性質部門較有往來，卻與同機構中的相對部門很少接觸。這種存在於兩部門間的冷漠如不加以引導、改善，則往往會對組織及個人造成極大傷害❶。

　　在圖書館界有一不爭的事實即是技術／讀者服務部門各說各話，他們各從不同的觀點看圖書館所進行的活動，因此彼此常不能有效溝通，這種關係可以用下圖來表示。

技術服務人員　　讀者服務人員

資料　　　　　圖書館　　　　人

圖　二

**資料來源**：雷叔雲，「技術服務與讀者服務互動說」。
　　　　《中國圖書館學會會務通訊54期（民國76
　　　　年1月），頁42。

不可諱言地，這兩個部門皆具有同樣目標，爲讀者的**眞實性**和潛在性需求而服務❶，所以技術／讀者服務部門可說是互相依存的一體兩面。有好的技術服務才能有完善的讀者服務，有讀者服務的經驗提供，技術服務方能不斷革新與改進，二者互爲表裏，相互支援❶。如果技術服務沒有讀者服務支援，所提供的服務就無意義（Meaningless），如果讀者服務沒有技術服務的支援，所提供的服務便不完整（be less than comprehensive），這二者彼此應該是互補的。❶

　　圖書館行政主管應該有效調節這兩個部門的不同概念，讓他們知道彼此在做什麼，如何互相幫助以達到圖書館組織的共同目標❶，以利讀者善用館藏，提供最好的服務，並可經由兩者的互動以刺激組織，使之更具活力。

# 四　技術服務與讀者服務的互動關係

## 1.　現　況

由於組織結構劃分而形成技術服務部門和讀者服務部門，爲了提高效率，圖書館常將不同個性的館員放在不同部門以發揮專業所長；一般人認爲讀者服務部門館員比較外向、有創意、具革新觀念、喜與人相處，技術服務部門館員過份小心、遵守規則、組織力強、有極佳的專業知識，喜與書刊相處❷，這兩個部門在工作上各有各的專業哲學，在這樣對專業要求謹愼的環境下，因而造成平行部門的認知差距及工作上滿意程度的差別如下：

a.　工作性質與壓力

(1)　編目規則深奧難懂，自動化後編目館員不再談論卡片目錄，而改用機讀編目格式，形成另一種專業語彙❷。

(2)　參考館員面臨以下問題❷：

(a)館員請假，諮詢臺服務人手不足。

(b)讀者問題無法預期，館員常面臨額外要求，而且讀者問題範圍廣泛，由古至今皆包括。

(c)與讀者溝通必需講究外交手腕，也必須講究速度。

(d)參考工作流程複雜瑣碎。

這些工作上的多樣性與壓力是技術服務館員微乎其微所碰到的。

b. 地位和工作量

(1)　在教育過程中，特別是在學術圖書館，參考館員的角色，無庸置疑地是最受重視的，而參考館員也常自覺是圖書館唯一的專業人員。

(2)　編目館員不像讀者服務館員一樣可接收到讀者的回饋，在知識就是力量的諺語下，參考館員一度曾經是圖書館中的貴族。❷

(3)　技術服務館員經常面臨經費與資料堆積的壓力，比較沒有讀者服務部門所謂的服務尖峰時間，特別是在大學圖書館中，當學生繳交學期報告時，參考館員忙得手忙腳亂，而編目館員則不因此而受影響，形成參考館員的不滿❷。技術服務的館員對讀者服務館員的印象是不可能每天都很忙，因爲他們的服務態度是在上班時間被動地等待讀者上門。

c. 工作滿意程度

在圖書館中，技術服務館員和讀者服務館員分別做不同的工作，一在幕後處理資料，一使用這些經過整理組織過的資料提供讀者利用。技術服務部門工作機械固定、繁瑣重複，少有機會與讀者接觸，而讀者服務部門工作空間開放，工作有彈性，這種截然不同的工作性質，在館員之間產生不同的形象，而使他們對各自工作抱持不同感情的態度。

曾有研究指出，在圖書館專業人員中，編目館員比參考館員較少受到尊敬和喜愛，編目館員的工作和工作環境很少符合他們的需求，自然會降低其工作滿意程度❷。所以區爲（Steven

Seokhe Chwe )利用亂數抽樣對120個圖書館內的444個全時館員，針對指定的 20 個項目來做工作滿意程度調查，根據其研究發現 ❷：

(1) 在大學圖書館中，大體而言編目館員和參考館員的工作滿意程度沒有明顯差別。

(2) 在工作的創造力（Creativity）（用自己的方式工作）上，編目館員明顯地比參考館員不滿意，因參考工作較富變化，不必墨守成規。

(3) 在社會服務（Social Service）（有機會為讀者做事）上，編目館員明顯地比參考館員不滿意，因極少得到讀者的直接回饋。

(4) 在工作的變化性（Variety）上，編目館員也是明顯地不滿意，因為人們喜歡工作富有變化，不希望常做機械單調的工作，顯而易見地參考館員的工作較有變化性，雖然編目館員可以處理不同主題、不同類型資料，但其工作仍屬千篇一律的單調性質，相反的參考館員可回答不同的參考問題，指導讀者利用館藏，準備不同主題的書目資料，帶領參觀，建立並維護參考館藏，比較起來，參考工作較富變化與挑戰性。

(5) 在工作不滿意的調查上，編目館員最不滿意的 3 個項目分別是進步（Advancement）、圖書館政策和實務（Library Poicies & Practices）和工作環境（Working Conditions），而參考館員最不滿意的是進步、圖書館政策和實務和報酬（Compensation）。

　　由上所述，可發現各部門只關心自己的業務發展，無暇接觸其他部門的業務，更遑論從別的部門中學習與他們工作有關連的知識。像這樣「謹守技術服務部門或讀者服務部門的分際，終將劃地自限，見樹不見林，降低整體服務品質」[27]。

　　海林頓（ Sue Ann Harrington ）認為「圖書館事業必須和科技一起成長和改變」[28]，此即指資訊科技的進步使圖書館技術服務部門面臨館藏擴增，資料回溯轉換、網路發展、資訊儲存與檢索方法、編目方式改變等工作壓力；而讀者服務部門則面臨服務對象的擴大和服務方式的變更，比如線上目錄出現，如何利用電腦資料庫及新媒體為讀者檢索資料等，資訊科技改變了讀者服務部門與讀者的關係，也改變了技術服務部門和讀者服務部門的關係，使得圖書館有必要重新審視傳統的分工法。

　　沈師寶環曾提及：「……現在的讀者常提到過去的圖書館是非常的溫暖，而現在卻變成是電腦與人的關係，人與機器的關係，如圖示：

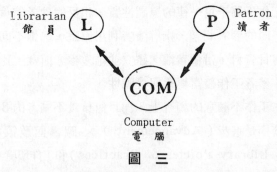

圖　三

資料來源：同註[29]。

都是Ⓛ與COM或者是Ⓟ與COM的關係，而沒有Ⓛ與Ⓟ直接的關係，假若圖書館都是這種關係，那就很危險了。假若能像下圖：

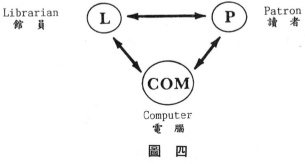

**圖 四**
**資料來源：**同註㉙。

保持這樣的三角關係就非常的重要」。㉙ 由此我們可以衍生為：
資訊時代來臨後，圖書館提供線上目錄和各種資料庫供讀者使用，
讀者服務館員角色轉變為資訊中介人，除指導讀者利用電腦外，
也偶爾代讀者檢索資訊，可說是最熟悉讀者的資訊尋求行為，可
視作上圖Ｐ讀者的代言人，故在資訊時代中，廣義而言即圖書館
技術服務館員和讀者服務館員的互動關係必須加強，以連接其中
的斷層，完成圖書館的整體服務。

### 2. 互動內容

　　技術／讀者服務部門分別從不同的觀點來看問題，可在彼此
的工作經驗交流中對於服務的程度、溝通的方法、工作的指派、
人員發展、行政的型態達成共識，擬定決策以作為建立服務標準
的參考㉚。技術／讀者服務館員可用不同的方式參與互動，互相
結合彼此的服務技巧，以提供讀者最好的服務，並帶給圖書館自
身最大利益㉛。

以下就圖書館工作爲例詳細探討互動內容：

(1) 館藏發展方面：

圖書館過去談書刊選擇，現在則談館藏發展；而館藏發展是圖書館依其自身功能與任務以及讀者之需要等，以鑑定圖書館館藏資料是豐富或不足，並試圖就該項缺失不足予以改善的過程。此過程應包括 6 個不斷循環的工作項目：⑴館藏及讀者分析，⑵確定選書政策，⑶選擇，⑷採訪，⑸淘汰，⑹評鑑 ❷。館藏發展的目的在以最低成本提供讀者最佳服務與最佳之館藏，在這循環過程，其工作範圍包括採購部門的選擇和採訪，閱覽、參考、典藏等部門的反應讀者需要，分析館藏，汰除不合需要之館藏等 ❸，某些圖書館將館藏發展的責任歸屬在技術服務部門，實際上館藏發展跨越了圖書館所區分的技術服務和讀者服務二大部門，尤其讀者服務館員直接和讀者接觸，了解讀者的需求和動向，可以評鑑館藏，實不當放棄參與此項責任。

殷特（ Sheila S. Inter ）認爲館藏發展中質的決定，如果沒有技術服務部門的量的數字，是無法完成的，比如採訪的統計數字、資料類型、訂單狀況、採購外文書刊的能力；同時也需要讀者服務部門蒐集讀者流通模式分析、館際互借數字、正式或非正式的讀者調查。她又認爲館藏評估是各部門之間互動影響的一項活動 ❹。

館藏發展需視圖書館整體空間及政策而決定，除了館員本身所具備的專業能力之外，尚須其他領域的學科知識，經由技術／讀者服務互動，可使各部門館員貢獻其專業知識而對館藏發展有全盤性了解。

(2) 編目品質

目錄是圖書館內最重要和最基本的參考工具❸，所以參考館員花時間做編目工作，最有助益的是在學習主題標目和參見關係❸，了解目錄的結構與組織，增加專業工作技巧，可了解編目部門實際作業上因受限制而改變的苦衷，並可針對讀者之需特別推薦製作額外的分析卡、參見卡以供利用❸。參考館員可提供有用的參考工具書幫助編目館員選擇正確的權威標目和主題分析，並可判斷參考館藏是否符合技術服務館員需要而加以補充加強；另在回答讀者問題時，可幫助編目員建立權威標目，以節省編目館員查證時間，並彌補其知識不夠廣泛的缺憾❸；而編目館員可將新建立的主題標目列成清單給讀者服務館員傳閱，提供其更完整的主題查詢點，並可請具有學科專長的讀者服務館員代爲解釋某些尚有疑義的主題標目以釐清定義與範圍❸。此外參考館員在使用目錄時，發現有不一致的情形，可協同技術服務部門館員解決問題，有助於維持書目資料庫的正確品質。

(3) 回溯轉換

傳統計劃決策過程皆由技術服務館員決定，現在由卡片目錄轉爲線上目錄，回溯轉換工作仍視爲技術服務館員的日常工作。由於受限於對MARC的不了解，讀者服務館員對於回溯資料處理的優先順序和未來自動化發展系統設計，甚少有機會影響技術服務部門的決定❹。

對讀者服務部門而言，實有必要知道館內回溯轉換工作進行的進度，因爲他們必須對讀者解釋回溯館藏的記錄並指導如何檢索利用。1988 年一項關於參考館員和讀者服務館員參與回溯轉

換的問卷調查指出，回溯轉換的決定1/4是由技術服務部門主管
決定，不到 1/10 是依賴參考部門或讀者服務部門主管之意見，
不到一半的受試者認爲在回溯轉換的過程中，技術／讀者服務部
門應互相連繫，參與意見，並認爲參考或讀者服務人員對於回溯轉
換的特性不具備一定了解程度 ❹。事實上，讀者服務館員應參與
回溯計劃中資料轉換的優先順序、轉換的速度、完成轉換的時間
等項設計，增加溝通以減少兩部門之間的障礙，並可就讀者使用
檢索情形提供給技術服務部門參考，以助於決定回溯資料轉換計
劃的優先順序。

(4) 參考諮詢

讓編目館員從事參考服務，可使其獲知讀者利用目錄的情形，
目錄的不完善之處，因而據以改進編目作業；探訪館員亦可從實
際參考服務經驗中，根據讀者的需要來選書。對讀者來說，熟練
地使用目錄是一件相當困難的事，將受過訓練的編目館員分派到
讀者服務部門，由於其自身對主題編目的專精，可和讀者服務館
員分享工作經驗，幫忙回答書目性的問題，在此互動過程中，編
目館員一方面可接受完整訓練，使其本身知識更專精，在主題分
析上更熟稔，並可退除高級文書事務館員的刻板印象，成爲學科
專家 ❹。

另一方面技術服務館員可了解讀者需求狀況、讀者服務哲學、
參考館員如何利用線上目錄指導不同程度讀者查詢資料，可將讀
者服務部門的目標與技術服務活動結合並改進技術服務部門的缺
失，以提供目錄使用適當的檢索點，與正確的權威標目，有助於
編目政策的擬定 ❹。

(5) 線上目錄設計

在圖書館中，編目員通常首先接觸自動化，可說是使用終端機的第一個人，參考館員對於主題編目和檢索系統設計不常參與意見，因而影響力不大，所以線上目錄多半是交給編目館員來設計，但編目館員所設計的線上目錄畫面並非最佳的檢索設計，畫面複雜，造成讀者查詢時的困擾 ❹。

技術服務館員不再是圖書館資料庫的唯一管理者，一個良好的線上目錄設計需兼顧讀者需求和技術服務部門的設計經驗，包括參考館員提供讀者使用線上目錄的態度、使用習慣、讀者的檢索技巧和期望，與技術服務館員負責資料庫的品質、檢索點和索引檔的設計。

線上目錄的發展提供技術／讀者服務部門的溝通機會，彼此進行合作，以滿足讀者的需求，而參考館員亦藉此知道資料檔案結構、各種參數的設定、權威檔、期刊分析檔、檢索系統的剔除字（ Stop word list ）、資訊檢索技巧、技術服務館員如何處理資料，進而了解機讀目錄格式和國際標準，以期設計出最適宜的檢索策略。

總之，經由彼此互動，除了促進了解之外，並可藉此評估圖書館系統，做為改進作業的參考；而在此時圖書館界朝向自動化系統邁進之際，技術／讀者服務各有不同需求，各自注意不同的子系統發展，更需有良好的互動，以評選合適的系統提高圖書館服務的效能。

3. 互動方式

「社會互動是建立於溝通（ Communication ）的基礎上，……個人藉溝通的媒介而與他人互動」 ⑮，這裏所指的溝通的媒介如言語、手勢動作、文字等皆是。透過彼此的溝通，產生數種不同的交互影響的互動模式，分別有合作（ Cooperation ）、競爭（ Competition ）、衝突（ Conflict ）、敵對（ Rivalry ）、強制（ Coercion ）、交換（ Exchange ）、順應（ Accommo-dation）和同化（ Assimilation ）⑯。目前圖書館的現況為技術/讀者服務部門彼此互相分工，卻常各自為政，相互競爭，而忽視圖書館整體目標，張金鑑先生曾指出：「組織的構成各部份與其全體間存在著一致而有效的關係或配合……」其意即指組織裏的每一個編組，不能單自成立為一個獨立的體系，要上下連貫，要左右連繫，相輔相成，才能發揮整體的功能 ⑰。故圖書館組織只有在合作的前提之下分工，雖然各部門負的責任不同，每人做的工作不同，但每人對共同的任務都有貢獻，而且缺少任何一個環節，都會牽一髮動全身，以致影響大局的 ⑱。如何引導技術／讀者服務部門從互競模式轉變成在一種成熟的合作互動模式中，以彼此互惠的方式來行動，將各自的需要與組織目標結合，使各部門在盡本份之外，又能使圖書館整體組織和諧有進步，則是非常重要的。

以下介紹幾種圖書館可採行的合作互動方式，以供參考 ⑲：

(1) 會 議（ Coordinated Meeting ）

是最簡單的一種互動方式，主要目的在於開放一條溝通管道讓技術／讀者服務部門館員有機會對於某些論點和既定的規則，發表意見，互相討論，藉此交換有用的訊息和對彼此的正面批評

（Positive Comments）。

(2) 工作輪調（Exchange Programs）

圖書館依技術／讀者服務功能不同，來劃分工作，可能使各部門只專注自己的業務，而忽略了部門間的連繫和了解，對其他部門業務產生隔閡，因此圖書館有必要實施短期或長期的工作輪調計劃，讓技術／讀者服務館員有機會了解對方的工作流程與工作複雜性，而能夠再仔細思考如何整合各部門為一體，並傳播此觀念給其他館員。這種工作輪調的方式不僅對組織也對個人有很大益處，在組織方面，可藉此打破本位主義，增強館員對館的認同，同時也可免費地運用他部門的人力資源；在個人方面，可提高館員的專業技術與專業眼光，變化性較大的工作可給予館員新的工作經驗與回饋，甚至還可助益個人的成長❺⓪。

(3) 參觀介紹（Tours and Seminars）

可讓技術／讀者服務館員藉參觀與簡報介紹了解對方的工作與任務梗概，和自己部門的關係。

(4) 發行館訊（Newsletter and Memos）

館訊上刊載館內外時事和活動報導，以及一些實用性高的專業文章，比如圖書館如何補缺期刊、如何檢索OCLC系統等，藉此改善圖書館服務，並可聯繫館員間的感情。

(5) 設置聯絡代表（Department Liaisons）

每個部門透過其聯絡代表來彼此交換消息、工作程序、工作問題而進行溝通互動。

4. 互動的優點 ❺①

(1) 增進館員對圖書館經營目標的整體性了解和共識，建立親密的合作關係，有益於服務品質的提昇。

(2) 培養開放的溝通管道，有利於不同部門之間的溝通，藉著互動溝通可以了解彼此的工作壓力和疲勞，並避免因不良的溝通所造成的誤會，有助於政策的擬定以解決問題。

(3) 了解其他部門的服務運作方式及問題，擴大館員的專業眼光，在適當時機提供其他部門適當支援，以便滿足讀者需求，並建立新的服務模式。

(4) 了解每位館員的學科背景，充份善加利用，賦予適當的工作責任，使專業人員可獲得令人滿意的工作經驗，充份發揮專業才能，提供更有深度的服務。

## 五　管理上的問題與未來展望

### 1.　問　題

在技術／讀者服務部門互動過程中尚有些問題極待克服：

(1) 在圖書館自動化趨勢下，技術／讀者服務館員有些只想專精在自己的領域中發展，沒時間也沒意願關注別人的領域，成為所謂的「半個專家」❷。

(2) 技術服務館員被認為喜歡接觸書刊，讀者服務館員被認為喜歡與人接觸，這種刻板印象雖不見得完全正確，但其來有自，館員個性上的特質差異造成互動困難。❸。

(3) 傳統的組織劃分觀念根深柢固，基於保護傳統分工制度，行政主管對於技術／讀者服務互動的成效不免抱持懷疑態度，認爲在整合的過程中，組織原有的秩序會被破壞，而職位的重新設計也非易事，同時他們也恐懼因互動的影響而遭致權力的喪失；館員由於互動而必須學習新的工作技巧，熟悉新的組織結構，難免會因缺乏信心而適應不良❺❹。

(4) 組織規模也會影響到圖書館的互動關係，在規模較小的圖書館中，運作較有彈性，館員可同時兼顧兩部門的工作，館員間的互動較容易，也較頻繁。在中級以上規模的圖書館，不分部門的組織模式在實施上就有困難，其原因爲：(1)編目專業知識需求極高，而此知識又非一蹴可及；(2)爲滿足讀者更多需要，技術服務館員不光是完成一般的參考諮詢即可，尚須接受更廣泛且專精的工作訓練以提供更具深度的諮詢服務❺❺。所以這種組織互動上的問題，還必須考量分館的數量、讀者的型態、服務方式來設計互動模式的進行。

## 2. 未來展望

技術的進步，人員和經費的短缺，使圖書館傳統層級關係發生改變，隨著互動關係，組織型態面臨變化，新的工作型態隨之出現，館員所扮演的角色也重新調整；自動化的發展使技術服務部門工作流程改變，讀者服務方式與新科技相結合，圖書館效能提高了，但其基本的工作理念卻不會改變，只是手段和方式有所

不同，使技術／讀者服務部門界限不再壁壘分明，責任劃分不再
那麼明顯，愈來愈多的工作需從別的部門得到支援，爲了增加工
作人員對工作的興趣，工作必須富有變化、挑戰，使組織經由了
解、合作無間而趨向融合 ❺❻。

　　如前所述，技術／讀者服務部門在互動時會遇到阻礙，想要
整合成功，圖書館和館員首先需評估組織氣候、管理資源、人員
對於革新的興趣和支援程度，一旦開始嘗試，整合觀念就必須灌
輸給行政階層、中級管理者和基層館員 ❺❼。故藉由技術／讀者服
務的互動關係，在管理上可提高個人工作層次，使個人生涯發展
多樣化，賦予其具競爭潛力的專業知識及技巧，並助益其領導能
力，而圖書館在安排人員上可更具彈性，並可建立完成目標的優
先順序，但其中最大的經濟效益則爲大部份的館員可「人盡其材」，
充份發揮所長。

# 六　結　論

　　社會的變遷和資訊科技的進步，使圖書館服務一直在以令人
難以預期的方式不斷改變，隨著任務的改變，圖書館員對於工作
也有新的期望。在自動化潮流的趨勢下，圖書館服務讀者的宗旨
不會改變，爲達成經營目標，就必須仰賴圖書館中技術／讀者服
務部門互相合作，唯有靠緊密聯繫的合作，技術／讀者服務部門
才能互相依存，環環相扣，無所謂孰輕孰重之分，圖書館工作才
能在互惠的關係上順利推展，提供讀者最佳服務。

# 附　　註

❶　*ALA Glossary of Library and Information science* (Chicago: American Library Association, 1983), p.225.

❷　Ibid., p.182.

❸　F. W. Lancaster, *If you want to Evaluate your Library* ......
( Champaign, IL : Graduate School of Library and Information Science, University of Illinois, 1988 ), pp.1-2.

❹　Irene p. Gooden, ed., *Library Technical Services : Oper-Operations and Management* ( Orlando, Floria : Academic Press, Inc., 1984 ), **p.1.**

❺　王振鵠,〈讀者服務的新趨向〉,《中國圖書館學會會務通訊》75期 ( 民 79 年 7 月 ) ,頁 3 。

❻　賴特 ( Donald Light ) 、凱勒爾 ( Suzanne Keller ) 合著；林義南譯,《社會學》(Sociology ) ,上冊 ( 臺北：巨流,民 76 年 ) ,頁 155 。

❼　Neil J. Smelser, *Sociology* ( London : Prentic Hill, 1988), p.95.

❽　《雲五社會科學大辭典》,第 1 冊,社會學 ( 臺北：臺灣商務,民 60 年 ) ,頁 30 。

❾　同❽,頁 74 。

❿　謝高橋,《社會學》( 臺北：巨流,民 71 年 ) ,頁 77-78 。

⓫　龍冠海,《社會學》( 臺北：三民,民 55 年 ) ,頁 314 。

⓬　《社會工作辭典》,( 臺北：社區發展季刊,民 66 年 ) ,頁 73 。

⑬ Gordon Stevenson, " The Nature of the problem, If It Is a Problem, " *The Reference Librarian* 9 ( Fall / Winter 1983 ) : 6 ; Elaine K. Rast, " Serials and Technical Servi ces, " *The Reference Librarian* 27/28 (1990):107.

⑭ Tara Lynn Fulton, " Reference Librarianship : Sharing Our Knowledge with Technical Service Colleagues, " *RQ* 27(2) ( Winter 1987 ) : 210.

⑮ Pamela Bluh, " Truce or Consequences: the Relationship Between Technical Services and Reader Services," *Technical Services Quarterly* 1(3) ( Spring 1984 ): 26.

⑯ Gillian McCombs, " Public and Technical Services : the Hidden Dialectic, " *RQ* 28 (2) ( winter 1988 ): 141.

⑰ 曾仁泰,〈組織理論的實際運用──談圖書館的特任組織〉,《臺北市立圖書館館訊》4 卷 4 期 ( 民 76 年 6 月 ),頁 60。

⑱ Bluh, *op. cit.*, pp. 25-26.

⑲ McCombs, *op. cit.*, p.141.

⑳ E. Karin Ford, " Interaction of Public and Technical Ser vices : Collection Development as Common Ground," *Journal of Library Administration* 9(1)(1988): 41-42.

㉑ McCombs, *op. cit.*, p.141.

㉒ Fulton, *op. cit.*, p.215.

㉓ McCombs, *op. cit.*, p.142.

㉔ James G. Neal , " And the Walls Came Tumblin, Down : Dis tributed Cataloging and the public / Technical Services Rela tionship──the Public Services Perspective," 1984 : *Challeng-*

*es to an Information Society Proceedings of the 47th ASIS Annual Meeting*( New York: Knowledge Industry Publications, Inc., 1984 ) : 116.; Stevenson, *op. cit.*, p.4.

㉕ Steven Seokho Chiwe, " A Comparative Study of Job Satis - faction: Catalogers and Reference Librarians in University Libraries, " *The Journal of Academic Librarianship* 4(3) ( July 1978 ) : 139.

㉖ Ibid., p.142-143.

㉗ 雷叔雲,〈技術服務與讀者服務互動說〉,《中國圖書館學會會務通訊》54期（民76年1月）,頁42。

㉘ Ford, *op. cit.*, p.43.

㉙ 沈寶環,〈技術服務與讀者服務之互動性〉,《中國圖書館學會會務通訊》76期（民79年9月）,頁7。

㉚ Fulton, *op. cit.*, p.211.

㉛ Liz Bishoff, " Technical Services / Public Services Coope - ration: What's Next ? " *Technical Services Quarterly* 6 ( 3 / 4 ) ( 1989): 24.

㉜ G. Edward Evans, *Developing Library Collections*( Colo - rado: Library Unlimited, 1979 ), p.28.

㉝ 王錫璋,〈館藏發展與本館採訪作業〉,《國立中央圖書館館刊》新13卷2期（民69年12月）,頁10。

㉞ Ford, *op. cit.*, pp.47-48.

㉟ Rast, *op. cit.*, p.118.

㊱ David Peele, " Staffing the Reference Desk, " *Library Journal* 105(15) ( September 1, 1980 ): 1711.

㊲ Lois M. Pausch and Carol B. Penka, "Reference/Technical Services Cooperation in Library Instruction," *The Reference Librarian* 10 (Spring/Summer 1984): 101-107.

㊳ Fultor, *op. cit.*, p.214.

㊴ Pausch and Penka, *op. cit.*, pp.101-107.

㊵ Neal, *op. cit.*, p.115.

㊶ Ilene Rockman, "Retrospective Conversion: Reference Librarians Are Missing the Action," *Library Journal* 115(7) (April 15 1990): 41-42.

㊷ Neal, *op. cit*, p.115.

㊸ Fulton, *op. cit.*, p.213-215.

㊹ McCombs, *op. cit.*, p.142.

㊺ 同⑧，頁74。

㊻ 同㊺；同⑩，頁88-92。

㊼ 盧荷生，《圖書館行政》(臺北：文史哲，民75年)，頁62。

㊽ 同㊼，頁6。

㊾ David J. Bertuca, "Serials and Public Services," *The Reference Librarian* 27/28 (1990): 10-14.

㊿ 同⑥，頁298。

(51) Fulton, *op. cit.*, p.210-212.; Neal, *op. cit.*, p.115.

(52) Peele, *op. cit.*, p.1711.

(53) Ibid.

(54) Jennifer Cargill, "Integrating Public and Technical Services Staffs to Implement the New Mission for Libraries," *Journal of Library Administration* 10(4)(1989): 23-26.

(55) McCombs, *op. cit*., p.144.

(56) Cargill, *op. cit*., p.28.

(57) Ibid, *p*.25.

# 參 考 書 目

## 一、西文部份

*ALA Glossary of Library and Information Science.*
    Chicago: American Library Association, 1983.

\* Bachus, Edward J. "On My Mind: I'll Drink to That:
    the Intergration of Technical and Reader Service."
    *The Journal of Academic Librarianship* 8(4)
    (September 1982): 227, 260.

Bastiampillai, Marie Angela, and Williams, Peter
    Havard. "Subject Specialization Re-Examined." *Libri*
    37(3) (1987): 196-210.

Berman, Sanford. "Where Have All the Moonies Gone?"
    *The Reference Librarian* 9 (Fall/Winter 1983):
    133-143.

\* Bertuca, David J. "Serials and Public Services." *The
    Reference Librarian* 27/28 (1990): 5-16.

\* Bishoff, Liz. "Technical Services/Public Services
    Cooperation: What's Next?" *Technical Services Quarterly*
    6 (3/4) (1989): 23-27.

\* Bluh, Pamela. "Truce or Consequences: the Relation

ship Between Technical Services and Reader Services. " *Technical Services Quarterly* 1(3) (Spring 1984 ) : 25-30 .

Bone, Earl Larry. "Noblesse Oblige: Collection Development as a Public Service Responsibility. " *The Reference Librarian* 9 ( Fall/Winter 1983 ) : 65-73.

* Cargill, Jennifer. "Integrating Public and Technical Services Staffs to Implement the New Mission for Libraries. " *Journal of Library Administration* 10(4) (1989) : 21-31.

* Chwe, Steven Seokho. "A Comparative Study of Job Satisfaction: Catalogers and Reference Librarians in University Libraries. " *The Journal of Academic Librarianship* 4(3) ( July 1978 ) : 139-143 .

* Cochrane, Pauline A. "The Changing Roles and Relationships of Staff in Tachnical Services and Reference/Readers' Services in the Era of Online Public Access Catalogs. " *The Reference Librarian* 9 ( Fall/Winter 1983 ) : 45-54.

Dawson, John M. "A Brief History of the Technical Services in Libraries. " *Library Resources* & *Tecnical Services* 6 (3) ( Summer 1962 ) : 197-204.

* Dykeman, Amy. "Betwixt and Between: Some Thoughts

on the Technical Services Librarian Involved in Reference and Bibliographic Instruction. " *The Reference Librarian* 10 ( Spring/Summer 1984 ): 233-239.

Ennis, Philip H. "Technological Change and the Professions: Neither Luddite Nor Technocrat. " *The Library Quarterly* 32(3) ( July 1962 ): 189-198.

Evans, C. Edward. *Developing Library Collections.* Colorado: Library Unlimited, 1979.

* Feng, Yen-Tsai. "Technical and Reader Services for the Research Library: the Challenge in the Next Decade. " *Journal of Library & Information Science* 13(1) ( April 1987 ): 43-61.

* Ford, E. Karin. " Interaction of Public and Technical Services: Collection Development as Common Ground. " *Journal of Library Administration* 9(1) (1988): 41-53.

* Fulton, Tara Lynn. "Reference Librarianship: Sharing our Knowledge with Technical Service Colleagues." *RQ* 27(2) ( Winter 1987 ): 210-219.

Godden, Irene P, ed. *Library Technical Services: Operations and Management.* Orlando, Florida: Academic Press, Inc., 1984.

* Gorman, Michael. "On Doing Away with Technical Ser-

vices Departments. " *American Libraries* 10 (7)
( July/August 1979 ) : 435-437.

——————. "The Ecumenical Library. " *The Re -
ference Librarian* 9 ( Fall/Winter 1983 ) : 55-64.

Gray, Richard A. "Classification Schemes as Cognitive
Maps. " *The Reference Librarian* 9 ( Fall/Winter):
145-153.

Hill, Janet Swan. "Wanted: Good Catalogers." *Ameri-
can Libraries* 16 (10) ( November 1985 ) : 728
730.

Humphry, John A., and Kramer-Greene, Judith. " The
DDC and Its Users : Current Policies. " *The Re-
ference Librarian* 9 ( Fall/Winter 1983 ) : 155-163.

* Intner, S. S. "Ten Good Reasons Why Reference Li-
brarians Would Make Good Catalogers. " *Technicali-
ties* 9 ( January 1989 ) : 14-16.

Ishimoto, Carol F. "The Impact of AACR2 on the
Harvard Library Union Catalog: a Case Study. "
*The Reference Librarian* 9 ( Fall/Winter 1983 ) :
77-88.

Jacobsen, Anna. "The Cataloger Looks at the Refer-
ence Librarian. " *The Library Journal* 59 (4)
(February 15 1934) : 147-150.

Karpuk, Deborah J. "Reference Services, Serials-

Cataloging, and the Patron." *The Reference Librarian* 9 (Fall/Winter 1983) : 99-106.

Kohl, David F. "Public Service and Disappearing Card Catalog. " *RQ* 17 (4) (Summer 1978) : 308-311.

Kublman, Clara Ann. "How Catalogers Can Help the Reference Librarian. " *Wilson Library Bulletin* 26 (November 1951) : 267-269.

Lancaster, F. W. *If you want to evaluate your library* ...... Champaign, IL: Graduate School of Library and Information Science, University of Illinois, 1988.

Lundy, Frank A. "Reference vs Catalog: a Basic Dilemma." *Library Journal* 80 (1) (January 1955): 19-22.

Miksa, Francis. "User Categories and User Convenience in Subject Cataloging. " *The Reference Librarian* 9 (Fall/Winter 1983) : 113-152.

* McCombs, Gillian. "Public and Technical Services : Disappearing Barriers. " *Wilson Library Bulletin* 61 (6) (November 1986) : 25-28.

* McCombs, Gillian. "Public and Technical Services : the Hidden Dialectic." *RQ* 28 (2) (Winter 1988): 141-145.

McCombs, Gillian M. "The Reference Librarian as

Middleman: Conflicts Between Catalogers and Reference Librarians. " *The Reference Librarian* 12 ( Spring/Summer 1985 ) : 17-28.

* Neal, James G. "And the Walls Came Tumblin' Down: Distributed Cataloging and the Public/Technical Services Relationship-the Public Services Perspective." 1984: *Challenges to an Information Society Proceedings of the 47 th ASIS Annual Meeting* ( New York: Knowledge Industry Publications, Inc., 1984 ) : 114-116.

Patterson, Charles D. "Personality, Knowledge, and the Reference Librarian. " *The Reference Librarian* 9 ( Fall/Winter 1983 ) : 167-172.

* Pausch, Lois M., and Penka, Carol B. "Reference/Technical Services Cooperation in Library Instruction. " *The Reference Librarian* 10 ( Spring/Summer 1984 ) : 101-107.

Pausch, Lois M., and Koch, Jean. "Technical Services Librarians in Library Instruction. " *Libri* 31 (3) (1981) : 198-204.

* Peele, David. "Staffing the Reference Desk. " *Library Journal* 105 (15) ( September 1, 1980 ) : 1708-1711.

Purdum, Helen L. "What the Reference Department Expects of the Catalog and Catalog Department."

*The Library Journal* 59(4) (February 15, 1934):
150-151.

* Rast, Elaine K. "Serials and Technical Services." *The
Reference Librarian* 27/28 (1990) : 105-121.

* Rockman, Ilene. "Retrospective Conversion: Reference
Librarians Are Missing the Action." *Library Jour-
nal* 115(7) (April 15 1990) : 40-42.

Smelser, Neil J. *Sociology.* London: Prentic Hill, 1988.

Stevens, Norman D. "The Flaw of Subject Access in
the Library Catalog: an Opinion. "*The Reference
Librarian* 9 (Fall/Winter 1983 ) : 109-112.

Stevenson, Gordon. "Current Issues in Technical Ser-
vices." *The Reference Librarian* 9 ( Fall/Winter
1983 ) : 31-41.

* —————— . "The Nature of the Problem, If It Is
a Problem. " *The Reference Librarian* 9 ( Fall/Win-
ter 1983 ) : 3-7.

Stevenson, Sally, and Deiber, Gwen. "Inter-Library
Loan as an Unobtrusive Measure of Bibliographic
Efficiency." *The Reference Librarian* 9 (Fall/Win-
ter 1983 ) : 89-98.

* Striedieck, Suzanne. "And the Walls Came Tumblin'
Down: Distributed Cataloging and the Public/Te-
chnical Services Relationship- the Technical Services

Perspective. " 1984: *Challenges to an Information Society Proceedings of the 47 th ASIS Annual Meeting* ( New York: Knowledge Industry Publications, Inc., 1984 ): 117-120.

Watson, Eugene P. "The Reference Librarian Looks at the Catalog. " *Wilson Library Bulletin* 26 (November 1951 ): 269-270.

Wiegand, Wayne A. "View from the Top: the Library Administrator's Changing Perspective on Standardization Schemes and Cataloging Practices in American Libraries. 1891-1901." *The Reference Librarian* 9 ( Fall/Winter 1983 ): 11-27.

Willar, Arline. "Will People Talk to People?: a Leaping Look at Library Life in the Coming Generations. " *Technical Services Quarterly* 1 ( Fall/ Winter 1983 ): 31-36.

## 二、中文部份

賴特 ( Donald Light )、凱勒爾 ( Suzanne Keller ) 合著；林義南譯。社會學 ( Sociology )。上冊。臺北：巨流，民76年。

王錫璋。〈館藏發展與本館採訪作業〉。《國立中央圖書館館刊》新13卷2期 ( 民69年12月 )，頁　　。

＊沈寶環。〈技術服務與讀者服務之互動性〉。《中國圖書館學會會務通訊》76期（民79年9月），頁3～7。

《社會工作辭典》。臺北：社區發展季刊，民66年。

曾仁泰。〈組織理論的實際運用——談圖書館的特任組織〉。《臺北市立圖書館館訊》4卷4期（民76年6月），頁60。

《雲五社會科學大辭典》。第1冊。社會學。臺北：臺灣商務，民60年。

雷叔雲。〈技術服務與讀者服務互動說〉。《中國圖書館學會會務通訊》54期（民76年1月），頁41～42。

盧荷生。《圖書館行政》。臺北：文史哲，民75年。

龍冠海。《社會學》。臺北：三民，民55年。

謝高橋。《社會學》。臺北：巨流，民71年。

# 學科專家與讀者服務

林荷鵑

## 一 前 言

國外的學術圖書館基於實際的需求，並希望架起科系與圖書館之間的橋樑關係，以館員專業的學科背景及圖書館學的知識技能，爲服務對象提供最專業化的服務。在此前提之下，於是學科專家制度在國外的大學圖書館及大型的公共圖書館中，如雨後春筍般的設立起來。

由於學科專家的功能之一是成爲圖書館與服務對象之間的協調連絡人，讀者的需求可以直接反應給學科專家代爲傳達，故學科專家是非常了解服務對象需求的。而且他所提供的服務也必須視讀者爲考慮優先。所以，其與讀者之間的關係是相當密不可分的。

由蒐集的文獻觀之，多以探討學科專家在選書及館藏發展、參考服務、圖書館利用教育及協調連絡人方面的角色扮演，甚少針對與讀者服務關係的探討；再加上國內目前因沒有這項制度的設置，以致甚少文章針對此項主題予以討論；所以在有限的資料來源之下，筆者綜合了數位學者的觀點，探討學科專家的意義、發

展歷史、功能職責，並特別討論其與讀者服務的互動關係；最後
則提出採行此制度所產生的問題，並提出若干建議做爲我國將來
設置學科專家制度時的參考。

## 二　學科專家的意義

　　學科專家（ subject specialist ）一詞，在不同的圖書館有
不同的稱謂予以代表。如：subject librarians, subject bi-
bliographers, subject assistants, bibliographers, profes-
sional specialists, specialist librarians, reference-bi-
bliographers 等，皆爲相關的名稱❶。其意義，簡而言之，係指
在特定學科領域內負責所有相關圖書館業務的館員❷；其所負責
的學科領域也許是非常狹窄的，但大抵與大學所開設的學系可以
相呼應❸。而一個學科專家，本身必須具備專門學科的知識與圖
書館學的基本訓練，利用這些專長爲讀者提供必要和深入的服務。
這些服務包括：⑴館藏發展，⑵幫助讀者有效的利用藏書，⑶參
與書目控制的工作❹。所以，一個有能力的學科專家，他必須是
集選書人員、參考服務館員、研究人員、圖書館利用指導者、圖
書館與各系間的中介者及學生之友等集多重角色於一身的圖書館
專家❺。

　　歐美國家對於學科專家的選拔條件並不相同。英美語系國家
的學科專家，必須受過圖書館學的訓練並且擁有專科的學士或碩
士學位。而歐陸國家的要求則較嚴格，必須擁有學科的博士學位，
精通數國語言，在學術圖書館實習，並通過檢定考試才有資格勝

任學科專家一職 ❻ 。

## 三　學科專家的興起與發展

　　早期學科專家的興起，係由於實際的需要，希望藉助專業人才的語文能力來解決編目上的困擾 ❼ 。 1940 年代晚期，英國的國家圖書館，牛津、劍橋等大學圖書館開始設置學科專家制度 ❽ ； 1963 年美國的印第安那大學圖書館，則始用具備學科背景且受過圖書館學訓練的人員負責選書及參考服務的工作 ❾ 。而由於:(1)知識的分科日漸精細，(2)大學教授忙於研究，鮮少時間再為圖書館選書，(3)大學的設立與學生人數的增加，對研究的需求殷切，對圖書館服務品質的要求相對提升，(4)市場導向的服務理念，圖書館有必要滿足個別讀者在研究或教學上的特殊需求，(5)線上檢索需要使用專門術語查詢資料等現象的出現，使得圖書館對學科專家的需求更加殷切，在採錄及參考等工作亦需仰賴其協助。❿學科專家制度遂普遍設置。

## 四　學科專家的功能與職掌

　　綜合文獻的觀點，學科專家的功能主要表現在三方面：

### 1.　技術服務

　　包括：協助該學科的館藏發展、書目控制及分類編目等工作。其中特別強調其於館藏發展的重要性。

## 2. 讀者服務

### a. 參考服務

提供更高層次的參考服務（ advanced reference service)；對參考問題提出詳細完整的解答；編列指南、索引等書目工具。

### b. 讀者利用教育

針對該學科領域內的大學生及研究生的需要，設計圖書館利用指導的課程或敎導書目工具與文獻資料的查尋技巧。

## 3. 公共關係

作爲圖書館與讀者之間最直接的溝通橋樑。

因爲每個圖書館希望學科專家達成的功能不同，學科專家的職責會有質與量上的差異。其主要的職責歸納如下：

(1) 熟諳該學科領域內的書目結構及出版情形。

(2) 對圖書館學的理論和實務必須通盤的掌握。

(3) 對大學的敎學課程和研究計劃必須深入的了解。

(4) 制定館藏發展政策，發展選書方面的長才，對敎授具有說服力及影響力。

(5) 協調全校性的館藏發展，並經常性的評估及維護館藏。

(6) 代表圖書館與其負責學科領域的科系保持密切的聯繫，擔任成功的中介者角色。

(7) 敎導學生正確的使用圖書館，推展參考諮詢的服務工作。

(8) 控制預算。

(9) 負責館際合作及交換、贈送的業務。

## 五　學科專家與讀者服務的關係

　　學科專家的功能是多樣性的。有的學者特別強調其在館藏發展中所扮演的角色，有的學者則視其為讀者顧問（ readers advisers ）， 認為在讀者服務方面，學科專家的貢獻尤大❶。茲將學科專家與讀者服務之間的關係，分為 5 部份加以探討：

### 1.　建立圖書館與讀者之間的橋樑關係

　　圖書館的服務哲學是深入個別的使用者或群體之間，以(1)了解他們的資訊需求，(2)提供相關的資訊，協助讀者解決所面臨的問題，(3)將圖書館的功能與服務內容告訴讀者，鼓勵他們經常利用圖書館的資源，(4)將讀者需求反應至圖書館內部，以修正圖書館的服務方針❶。這種直接維繫的關係，是學科專家在提供其他服務之前首先必須做到的，亦為一般館員所無法同時兼顧的地方。

　　在與教授之間的關係，學科專家必須採取主動積極的態度以保持雙方經常性的互動往來。了解教授們的研究方向與教學內容，事先安排指定參考書及編列閱讀書單（ reading lists ）；教授們隨時可將意見及需求反應給學科專家，要求其給予教學研究上的支援與協助。而這種直接的溝通關係可以始於新教授到大學任教之前❶。

　　學科專家與學生的關係，則可以溯及新生入學之際，必須建立學生一個正確的觀念：除系上的師長同輩之外，學科專家在課程與研究上也能給予適時的援助，故於大學或研究所生涯中，二

者之間的關係將密不可分。在印第安那大學（ Indiana Univer-
sity ）的作法是，爲剛入學的政治系研究生開闢爲期２天的引導
課程，讓學科專家與其面對面的溝通並帶領圖書館之旅的活動。
⓮

## 2. 參考服務

在提供參考服務時，學科專家必須採取主動積極的態度，任
何的讀者利用圖書館時都必須嚴以待命，並非由自己選定服務時
間。而學科專家的服務理念不再是消極的指引單項的資源（ sin-
gle resources ），而應告訴讀者在這項研究領域中，整個資訊
的系統爲何，其間各項可利用的資源包含那些❺。茲將參考服務
再分項說明之：

### a. 回答參考問題

在參考諮詢服務方面，學科專家的任務不只是消極的回答指
引性或簡易的參考問題，應以研究生與教授爲主要的服務對象，
解答需要熟悉書目工具及文獻本身的問題⓰。以印第安那大學
（ Indiana University ）爲例，從事英國文學的學科專家以回
答該學科領域內教授與研究生提出，有關掌握該學科重要的資源
及如何使用書目工具等參考問題爲限，因此可以騰出許多的時間
參與教授及學生合作發展研究計劃⓱。

### b. 編製各種參考工具

解題書目、指南、索引的製作與更新亦爲學科專家主要的工
作項目之一。這些參考工具的功能十分廣泛，可以⑴提供相關科
系的教授及學生查尋及做研究時的重要參考資源，⑵放置在參考

服務臺提供對相關主題有興趣的讀者查詢，⑶介紹圖書館在該專科領域內有那些重要的參考資源，間接的提高圖書資源的使用率，⑷做爲專科的書目指導及圖書館利用教育的參考教材 ❸ 。

國外大學的學科專家在製作書目工具方面的經驗相當豐富。如加州大學（ University of California, Davis ）社會科學學科專家曾編製經濟、教育、地理、歷史、政治學及拉丁美洲研究等6種解題書目 ❹ ；印第安那大學（ Indiana University ） 的歷史學科專家，就曾編製了《歷史系研究生圖書館使用指南 》（ *Guide to the Library for Graduate History Students* ）一書提供學生做爲如何利用圖書館各項資源時的參考；從事非洲區域研究的學科專家，爲因應學生研究的需求，編著書籍目錄及資料使用指南（ *African Studies Research : A Brief Guide to Selected Bibliographies and Other Sources for African Studies* ）一書 ❹ 。此種出版與編纂的工作，不僅提高學科專家的學術地位，也提昇了參考服務的層次，使讀者能夠更快速的掌握住資料的核心及了解圖書館所能提供的各項具體服務。

c. 協助參考館藏的建立

由於學科專家具備與服務對象相似的專科背景及研究基礎，並從事實際的參考服務工作，與師生之間取得良好的溝通，故可以充分發揮支援參考館藏發展的功能。要求學科專家協助參考館藏的發展有幾項優點。首先，學科專家可以掌握該學科內重要的參考文獻，並蒐集會議記錄、技術報告等難以取得的第一手資料。其次，因爲較一般館員更能瞭解該學科目前及未來的發展方向，故選擇館藏時，會考慮目前的實用性及未來的潛在價值。再者，能在一般性圖書與參考書籍之間，建立彼此補充支援的關係，也較容易評估參考資料是否過時及需要淘汰。經過學科專家仔細評估之後所建立的參考館藏，將是兼顧實用性與收藏價值，滿足品質與需求的均衡（ balanced ）館藏。

### 3. 圖書館利用指導

學科專家所扮演的指導者角色，係指教導讀者認識圖書館的服務、人員、館藏所在，以及協助其利用參考工具書以完成有效的圖書館查尋工作（ library search ）。 茲將學科專家與圖書館利用指導的關係歸納如下：

a. 舉辦圖書館之旅的活動

帶領學生認識圖書館的環境及介紹館內的各項資源。其目的在：(1)介紹該館的建築設備，(2)介紹館內各部門的位置、參考諮詢臺及相關的服務人員，(3)告知館內各項規定，(4)指引各類資料的存放處所及排架方式，(5)介紹特殊的服務項目，如館際互借、國際百科等等。

b. 開闢正式的圖書館利用講解課程

介紹卡片目錄及專科的參考工具，如索引、摘要、書目的使用方式。

可視各科系的需求，以修習學分或不修學分的方式，在其負責的學系中開闢正式的利用講解課程（類似我國圖書館學系所開闢的社會科學文獻、自然科學文獻、人文科學文獻的課程，不過分科較為詳細），教導該學科內重要的書目工具及文獻資料，以培養學生利用圖書館資源從事研究、查詢資料及撰述論文的能力。

以印第安那大學（ Indiana University ）爲例，負責斯拉夫研究
（ Slavic Studies ） 的學科專家，開設現代歐洲歷史及研究斯
拉夫語中重要書目及文獻（ Slavic bibliography and research）
的相關課程，爲研究此專科的學生，介紹重要的參考資源，協助
其快速掌握有利資源以從事研究；負責近東地區研究(Near East
Studies ）的學科專家，則開設波斯語（ Persian ）的入門課程
❷；對於協助學生掌握開發中國家的資訊及難以取得的資料二者
而言，這種類型的講解課程有相當的價值。

　c. 爲滿足某些課程的特殊需求而舉辦的演講或說明會

　　例如講解聯合國文獻（ United Nations documentation ）、
19 世紀英國文學、民俗學（ folklore ）等主題；可由學科專家、
教授或助教決定學生是否確有這方面的需求❷。

　　至於，爲個別的使用者介紹新到館的參考工具及使用方式，
將最新的採購消息通知有需要的學生，告訴讀者可透過那些合作
組織獲得更完整的資料等，則爲學科專家平日的例行性工作之一
❷。

　　經由上述任務的完成，學科專家將可更了解服務對象的需求，
並與其建立更爲理想的維繫關係。

## 4. 新知通報（ current awareness service ）

　　此爲學科專家所能提供的另一項重要的服務。茲將內容歸納
如下：

　a. 經常的公布最新的訂購資料清單或將影印本提供給需要
　　的讀者或師生。

　　　　b. 提供專題資料選粹服務 (Selective Dissermination
　　　　　 Information, SDI )：
　　　　　 由教授選出十數種左右有助於研究教學的期刊，再告知
　　　　　 學科專家。每當最新一期的期刊到館時，再將目次影印
　　　　　 之後寄予需要的教授參考。
　　　　c. 圖書與期刊文章的遞送服務 ( delivery services for
　　　　　 books and periodical articles )：
　　　　　 由教授提出圖書及期刊文章的需求清單，交由學科專家
　　　　　 負責的部門處理之後，再將圖書或期刊文章的影印本寄
　　　　　 回給教授。這項服務通常是需要收費的，但索價不高，
　　　　　 因主要是爲了滿足讀者需求，節省其查尋資料的時間而
　　　　　 設。

　　5. 協助線上資料庫的查詢與檢索

　　　機讀式資料庫 ( machine-readable database )的發展開拓
了檢索途徑，節省了查詢時間。但使用者却常因資料庫的查詢方
式不同及標題字彙的難以選取而多所困擾。故學科專家本身必須
熟悉該專科中重要的資料庫並對線上資料查詢的整體觀念有所了
解，再加上其具備的學科背景，將可協助讀者選取合適的資料庫
並建立正確的檢索策略，快速的取得資料。

# 六　設置學科專家的問題探討及未來展望

　　學科專家設置的立意雖然很好，在歐美各國的實踐情形也頗

受好評，但我們却不能忽略這個制度實行之後所帶來的問題：

1.  學科專家的分科與獨立作業的方式將影響圖書館一貫作業的型態。如：訂單的製作、檔案的設置及館員使用的參考工具，會有重複準備的現象；再者，活動空間的分配也是一項困擾。

2.  由於立場不同，容易與各部門發生衝突。學科專家堅持己見的結果會使一般館員對其有特權階級的排斥感。

3.  學科專家的服務是深入且著重在「質」的表現，無法以量化數據來表示，故行政主管難以用客觀的標準評鑑服務成效❷。

4.  圖書館在有限的經費與人員編制之下，再加上學科的種類及數量不可勝數，故無法每一門學科都設置學科專家。而學科專家通常負責的是大範圍的學科，相對的也無法對每一個深入的主題都非常精通。

5.  學科專家的設置使得圖書館的服務品質大為提高，但館內必須負擔更多的經費支出❷。故圖書館必須衡量是否有必要做這項投資。

6.  由學科專家所負責的職掌中可以了解其工作的繁重程度。在這種身兼數職的情況下，還能保持高度的服務品質及工作效率嗎？所以，如何善用學科專家的長處但不誇張他的功能，是圖書館必須深切注意的。

7.  學科專家的設置將引起圖書館組織模式的改變。傳統以功能為導向的組織較無法發揮學科專家的特長，為因應潮流所趨，而有不同組織模式的出現。以下則為三種不同的大學圖書館組織模式㉖：

a. 以功能為導向的組織模式（ functional ）：

將學科專家打散在技術服務、讀者服務，與教授的維繫三個工作部門之中。學科專家只能固定的負責某一部門內的工作，無法將其學科專長發揮在工作之中。其圖示如下：

LIBRARIAN
（館長）

DEPUTY LIBRARIAN
（代理館長）

SUB LIBRARIAN　　　　SUB LIBRARIAN　　　　SUB LIBRARIAN
（學科專家）　　　　　（學科專家）　　　　　（學科專家）

Technical Services　　　Reader Services　　　Faculty Libraries
（技術服務）　　　　　（讀者服務）

ASSISTANT LIBRARIANS
in charge of
cataloguing, classification, acquisitions,
reader services, inter-library loans,
issue desk, short-loans, binding, stack, etc.
（助理館員：負責各部門之各項工作）

SENIOR LIBRARY ASSISTANTS
( Non-graduate Associates of the Library Assocation )
（資深圖書館助理）

SUPPORT STAFF
（助理、職員、技術人員等）

**圖一　以功能為導向的大學圖書館組織模式**

　資料來源：Marie Angela Bastiampillai and Peter
　　　　　　Harvard Williams, "Subject Speciali-
　　　　　　zation Re-Examined," *Libri* 37(3)
　　　　　　(1987), P.201.

b. 學科導向式 ( subject-oriented )：

以學科為劃分事權的基礎，每一個學科單位由學科專家
及其助理所組成，享有高度的自主權，完全的以讀者為
導向。但其缺點在，人事費用昂貴；在科際整合興盛的
今日，讀者難以判斷學科的性質；館藏類別過多，使資
料收藏處所分散，造成讀者查詢時的困擾。

c. 混合式的組織模式 ( hybrid )：

綜合上述二種組織模式所形成。一部份館員專心從事於
與學科相關的工作，另一部份館員則保持傳統式的組織
型態而工作；既兼顧讀者需求，又不影響圖書館應有的
基本運作。其圖示如下：

LIBRARIAN
|
DEPUTY LIBRARIAN
|
ASSISTANT LIBRARIANS
in charge of broad subject areas, e.g. chemistry,
mathematics, physics, French, German, biological sciences, law,
British and European history, fine art, American studies, etc.

（助理館員，即學科專家：負責各個學科範圍）
|

SENIOR LIBRARY ASSISTANTS

(Non-graduate Associates of the Library Association
or non-qualified graduates )

in charge of
inter-library loans, issue desk, acquisitions, periodicals,
binding, cataloguing, etc.

（資深圖書館助理：執行基本功能）

LIBRARY ASSISTANTS AND SUPPORT STAFF
（助理及職員）

## 圖二　混合式的大學圖書館組織模式

資料來源：Marie Angela Bastiampillai and Peter
　　　　　Harvard Williams, "Subject Speciali-
　　　　　zation Re-Examined," *Libri* 37(3)
　　　　　(1987), P.202.

　　未來的學術圖書館與大型的公共圖書館，對學科專家仍會保
持持續的需求❷，誠如國外學者所做的一項比較研究，認爲學科
專家的設置雖然有其缺點，但是與傳統的學術圖書館組織模式相
較，仍不失爲較有效率的組織方式❷。所以，未來的學科專家將
是圖書館員表現專業形象最好的代言人。除在一般的服務上力求
品質的提昇之外，也將致力於出版、演講，及參與研究計劃的工

作。亦即，學科專家在建立專業館員的形象之後，將努力追求教
員地位（ faculty status ）的達成 ㉙ 。

# 七　學科專家與我國的大學圖書館

　　學科專家制度在國外已實行多年，其成效令人有目共睹。我
國目前雖無學科專家的設置，但以目前的潮流及前瞻性的眼光視
之，若要提昇圖書館界的專業形象並爲讀者提供更完整的資訊服
務，培養及訓練學科專家投入圖書館界的行列將是必然的趨勢。
由於我國圖書館界的大環境有別於國外，短時間內，無法立即將
這套制度貫徹於現有的大學圖書館組織之中；如何由目前的狀況
之下尋求協調與適應，才是根本的解決之道。茲於以下分類說明：

## 1.　就圖書館敎育而言

### a.　國內的圖書館科系

　　將圖書館敎育提昇至研究所階段已是刻不容緩的事情。如果
目前無法立即做到，可由考慮增加招生人數或普設夜間部開始，
使有心人士能充分獲得受敎育的機會。

### b.　圖書館科系的學生

　　除圖書館學方面的知識及訓練仍須足夠且紮實之外，可以採
用修習雙學位或投考其他科系研究所的方式，加強學科背景。此
外，具備多種語文能力也是非常重要的。

### c.　在職館員

　　發揮原有圖書館學的專長，並利用在職進修、自我敎育或回

到學校修習學位的方式，充實相關的學科知識及圖書館學的專業
技能，對服務品質的提昇與工作效率的增加也是相當有幫助的。

### 2. 就圖書館界而言

a. 以立法的方式肯定學科專家存在的地位與價值

今日我國大學圖書館並無給予館員與教學人員相同的地位，
大多數被視爲普通職員，阻礙其繼續求知與研究的動機，進而影
響到服務的品質，而且不符合時代的潮流。圖書館若希望吸引學
科專家或具備學科背景的人員加入圖書館的行列，必須有明文規
定保障專業館員的地位。

b. 中國圖書館學會應扮演領導的角色

對於學科專家制度，應負介紹及鼓吹之責；對學科專家資格
的認定，可以仿效歐洲國家的專業資格授與制度，建立起學科專
家的各項標準，以供國內大學圖書館做爲任用、評鑑的依據❸。
此外，還可以與教育部或大學當局合作，開設科技、人文科學及
社會科學方面的文獻利用專題研討會、講習班，甚至正規課程，
提供在職館員進修的機會❸。

c. 大學與教育當局應抱持積極鼓勵的態度

應尊重並鼓勵館員從事研究寫作與繼續進修，並設立審查與
晉陞的標準，激發館員不斷的自我充實，以能提供更專業化的資
訊服務。

# 八 結 語

　　學科專家的功能綜合了技術服務與讀者服務二大領域，而其
特殊的專業背景及服務內容象徵未來圖書館員的條件，應是具備
學科專長，且在工作上能勝任為該職位的專家，發揮最大的長才，
提供最專業的服務，而未來圖書館員也應以學科專家為追求的目
標。

　　學科專家在圖書館的設置將引起傳統圖書館的組織模式及管
理方式的變動，並因此產生許多極待解決的問題。如何善用學科
專家的特長並嘗試化解這些問題是刻不容緩的事情。

　　我國由於圖書館教育及整個大環境上的種種原因，至今仍沒
有學科專家制度的設置。但是國內的大學圖書館若欲提升其在校
園內受重視的程度，館員若要確立其專業形象的地位，則有賴於
學科專家制度的實行。雖然眼前有許多障礙必須克服，但惟有走
完這段艱苦的歷程，我國的圖書館事業才能開創出另一番新氣象。

# 附　　註

❶　Peter Biskup, " Subject Specialists in German Learned
　　Libraries, " *Libri* 27 ( June 1977 ) : 137.

❷　楊美華，〈由學科專家的角色扮演談大學圖書館館員的培育〉，《書
　　府》10期（民78年6月），頁18。

❸　A. Hook, " The Subject Specialist in Polytechnic Librar-
　　ies, " *New Library World* 73 ( Sep. 1972 ) : 393 ; 同❷
　　。

❹　同❷。

❺ Robert Haro, "The Bibliographer in Academic Library," *Library Resources and Technical Services* 13 ( Spring 1969 ) : 163-164.

❻ Samuel B. Bandara, "Subject Specialists in University Libraries in Developing Countries : the Need," *Libri* 36 ( September 1986 ) : 202.

❼ P. A. Woodhead and J. B. Martin, "Subject Specification in British University Libraries : a Survey," *Journal of Librarianship* 14 ( April 1982 ) : 96 ;同❷。

❽ Woodhead, op. cit., p. 95 ;同❷。

❾ 傅寶眞,〈學科專家在蛻變中之大學圖書館〉,《國立中央圖書館館刊》新8卷2期(民64年),頁1;同❷。

❿ 同❷,頁190-191。

⓫ D. O. Fadiran, "Subject Specialization in Academic Libraries," *International Library Review* 14 ( Jan. 1982): 44-45.

⓬ Thomas J. Michalak, "Library Services to the Graduate Community : the Role of the Subject Specialist Librarian," *College and Research Libraries* 37 ( May 1976 ) : 257.

⓭ Michalak, op. cit., p. 258.

⓮ Ibid.

⓯ Ibid., p. 262.

⓰ Selby U. Gration and Artyur P. Young, "Reference Bibliographers in the college Library," *College and Research Libraries* 35 ( 1974 ) : 32.

⑰ Cecilk Byrd, "Subject Specialists in an University Library,"*College and Research Libraries* 27(May 1966): 192; 傅寶眞, 〈學術與研究圖書館在研究與教學上所應扮演的新角色—學科專家的探討〉,《中國圖書館學會會報》37(民74年12月),頁69。

⑱ Haro, op. cit., p.167.

⑲ Ibid.

⑳ Byrd, op. cit., p.192.

㉑ Byrd, op. cit., p.193.

㉒ Michalak, op. cit., p.260.

㉓ Ibid.

㉔ 同❷,頁20。

㉕ Haro, op. cit., p.169.

㉖ Marie Angela Bastiampillai and Peter Havard Williams, "Subject Specialization Re-Examined," *Libri* 37(1987): 197-203.

㉗ Mei-hwa Wang, "A Proposal-Future Subject Specialist Librarians in the Republic of China," paper prepared for the International Conference on New Frontiers in Library and Information Services, Taipei, 10 May 1991.

㉘ an, op. cit., pp.8-9.

㉙ an, op. cit., p.8.

㉚ 李玉馨,〈未來大學圖書館設置學科專家之研究〉,《書府》11期(民79年6月),頁72。

㉛ 傅寶眞,「學術與研究圖書館在研究與教學上所扮演的新角色——學科專家的探討」,中國圖書館學會會報37(民74年12月),頁75。

# 參 考 書 目

## 一、中文期刊

李玉馨。〈未來大學圖書館設置學科專家之研究〉。《書府》11期（民79年6月），頁118-130。

楊美華。〈由學科專家的角色扮演談大學圖書館館員的培育〉。《書府》10（民78年6月），頁17-26。

傅寶眞。〈學科專家在蛻變中之大學圖書館〉。《國立中央圖書館館刊》新八卷二期（民64年），頁1-8。

　　。〈學術與研究圖書館在研究與教學上所扮演的新角色—學科專家的探討〉。《中國圖書館學會會報》37（民74年12月），頁63-75。

## 二、英文期刊

Bandara, Samuel B. " Subject Specialists in University Libraries in Developing Countries: the Need." *Libri* 36 ( Sep. 1986 ): 202-210.

Bastiampillai, Marie Angela and Peter Havard Williams. " Subject Specialization Re-Examined." *Libri* 37 (1987): 196-210.

Biskup, Peter. " Subject Specialists in German Learned Libraries." *Libri* 27 (1977): 136-153.

Brown, Dereck W. " The Use of Subject Specialists in Technical special Libraries." *Australian Special Libraries News* 17 ( Sep. 1984 ) : 30-38.

Brown, Henry. " Subject Specialist Librarians in Higher Education : a Selective Review of the Literature, with a Brief Postscript Relating to Middles Polytechnic Library. " *Learning Resources Bulletin* 4 ( Oct.1980 ): 22-31.

Byrd, Cecilk. " Subject Specialists in a University Library." *College and Research Libraries* 27 ( May 1966 ): 191-193.

Chistensen, John O. " An Evaluation of Reference Desk Service." *College and Research Libraries* 50 ( July 1989 ) : 22-31.

Coppin, Ann. " The Subject Specialist in the Academic Library Staff." *Libri* 24 (1974) : 122-128.

Crossley, Charles A. " The Subject Specialist Librarian in an Academic Library : His Role and His Place. " *Aslib Proceeding* 26 ( June 1964 ) : 236-249.

Dalton, M. S. " The Role of Subject Specialist in the Future Development of Information Service." *Journal of Information Science* 1 ( May 1979 ) : 107-112.

Danton, Periam. " The Subject Specialist in National and University Libraries, with Special Reference to Book Selection." *Libri* 17 (1967) : 42-58.

Duino, Russell. " The Role of the Subject Specialist in British and American University Libraries: a Comparative Study." *Libri* 29 ( March 1979 ) : 1-19.

Fadiran, D.O. " Subject Specialization in *Academic Libraries International Library Review* 14 ( Jan. 1982 ) ; 41-46.

Gration, Selby U, and Artyur P. Young. " Reference Bibliographers in the College Library. " *College and Research Libraries* 35(1974): 38-24.

Guttsman, W. L. " Subject Specialization in Academic Libraries:Some Preliminary Observation on Role Conflict and Organization Stress." *Journal of Librarianship* 5(Jan. 1973 ) : 1-8.

Haro, Robert. " The Bibliographer in the Academic Library." *Library Resources and Technical Services* 13( Spring 1969 ) : 163-169.

Holbrook, A. " Subject Specialists in University Libraries: Fossils or Forerunners? *U. C. & Newsletter* 12 ( Feb. 1984 ) : 7-9.

Messick, Frederic M. " Subject Specialists in Smaller Academic Libraries. " *Library Resources and Technical Services* 21 ( Fall 1977 ) : 368-374.

Mivhalak, Thomas J. " Library Services to the Graduate Community: the Role of the Subject Specialist Li - brarian. " *College and Research Libraries* 37 ( May 1976 ) : 257 -265.

Ogundipe, O. O. " Subject Specialistation in a Univer - sity Library." *African Journal of Academic Libra - rianship* 1 ( Dec. 1983 ) : 52-56.

⸻. " Subject Specialistation in a University Library." *Library Herald* 20 ( July 81 -Mar. 1982 ): 173-183.

Sanni, Grace A. " Some Management Issues of Subject Specialistation with Reference to the University of Benin Library." *Library Scientist* 14 ( 1987 ) : 44 - 56.

Scrivener, J. E. " Subject Specialization in Academic Libraries — Some British Practices. " *Australian Academic and Research Libraries* 5 ( Jan. 1970 ) : 7-13.

Stebelman, Scott. " The Role of Subject Specialists in Reference Collection Development. " *RQ* 29 ( Winter 1989 ) : 266-273.

Yang, Mei-hwa. " A Proposal - Future Subject Specialist Librarians in the Republic of China. " Paper pre - pared for the International Conference on New Frontiers in Library and Information Services, Taipei, 10 May 1991.

Young, Arthur P. " Subject Assistants : a Report and a Challenge. " *RQ* 9 ( Summer 1970 ) : 295-297.

Woodhead, Peter. " Subject Specification in Three British University Libraries : a Critical Survey. " *Libri* 24 (1974) : 45-50.

Woodhead, Peter and J. B. Martin. " Subject Specification in British University Libraries : a Survey. " *Journal of Librarianship* 14 ( April 1982 ) : 93-108.

# 行銷概念與讀者服務

林彥君

## 一 前 言

行銷概念的發展，最初起源於美國，而由於企業界及學術界的重視，並廣泛加以研究、探討，其理論架構逐漸確立，衍生出各種方法、原則。行銷概念（ Marketing Concept ）遂廣為企業界採用，而成為引導企業產銷決策的重要指針。

早期，行銷概念的應用範疇只限於營利性的組織，而自1969年柯特勒（ Philip Kotler ）及李葳（ Sidney Levy ）的極力推展、擴充下，行銷觀念不再囿限於營利性組織，而可擴及於各類非營利性組織❶。管理學大師屈拉克（ Peter F. Drucker)曾說:「企業目標的唯一有效定義即是創造顧客（ There is only one valid definition of business purpose: to creat customer)。」❷而圖書館是用科學方法採訪、整理、保存各種印刷與非印刷的資料，以便讀者利用的機構❸，亦即資料的採訪、整理、保存都只是手段，而其最終目的在使圖書館的資料能便於讀者使用。因此，我們可得知一般營利機構與圖書館的組織、特性雖有不同，但就其爭取服務對象、滿足服務對象之需求，進而獲取其支持的

目的則是一致的，而將行銷概念應用於圖書館的經營，未嘗不是
一新方向。

　　本文撰寫之目的，是希望藉由文獻分析所得之資料，闡明行
銷概念之意義，探討行銷概念在圖書館讀者服務之應用，並提出
圖書館應用行銷概念時應有的準備以供圖書館參考。

## 二　行銷概念的意義

### 1.　何謂行銷（ Marketing ）

　　在說明行銷概念的意義之前，我們應先了解行銷的意義。行
銷一詞譯自英文 " Marketing "，而由於不同學者之著眼點不同，
對其所下定義亦有若干差異。

　　美國行銷學會（ American Marketing Association ）對行
銷所下的定義為：行銷係引導產品及服務由生產者流向消費者或
使用者的一切有關活動❹。此定義說明行銷具有以顧客之需求作
為行為依據之特性。

　　柯特勒（ Philip Kotler ）則認為：行銷是指透過交易的過
程滿足需求及慾望的人類活動❺。其強調藉由交易之過程來滿足
交易雙方的需求和慾望。

### 2.　行銷概念的意義

　　行銷概念是一種以顧客需要與慾望為導向的管理哲學，它強
調「顧客導向（ Customer Orientation ）」，要根據顧客的動

機和行為來制訂各項行銷決策，一方面滿足顧客的需要，一方面達成組織之目標❻。就圖書館而言，讀者即是顧客，圖書館應根據讀者的需要和行為來擬定作業計畫、提供各項服務，以達成圖書館保存資訊及傳佈資訊的任務。

## 三　行銷概念在圖書館讀者服務的應用

### 1.　採用行銷概念的原因

　　根據所接觸到的論著及專業期刊的報導，美國各類型圖書館自1980年代以來，在管理方面對行銷的可行性與有利性，發生極大的關注與興趣❼。我國目前雖然還沒有圖書館實際採用行銷概念，但已有此方面相關的文獻產生，顯示出行銷概念在圖書館之應用已逐漸有人注意。以下，茲將圖書館應用行銷概念之原因加以歸納分析：

　　a.　各類型資料產生、使用者的增加

　　科技之發達與應用，產生許多新的儲存媒體，使館藏益形多樣化。另一方面，根據美國圖書館協會 （ American Library Association ）針對一萬一千五百個公共圖書館使用者（含借閱及閱覽者）所做的統計，在1978年，有51％的成人曾使用過圖書館，而至 1987 年，其比率提昇至 57 ％❽。 圖書館為了在最適當的時候提供給讀者最需要的資料，因此引進行銷概念，希望藉由行銷組合（ Marketing Mix ）的靈活應用，提供給讀者完善的服務。

b. 彌補目前推廣服務不盡完美之處

現代的圖書館具有保存文化、提供資訊、教育大衆及提供休閒的功能，但如果讀者未能前往利用，那麼圖書館的功能必然無法完全發揮。根據臺灣省新聞處的一篇報告指出，經常去利用縣市文化中心者僅佔受訪者之 16 ％ ❾ 。導致此現象之因素之一即是圖書館的推廣工作太過強調現有服務的推廣，而忽略了讀者（含圖書館的使用者及潛在的使用者）的眞正需求。行銷概念的應用可使圖書館根據讀者的需求來提供更適當的服務，可吸引更多讀者利用圖書館的資源，彌補推廣服務的若干缺失。

c. 競爭者之產生

社會上任何組織都會面臨生存、死亡與消長的問題，圖書館也一樣。目前許多書店、錄影帶出租店、圖書出租店，私人收費圖書館紛紛成立，使圖書館的發展受到若干影響，而圖書館除了與上述組織競爭外，也必須與讀者的興趣、價值觀相競爭❿。因此，如何發展出適合讀者的產品及服務，積極誘導讀者，爭取讀者，並贏得讀者的支持，是圖書館當前的重要課題⓫。行銷概念的應用，可使圖書館在面臨競爭時，能具備生存的能力。

## 2. 行銷策略之發展

行銷策略是達成行銷目標的手段 ⓬ 。而在圖書館中，行銷策略的發展可使圖書館在最適當的時候，爲適當的讀者，提供最適當的服務。以下，茲將行銷策略的形成以圖示之，並分別加以說明。

**圖一　行銷策略形成圖**

**資料來源**：「何謂行銷」，現代經濟常識百科全書（臺
　　　　北：長河出版社，民70年7月），頁226。

　　a. 市場區隔化

　　市場區隔化是將一個市場根據某些標準加以區隔的一種過程
⓭。區隔的功能在於可根據使用者不同的特性來界定主要的使用
者群⓮，並有效服務目前及預期的讀者⓯。以公共圖書館而言，
我們可由圖二看出，其服務之對象相當廣泛，而不同的讀有不同
的行為特性和需求，圖書館囿限於人力、經費、館藏等因素，往
往無法以相同的服務層次去服務所有的讀者，因此圖書館可將讀
者先劃分為一些小群體後，再根據其需求提供服務，至於讀者劃
分之依據可參考表一所列。

　　表一中的變數和典型區隔都僅是舉例，提供圖書館區隔讀者
群時的參考，每一所圖書館由於其所在之地理位置不同，周遭環
境亦不同，因此圖書館可根據服務對象之情形來擬定變數及設定
區隔之依據。

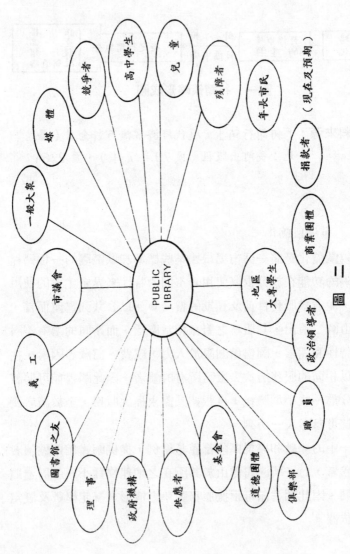

圖 二

資料來源：Anne J. Mathews, "The Use of Marketing Principles in Library Planning," in *Marketing for Libraries and Information Agencies*, ed. Darlene E. Weingand ( Norwood, N. J. : ABLEX Publishing Co., 1984 ), P. 8.

## 表　一　區隔之變數及典型區隔

| 變數 | 典型區隔（舉例） |
| --- | --- |
| 地理變數 | |
| 　居住區域 | 文教區、工業區、商業區、農漁業區…… |
| 　距圖書館遠近 | 遠、中、近 |
| 人口統計變數 | |
| 　年齡 | 6-12、12-17、18-64、65- |
| 　性別 | 男、女 |
| 　家庭狀況 | 單身、已婚有小孩、已婚無小孩…… |
| 　所得 | 15000元以下、15000-19999元、20000-24999…… |
| 　職業 | 公、商、教、軍、學生、自由業、無…… |
| 　教育 | 無、小學、國中、高中職、大學、研究所… |
| 　宗教 | 基督教、天主教、佛教、道教…… |
| 心理統計變數 | |
| 　生活形態 | 工作傾向、娛樂傾向…… |
| 　人格 | 活潑、中庸、文靜…… |
| 　嗜好 | 閱讀、旅遊、運動、聽音樂…… |
| 行為變數 | |
| 　使用圖書館的情況 | 從未使用、曾經用過、有使用潛力…… |
| 　使用率 | 很少、偶爾、經常…… |
| 　對圖書館的態度 | 喜歡、尚可、排斥…… |

資料來源：改編自 Philip Kotler, Marketing for Non-profit Organizations ( Englewood Cliffs, N. J.: Prentice-Hall, 1975 ), P.103

b. 目標市場的選擇

圖書館將讀者群依特性、需求劃分為不同群體之後,可選擇若干群體作為圖書館提供服務的主要對象,分析其需求來提供服務,待圖書館有能力擴大服務範圍時,再逐一選擇其他的群體作為服務的對象。目標市場的選擇可使圖書館集中全力於目標市場,相對的可自目標市場的讀者群中得到較多的回饋,然後在穩定中求發展,逐漸擴大服務對象的範圍⓰。在公共圖書館中,我們可將讀者群依其年齡分為兒童、青少年、成年人及老人四個群體,以兒童為目標市場時發展出說故事、美勞活動的服務項目,而以青少年、成年人及老年人為目標市場時,又可發展不同服務項目,見圖三。

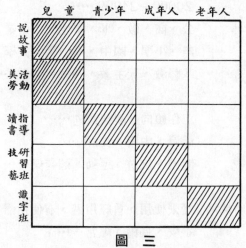

圖 三

資料來源:改編自 Philip Kotler, "Strategic Planning and the Marketing Process," Business 30(1980):6.

c. 擬定行銷組合

所謂行銷組合係指產品（ Product ）、價格（ Price ）、配銷
通路（ Place ）、促銷（ Promotion ） ，其與目標市場的關係可
以下圖來表示：

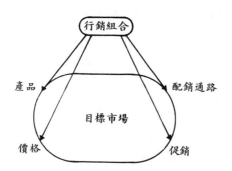

圖　四　目標市場與行銷組合的干連

**資料來源**：柯特勒（ Philip Kotler ）著；李田樹編輯,
行銷學（ Principles of Marketing ）（台
北：天一圖書公司，民 75 年），頁 49 。

行銷組合的應用其目的在滿足目標市場的需求，亦即我們可
將行銷組合與目標市場看成一個「手段目的連鎖體系（ System
of means-ends ）」**⑰** 。以下分別說明產品、價格、配銷通路、
促銷在圖書館所代表的意義。

(1) 產　品

圖書館所提供的一切服務（ 例如：館際互借、參考服務、
圖書借閱……等 ）及資料（ 包括館藏、目錄、資料庫……

等）都可視爲圖書館的產品 ❽ 。

(2) 價　格

雖然大多圖書館仍不以向圖書館的使用者收費以作爲主
要之經費來源，但由於許多科技產品的應用，例如：線
上資料庫檢索、光碟檢索等，圖書館既有的經費已不足
以負擔龐大的設備和檢索的費用，因此部份圖書館也已
經開始酌量向使用者收取費用。

(3) 配銷通路

「將讀者和讀物結合起來」是圖書館學最基本的哲學思
想，也是圖書館服務的中心目標 ❾ 。在早期讀者和圖書
館讀物接觸的唯一管道是由讀者親自到圖書館，而現在
圖書館的資料可以藉由圖書巡廻車、通訊網路等方式傳
給讀者。另外，圖書巡廻車的行駛路線、圖書館建館地
點的選擇也是圖書館提供服務時應考慮到的。

(4) 促　銷

促銷的目的在使讀者能知道圖書館提供了什麼服務，並
激起讀者使用圖書館的慾望。至於促銷的方式，包括印
刷式出版品的發行、舉辦演講、展覽、對外公共關係的
建立等。

行銷組合的擬定，除了針對目標市場的特性外，還要考慮圖
書館本身之能力，而行銷組合中的四要素，也需靈活運用，例如
圖書館提供線上資料庫檢索的服務，其可透過印刷式宣傳單的散
發，使讀者知道圖書館提供此項服務，而檢索方面爲顧及效率可
由有經驗的館員協助讀者進行檢索，至於收費方式，則可依圖書

館的政策，視讀者使用資料庫的時間等來決定。產品、價格、配銷通路、促銷之間可說環環相扣，只要其中任一要素缺乏或進行不當，都可能使圖書館或讀者因此而遭受損失。

### 3. 行銷概念應用於圖書館讀者服務之評估

圖書館是一成長的有機體，而隨著時代之變遷，館務日趨複雜，而爲了突破圖書館現有管理上的瓶頸，遂引進企業界之管理方式，使圖書館的預期目標得以達成，行銷概念亦是在此前題下，而受到圖書館的青睞。以下分析行銷概念應用於圖書館時的優點及其可能產生的困難。

a. 優　點

(1) 可改變圖書館的形象

早期圖書館的經營注重資料的保存，但隨著出版品的增加及讀者對資訊的需求量大幅提昇，圖書館傳統被動的經營方式已不適用，而行銷概念的引進可陶冶出圖書館組織積極、活潑的氣質[20]，改變圖書館的形象並吸引使用者[21]。

(2) 可拉近圖書館與讀者間的距離

圖書館在區隔讀者群時，必須先進行社區分析的工作，而不論是採取問卷或訪問的方式，這樣的工作可促使圖書館對於讀者有更進一步的了解，也使讀者能體會圖書館的作業實際上也相當尊重讀者的意見。

圖書館依讀者的興趣及需求，提供資料和服務，再配合宣傳的技巧，必能使讀者與圖書館間的距離感消除。

(3) 使圖書館的資源得以被充分利用，建立書香社會

行銷概念強調目標市場的滿足，圖書館根據每一目標市場分別提供服務，最後可使不同群體特性的讀者，對某些問題產生疑惑時，能最先想到圖書館，並主動至圖書館尋求解答，進而養成使用圖書館的習慣。每一個人都能有求知的慾望，並能善用圖書館的資源，那麼書香社會的建立就指日可待了。

b. 實際應用的困難

(1) 經費、人力的不足

行銷概念應用於圖書館時，必須有人負責相關作業之進行，而部份作業程序，也需花費相當之費用。像圖書館進行社區分析時，由誰來負責？是由既有館員兼任工作，還是另外尋求人來支援？另外打字、印刷問卷的費用由何而來？是否能由現有預算中撥付？這些都是圖書館會面臨的問題。

(2) 工作品質的提昇及工作量的增加

圖書館的服務經行銷後，會獲得許多資源（指讀者群)，而資源的獲得，會加重圖書館的負擔，因為行銷概念注重「顧客導向（Customer Orientation）」的觀念，一切作業都依據讀者的需求來進行，因此會吸引更多的讀者來使用圖書館，相對的必會增加圖書館人員的工作量，而為了盡量滿足讀者之需要，圖書館的服務品質不僅得維持既有水準，甚至要提昇服務品質的層次。

(3) 館員接受力的問題

有人認為圖書館是一個服務機構，而行銷概念是企業界的產物，因此，行銷概念能否移植利用於圖書館，尚有斟酌之處。此外，亦有人認為，行銷縱然與銷售不盡相同，但是一般企業組織在行銷過程中不可避免的利用各種促銷技巧（Promotion techniques）、宣傳報導（Pub-licity ）與廣告等方法刺激消費者的購買動機，因此極易形成行銷與促銷在分野上的模糊不清，使行銷應用於圖書館管理上稍一不慎即造成觀念上的混淆，以致執行上的困難而有損圖書館的形象 ❷。

(4) 經驗不足

行銷概念引入應用於圖書館是最近的事，文獻上多半是就其理論加以探討，真正實際應用的圖書館並不多。以我國而言，尚未有圖書館應用行銷的技巧來推展圖書館的服務，因此，真正要應用時，並無前人的經驗可供參考，圖書館仍需花相當的時間自己摸索。

(5) 達到目標的程度較難具體衡量

非營利事業之目標較不具體，因此究竟達成機構行銷目標至何程度，較難加以具體衡量 ❷。營利事業行銷的目標可用每年營利額達多少元來計算，其行銷目標之達成否顯而易見。而圖書館雖然也可以數字來當成行銷之目標，例如希望每個月使用圖書館的人次達五萬次，但由於每個讀者使用圖書館的程度有差別，例如讀者只是隨便到圖書館看看，而有些人是利用圖書館的館藏進行研究，他們使用圖書館的情形就不同，而所造成館員之工

作壓力亦不一樣，因此圖書館以數字作爲行銷之目標這
樣的作法實質意義並不大。

## 四　圖書館應用行銷概念時應有的準備

圖書館採用行銷概念雖然有其優點在，但是實際應用的同時
仍會遭遇到若干困難，而圖書館若在應用行銷概念前能有周全的
準備，那麼必可降低困難的程度，以下說明圖書館在應用行銷概
念前應有的準備：

### 1.　事前應有完善計劃

任何工作，想達成目標，事先必須擬訂完善計劃[25]。圖書館
應詳細列出計劃的每一細節：其由誰負責？如何進行？進行時間
長短?可能花掉的費用?……等，並考慮到可能產生的困難和應變
方式，最後也不要忽略掉事後的評估工作，如此才能得知行銷概
念應用於圖書館是否可行。

### 2.　公共關係的建立

圖書館與社區的讀者及其他機構間都應建立良好的溝通管道，
以便促使雙方對彼此能更加了解，使讀著及其他機構知道圖書館
做了些什麼，有什麼困難需要其協助，也使圖書館能知道他們需
要圖書館提供那些資料和服務。例如圖書館經費不足的問題，若
能取得民間企業的支援，那麼將可減輕圖書館在財政上的負擔。

### 3. 建立健全的組織編制

圖書館在應用行銷概念時，人力資源應適度加以調整，若無法增設獨立一組的人員，那麼也應在既有的組織編制內劃定若干負責行銷工作的人員，並應詳細說明其職掌，另外，應善用社會資源，爭取社區內具行銷學方面專長的讀者，將其納入圖書館義工的編制內，以協助圖書館順利推展工作。

### 4. 館員應充實有關行銷方面的知識

由於並非每個館員都能具有行銷方面的學科背景，因此多數館員仍應主動吸收有關行銷方面之知識，而欲增加此方面的知識，可透過下列途徑：

a. 閱讀一些有關企業方面的期刊和書籍。

b. 熟悉企業界所使用的專有名詞。

c. 修習鄰近學校或一些機構開設有關行銷方面的課程。

d. 觀察商業機構使用何種方法進行行銷、如何發展產品以迎合消費者需求。

e. 觀察超級市場，注意其產品如何陳設，並分析其原因。

### 5. 館員應建立共識，並密切配合

由於行銷技巧之運用，將會吸引更多讀者前來使用圖書館，會導致館員工作量增加的情形，若館員未能建立起圖書館以服務讀者為宗旨的共識，而引起怠工的現象，那麼對讀者與圖書館本身都會造成莫大傷害。另外，行銷之進行必須每一個館員都參與，

並非少部份負責的人唱「獨角戲」，例如技術服務人員在製作卡片時若能善用參見，可使讀者更容易找到資料，卡片參見的製作雖是屬於技術服務的工作，但是其影響了讀者將來利用圖書館的情形，這與行銷工作亦有關係，因此圖書館內不論是技術服務部門或讀者服務部門都應密切配合，以提供給讀者最完善的服務。

除了上述圖書館本身應有的準備外，圖書館學科系若能開設與行銷相關之課程以供學生選修，對未來他們進入圖書館負責行銷工作時，將更能勝任愉快。另外，圖書館學會若能成立專門小組，召集相關人員針對圖書館應用行銷概念此一問題加以討論、評估，並擬成書面報告，如此，對將來圖書館應用行銷概念時將有莫大助益。

## 五　結　語

隨著社會的快速變遷，圖書館的業務亦日趨複雜，而為了維持圖書館之生存與發展，將企業界所採用的行銷概念引入應用於圖書館未嘗不是一個新方向。

在所閱讀的相關文獻中絕大多數都只限於理論性的探討，因此，圖書館在真正應用時，必然會有障礙產生，所以我們目前除了理論的探討外，更應將重心轉移至研究如何克服行銷概念實際應用的困難。

任何概念或技巧的引進，都只是希望能提供給讀者最佳的服務，使圖書館能發揮最大的功能，而由於行銷概念本身是企業界的產品，圖書館不宜全盤採用，應考慮圖書館係以提供讀者服務爲終極之目標，也唯有著眼於此，任何概念或技巧的引進對圖書館的經營才能有實質助益。

# 附　　註

❶ Philip Kotler and Sidney Levy, "Broadening the concept of Marketing," Journal of Marketing（January 1969）: 10-15.

❷ Perter F. Drucker, Management: Tasks, Responsibilities, Practices,（New York: Harper and Row, 1973）, P.61.

❸ 胡述兆，圖書館學導論（臺北：漢美，民78年），頁1。

❹ American Marketing Association, Marketing Definition: Glossary of Marketing Term（Chicago: American Marketing Association, 1960）, P.14.

❺ Philip Kotler, Marketing for Nonprofit Organizations（Englewood Cliffs, N. J.: Prentice-Hall, 1975）, P.5.

❻ 黃俊英，〈市民就是顧客：行銷觀念與市政建設〉，研考月刊10卷（民75年6月），頁53。

❼ 范承源，〈美國圖書館行銷與其應用上的一些問題〉，美國研究19卷（民78年9月），頁35。

❽ Benedict A. Leerburger, Marketing the Library（White Plains, N. J.: Knowledge Industry Publications, 1982）, P.3.

❾ 莊芳榮，〈公共圖書館吸引讀者的途徑〉，臺北市立圖書館館訊5卷（民77年6月），頁7。

❿ Andrea C. Dragon, "Marketing of Public Library Services," Drexel Library Quarterly 19（Spring 1983）: 127.

⑪ 章以鼎，〈談圖書館推廣服務〉，臺北市立圖書館館訊2卷（民73年9月），頁11。

⑫ 「何謂行銷」，現代經濟常識百科全書（臺北：長河出版社，民70年7月），頁226。

⑬ 黃俊英，〈市場區隔化策略〉，臺北市銀月刊9卷（民67年11月），頁45。

⑭ Diane Strauss, "Marketing Fundamentals for Librarians." North Carolina Libraries 46 ( Fall 1988 ): 133.

⑮ Anne J. Matthews, "Library Market Segmentation: An Effective Approach for Meeting Client Needs," Journal of Library Administration 4 ( Winter 1983 ): 19.

⑯ Howard F. McGinn, "Libraries and Marketing: New Words − Old Worlds," North Carolina Libraries 46 ( Fall 1988): 127.

⑰ 廖又生，〈讀者就是顧客：論行銷觀念在圖書館經營上之應用〉，臺北市立圖書館館訊4卷（民75年12月），頁52。

⑱ Strauss, op. cit. P.132.

⑲ 沈寶環，《圖書館學的趨勢》，中國圖書館學會出版委員會編，圖書館學（臺北：學生書局，民71），頁6。

⑳ 同⑰，頁50。

㉑ Crystal Condous, "Non-Profit Marketing − Libraries' Future," Aslib Procedings 35 ( October 1983 ): 407.

㉒ 袁美敏，〈圖書館界的巨擘－訪臺灣大學圖書館學系暨研究所沈寶環教授〉臺北市立圖書館館訊3卷（民75年3月），頁62。

㉓ 同⑦，頁42。

㉔ 許士軍,〈非營利事業行銷〉,國立政治大學學報41期(民69年),頁7。

㉕ 林煜宗,〈臺北市立圖書館推廣服務概況〉,臺北市立圖書館館訊2卷(民73年9月),頁17。

㉖ McGinn, op. cit. p.130.

# 參 考 書 目

## 一、圖　書

### ㈠　中　文

柯特勒（Philip, Kotler）原著；許是祥譯。行銷學通論（Principle of Marketing）。臺北：中華企業管理發展中心，民71年。

柯特勒（Philip, Kotler）原著；李田樹編輯。行銷學（Principle of Marketing）。臺北：天一圖書公司，民75年。

### ㈡　英　文

Kies, Cosette. Marketing and Public Relations for Libraries. Metuchen, N. J.: The Scarecrow, 1987.

Kolter, Philip. Marketing for Nonprofit Organizations. Englewood Cliffs, N. J.: Prentice-Hall, 1982.

Kolter, Philip. Strategic Marketing for Nonprofit Organizations. Englewood Cliffs, N. J.: Prentice-Hall, 1987.

Leerburger, Benedict A. Marketing the Library. White Plains, N. Y.: Knowledge Industry Publications,

1982.

──────. Promoting nad Marketing the Library. Boston, Mass.: G. K. Hall, 1989.

Weingand, Darlene E. et al. Marketing for Libraries and Information Agenices. Norwood, N. J.: Ablex, 1984.

──────. Marketing／Planning Library and Information Services. Littieton, Colo., Libraries Unlimitied, 1987.

# 二、期刊論文

## ㈠ 中 文

余朝權。「行銷理論之回溯及展望」。臺北市銀月刊14卷（民72年7月），頁24-32。

范承源。「美國圖書館行銷與其應用上的一些問題」。美國研究19卷（民78年9月），頁31-50。

許士軍。「非營利事業行銷」。國立政治大學學報41期（民69年5月），頁1-17。

郭垣。「非企業市場學之研究」。銘傳學報23期（民75年3月），頁35-50。

黃俊英。「市場區隔化策略」。臺北市銀月刊9卷（民67年11月），頁45-50。

黃俊英。「市民就是顧客：行銷觀念與市政建設」。研考月刊10

卷（民75年6月），頁53-60。

廖又生。「讀者就是顧客：論行銷觀念在圖書館經營上之應用」。
臺北市立圖書館館訊4卷（民75年12月），頁50-54。

鐘隆津。「市場區隔及其策略」。產業金融季刊50期（民75年
3月），頁34-42。

## □ 英 文

Andreasen, Alan R. "Advancing Library Marketing."
Journal of Library Administration 1 ( Fall 1980 ):
17-32.

Barber, Peggy. "A National Marketing Program for Li-
braries." Illinois Libraries 65 ( March 1983 ):181-
187.

Bellardo, Trudi. and Waldhart, Thomas J. "Marketing
Products and Services on Academic Libraries." Libri
27 ( Sept. 1977 ): 181-194.

Butterworth, Margaret. "An Era of Opportunity: Mar-
keting Strategies for the 1990s." Library Association
Record 92 ( July 1990 ): 513-514.

Carroll, Daniel. "Library Marketing: Old and New Tru-
ths." Wilson Library Bulletin 57 ( Nov. 1982 ):
212-216.

Causey, Helen. "Sell is not a Foru-letter Word." North
Corolina Libraries 46 ( Fall 1988 ): 136-140.

Condous, Crystal. "Non-profit Marketing Libraries'
Future. " Aslib Proceedings 35 ( Oct. 1983 ) : 407-
417.

Conroy, Barbara. "Megatrend Marketing: Creating the
Library's Future. " Journal of Library Administration
4 ( Winter 1980 ) : 7-18.

Coyne, John R. "Marketing the Library Building and
Services: or How to Let Patrons Know They are
Getting Their Tax Dollar's Worth. " Illinois Libra-
ries 65 ( March 1983 ) : 178-190.

Cronin, Blaise. "New Technology and Marketing——the
Challeng for Librarians. " Aslib Proceeding 34 ( Sep.
1982 ) : 377-393.

Dragon, Anorea C. "Marketing and the Public Library."
Public Library Quarterly 4 ( Winter 1983 ) : 37-46.

—————————. "Marketing Communications for Li-
braries. " Public Library Quarterly 5 ( Spring 1984):
63-77.

—————————. "The Marketing of Public Library Ser-
vices. " Drexel Library Quarterly 19 ( Spring 1983):
117-132.

—————————. "Marketing the Library. " Wilson Li-
brary Bulletin 53 ( Mar. 1979 ) : 498-502.

—————————. "The ABCs of Implementing Library

Marketing. " Journal of Library Administration 4 ( Winter 1983 ) : 33-47.

Edinger, Joyce A. " Marketing Library Services : Strategy for Survival. " College and Research Libraries 41 ( July 1980 ) : 328-332.

Gallimore, Alec. " Marketing a Public Sector Business Library : Developing a Strategy. " Journal of Librarianship 20 ( Oct. 1988 ) : 235-254.

Greiner, Joy M. " Professional Views : Marketing Public Library Services. " Public Libraries 29 ( Jan./Feb. 1990 ) : 11-17.

Hannabuss, Stuart. " Measuring the Value and Marketing the Service : An Approcah to Library Benefit. " Aslib Proceedings 35 ( Oct. 1983 ) : 418-427.

Klement, Susan. " Marketing Library-related Expertise." Canadian Library Journal 34 ( Apr. 1977 ) : 97-99.

Kotler, Philip. and Levy, Sidney J. " Broadening the Concept of Marketing. " Journal of Marketing 33 ( Jan. 1969 ) : 10-15.

Kotler, Philip. " Understanding Marketing. " Illinois Libraries 65 ( March 1983 ) : 181-187.

Leisner, Tony. " Mission Statements and the Marketing Mix. " Public Libraries 25 ( Fall 1986 ) : 86-87.

Levitt, Theodore. " Marketing Myopia. " Journal of Library Administration 4 ( Winter 1983 ) : 59-80.

Matthews, Anne J. "Library Market Segmentation: an Effective Approach for Meeting Client Needs. " Journal of Library Administration 4 (Winter 1983): 19-31.

McGinn, Howard F. "Libraries and Marketing: New Words — Old Words. " North Corolina Libraries 46 ( Fall 1988 ) : 126-131.

Miller, Barry K. "Marketing the Special Library: a Perspective. " North Corolina Libraries 46 (Fall 1988): 154-156.

Montouri, Charles F. "Marketing and Public Libraries : the Commitment. " North Corolina Libraries 46 ( Fall 1988 ) : 148-153.

Nelson, James A. "Marketing State Library Agencies." Illinois Libraries 65 ( March 1983 ) : 221-225.

Norman, O. Gene. "Marketing Library and Information Services: an Annotated Guide to Recent Trends and Developments. " Reference Services Review 17 ( Spring 1989 ) : 43-64.

Smith, Roy. "Marketing the library. " Aslib Proceedings 39 ( Sept. 1987 ) : 231-233.

Sterngold, Arthur. " Marketing for Special Libraries and Information Centers: the Positioning Process. " Special Libraries 73 ( Oct. 1982 ) : 254-259.

Strauss, Diane. " Marketing Fundamentals for Librarians." North Corolina Libraries 46 ( Fall 1988 ) : 132-135.

Turner, Ruth E. " Marketing the library in a Time of Crisis: Rewriting Public Policy Statements. " Reference Librarian 19 (1987) : 359-369.

Vavrek, Bernarm. "The Public Library at Crisis : is Marketing the Answer ? " North Corolina Libraries 46 ( Fall 1988 ) : 142-147.

Wasserman, Paul, and Ford, Gary T. " Marketing and Marketing Research: What the Library Manager Should Learn. " Journal of Library Administration 1 ( Spring 1980 ) : 19-29.

Weingand, Darlene E. "Distribution of the Library's Product : the Need for Innovation. " Journal of Library Administration 4 ( Winter 1983 ) : 49-57.

White, Herbert S. " Librarians and Marketing." Library Journal 114 ( Augnst 1989 ) : 78-79.

Wilson, Alexander. " Marketing of Library Services. " Canadian Library Journal 34 ( Oct. 1977 ) : 375 - 377.

Wood, Elizabeth J. " Strategic Planning and the Marketing Process: Library Applications. " Journal of Academic Librarianship 9 ( Mar. 1983 ) : 15-20.

Wressell, Pat. " Marketing Advice : a New Role for Li-
  braries ?," Library Association Record 92 ( Mar.
  1990 ) : 189-194.

# 讀者服務與館藏規劃

朱碧靜

## 一 前 言

　　讀者服務的重要任務之一，是在使用者和館藏之間建立起溝通的橋樑。格里芬（Griffin）認為讀者服務館員是館藏與讀者需求的解說者，也是資訊檢索的供給者，而館藏規劃則是提供資訊的重要功能❶。更確切地說，「館員」是讀者服務的「人力」要素，而「館藏」則是讀者服務的「物質」要素，惟有兩者相互為用，圖書館的功能始得充分發揮。我們知道，圖書館的所有活動，從圖書的選擇、採訪到圖書分類、編目、流通、參考，都根源於圖書館的館藏。因此，館藏規劃實為圖書館的中心業務。

　　福特（Ford）曾提出這樣的假設：只有和讀者有直接、經常性接觸的館員才知道讀者對館藏的需求，而能對館藏規劃作正確的決定❷。姑且不論此假設的正確性如何，到底讀者服務部門的人員在圖書館館藏規劃的業務上，應扮演何種角色呢？

　　本文旨在針對此項問題加以探討，首先略述館藏規劃的意義與特質，接着從館藏規劃的內涵描述其與讀者服務間的關係，然後說明讀者服務人員在進行館藏規劃時，可能遭遇的困難，最後作成結論並試圖提供若干建議以供參考。

## 二 館藏規劃的意義與特質

### 1. 意 義

「館藏規劃」（Collection development ）或稱「館藏發展」。美國圖書館協會（ALA ）對此一名詞的界說是：包含選書政策的制定及協調、讀者及潛在讀者的需求評估、館藏利用研究、館藏評鑑、館藏需求確認、資料選擇、資源分享規劃、館藏維護及淘汰等有關的活動項目❸。

艾萬斯（Evans ）認為「館藏規劃」是依據圖書館之功能與任務以及讀者之需要等，以鑑定圖書館館藏資料之豐富或缺失不足，並試圖就該項缺失或不足予以改善的過程。此過程應包括六個循環的工作項目：1.館藏及讀者分析，2.確定選書政策，3.選擇，4.採訪，5.淘汰，6.評鑑❹，並繪圖表示其過程（如圖一）。

圖一題示，館藏規劃的過程中每一環節都是互相影響，彼此互動的。

總之，館藏規劃係指圖書館有系統、有計畫地依據既定政策建立館藏，並且評鑑館藏，分析館藏強弱，探討讀者使用館藏情形，以確定能夠利用館內及館外資源來滿足讀者資訊需求的一種過程❺。其意義則在經濟有效地發展館藏，以致於將不需用之圖書資料的採購、處理與儲存減低至最少程度，並期以最低成本提供讀者最高之服務與最佳之館藏❻。

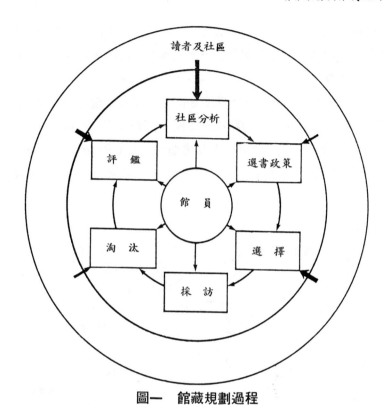

**圖一 館藏規劃過程**

資料來源：G。Edward Evans, Developing Library Collections, Liftleton：Colorado：Librarise Unlimited, 1979, P.28.

## 2. 特 質

從館藏規劃的循環過程而言，其工作範圍包括了採購部門的選擇和採訪，以及閱覽、參考、典藏等部門之反應讀者需要、分析館藏、汰除不合需要之館藏等❼。實際上，館藏規劃跨越了圖書館一般所區分的技術服務和讀者服務兩大部門，而成為跨單位性的工作❽。

　　艾萬斯（Evans）曾繪圖（如圖2）表示館藏規劃與圖書館本身組織以及外在環境的關係，從圖中可以看出讀者服務人員（Reader Services Staff）及參考服務人員（Reference Services Staff）對館藏建立負有重大責任，與讀者及社區(Patron

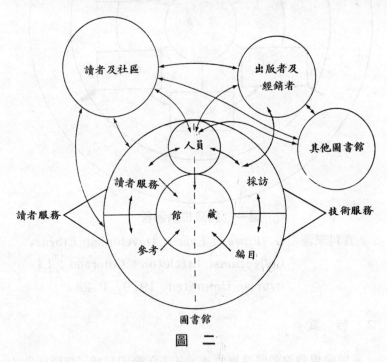

圖　二

資料來源：同圖１，P.23

Community ） 間亦密切相關。蓋每一圖書館因其所服務的社區
性質不同、範圍大小不一，所服務的讀者群，其資訊需求的差異
性，也就有所不同。讀者服務部門的人員和社區讀者間互動頻繁，
對於社區讀者的資訊需求也就知之較詳。

# 三　讀者服務與館藏規劃的關係

福特斯（ Futas ）認爲「館藏規劃」應屬讀者服務部門館員
的責任範圍❾，包恩（ Bone ） 指出在館藏規劃上，技術服務部
門人員漸居主要角色，而指責讀者服務部門的人員放棄他們重要
的責任❿。

到底讀者服務部門的人員在館藏規劃上，應扮演何種角色呢?
以下將就館藏規劃的工作內涵，分成四大項目： 1.社區及讀者分
析，2.確定選書政策，3.選擇、採訪，4.館藏淘汰、評鑑等，分
別探討之。

## 1.　社區及讀者分析

所謂圖書館的社區是泛指圖書館所服務的讀者（包括潛在的
讀者）以及這些讀者所在的環境。任何一種圖書館，不論其所屬
類型爲何，其最終目的皆在滿足讀者的資訊需求。社區分析（Com-
munity analysis ），亦可稱爲需求評估（ needs assessment ）
或需求分析（ needs analysis ）， 圖書館的決策者可依賴社區
分析所得的資料來作爲決策的依據。

圖書館在實施社區分析時，通常使用下列 4 種方法蒐集資料：

1.查看現成文獻，2.問卷調查法，3.訪問法，4.觀察法。上述方法各有優點及限制，圖書館可以依其目的、調查的項目，以及本身條件，選擇最合適方法，亦可兼併使用，以獲得更完整的社區資料❶。其中訪問及觀察法，讀者服務人員以地利之便，較易進行。

　　福特斯（ Futas ）讀者服務部門的人員和館藏的每一個使用者有最密切的接觸，因此較易獲得有關使用者的需求趨勢的知識❷。賈德納（ Gardner ）認為快速滿足讀者需求是圖書館的基本任務，所以，詢問讀者需求在許多圖書館已成為日常例行性工作❸。

　　艾萬斯（ Evans ）認為，圖書館要在資訊社會中生存，必須像營利機構一樣，將「找出使用者需求，提供他們所需要的」這段話作為圖書館的座右銘❹。總之，任何一個圖書館都應從了解讀者需求着手，社區分析所得資料也必須有效地作為館藏發展政策的參考。因為一個越能掌握有關社區的訊息及愈能滿足讀者資訊需求的圖書館，才越有可能成為社區內不可缺少的一個機構。

## 2.　確定選書政策

　　選書政策是指形諸於文字的明確敍述，它說明館藏的目的、館藏選擇與淘汰的原則，列舉館藏的範圍與深度，確定選書工作的職責等，是館員建立館藏的日常工作指引，也是規劃館藏以及館際、館內的溝通工具❺。

　　圖書館各部門的工作都是以館藏為中心，因此，在選書政策的擬訂過程中，各部門皆應參與並提供意見，尤其是參考部門、流通部門，對於讀者的需求以及讀者使用館藏的情形有相當的瞭解，可以提供有用的資訊作爲訂定選書政策的參考❻。

此外，參考部門人員不乏具學科專長且對各種參考工具書知之甚詳者，對於選書政策中包含的選書工作職責及選書工具書兩大項目的描述，助益甚大；流通部門直接面對書籍流通情形，對於館內各學科館藏流通情形有較清楚認識。

選書政策並不能解決圖書館日常館藏發展工作遭遇到的所有問題，因爲圖書館所面臨的環境不斷地在變化，選書政策也應該彈性地去反應這些變化，適時地加以修正，才能使它眞正成爲圖書館館藏發展工作的指引❼。讀者服務部門的人員從事的是第一線的工作，對於外在環境的衝擊、讀者需求的變化，較之館內其他部門人員更易感受，更需隨時反映讀者意見以供政策修訂之參考。

### 3. 選擇、採訪

採訪工作乃歸屬技術服務的工作範疇，而選書工作究竟應由誰擔任，則因圖書館的類型、規模、行政組織、館員人數、館員素質等而影響一個圖書館選書工作的職責以及選書工作的進行方式。

斯特貝爾曼（ Stebelman ） 認爲讀者服務部門的人員在實際解決參考諮詢時，可獲得館藏利用情形的第一手資料，假使圖書館未擁有回答某些問題的館藏，便可獲知所須補充的資料❽。

葛利生（ Gleason ）也指出：爲了建立機動性（ responsive ）館藏，經常和讀者接觸是必須的 ❾，美國一些既有的公共圖書館，如：紐約（New York）、巴爾的摩（Baltimore）、波士頓（Boston）皆以學科導向（Subject-Oriented）的參考人員來發展館藏，其他新興都市中的公共圖書館，如：辛辛那提（Cincinnati）、達拉斯（Dallas），丹佛（Denver）也都採取這種方式。因此，一所經營良好的圖書館，其讀者服務部門需謹慎保存有關未能滿足需求（requests are unfilled）的館藏紀錄以及館際互借所需資料，以供館藏發展時參考❷。

　　1985年時，葛里芬（Griffin）有鑑於參考館藏之發展與參考諮詢服務——無限制地免費提供讀者獲取所需資訊等諸業務關係密切，而對參考館藏發展的責任作了一番深入的研究調查。同年，克洛爾（Kroll）也針對參考館員對館藏的發展，作了一簡潔而概括性的研究，兩人均對始終爲人忽略的參考館藏問題，作了一番剖析，並認爲參考諮詢館員們實在應負起建立館藏的責任❷。

### 4. 館藏淘汰、評鑑

　　淘汰指的是：將多餘的複本、罕用圖書以及不再使用的圖書註銷或移架儲存的工作❷。館藏評鑑旨在瞭解：館藏是否符合圖書館既定的目的？館藏對讀者的服務成效爲何？館藏有何缺失？有那些地方值得改進❷？

　　艾利亞特（Eliot）將館藏圖書歸類爲使用的圖書（或稱活的圖書）與未被使用的圖書（或稱死的圖書），而決定圖書活力的標準，是從流通紀錄來判斷讀者對某書是否有眞正的需求或缺乏需求❷。

福特斯（Futas）認為讀者服務部門較能了解讀者的需求，參考館員在回答問題時，可發現館藏強弱及瞭解他館館藏，因此，適合作館藏評鑑工作；此外，經由和讀者的頻繁接觸，可以查覺某些學科的趨勢以及讀者對某些媒體（如：微縮片、光碟資料等）的接受能力，以作為館藏發展的參考㉕。

總之，讀者服務部門可以從讀者角度提供回饋意見，使館藏能滿足大多數讀者的需要，使館藏規劃能夠得到適當的調整和改善㉖。

# 四 讀者服務實施館藏規劃之困難與解決之道

根據前文所述，可知讀者服務與館藏規劃是密切相關的，然而，讀者服務部門的人員在實際進行館藏規劃工作時會遭遇那些難題？又該如何解決呢？茲分項敍述之。

## 1. 實施困難

館藏規劃是一持續性、長期性的工作，其服務成效很難測量，因此，館藏規劃活動可以是花費最便宜的，也可以是個無底洞。查爾茲（Charles）曾說館藏規劃活動是屬於較軟性區域（Soft Area）㉗。因其不忙碌的表象（unbusy looking），館藏規劃工作常會被忽略。

茲歸納國外文獻所得，發現讀者服務部門的人員在從事館藏規劃時，會遭遇如下之困難：

a. 任務衝突

　　除了讀者服務部門原有之任務需求外，尚須承受館藏規劃的工作要求，由於身負雙重任務（ dual responsibility ）， 執事者常會感受多重責任的壓力。

　　此外，館藏規劃工作與參考諮詢解答業務，孰輕孰重？到底該化多少時間進行館藏規劃工作？其投資報酬率又是如何？仍然是值得討論的議題❷。

　　b. 職責不明確，難獲成就感

　　館藏規劃工作是須花長時間學習的技術，然而，因其工作職責的不明確，未具結構性以及永無休止的過程，使得負責人員很難從中獲得成就感而不能像回答參考問題或編目一本書能有立即回饋❷，此種不確定性，對於一強調財力及人力資源的時代，無疑是件令人討厭的事❸。

　　c. 雙元權威控制

　　館藏發展人員除了接受原有部門的行政監控外，尚有來自館藏發展部門的任務要求，此舉不僅違反了行政一元化的原則，也易造成此類人員的挫折感。尤其當兩者間有所衝突時，更會使人無所適從。

　　d. 缺乏管理者支持

　　根據國外數種對館藏規劃人員的調查報告中，皆表明此種現象的存在。觀諸國內，館藏規劃理念仍未普及，較之國外，其受忽視程度更為嚴重。如何加強主管及圖書館人員對館藏規劃的深刻認知，無疑地是館藏規劃工作是否能夠有效執行的關鍵所在。

　　2. 解決之道

　　根據上述困難，以下試圖提供一些建議，以降低這些困擾，茲分別陳述之：

　　a. 工作職責的明確描述

　　針對館藏規劃工作的不確定性，宜撰寫一詳細的工作手冊，包含：政策、程序、角色及責任，並列出各項工作的優先順序或者更詳實地，列出每月、每週，甚至每日所需執行的工作項目❸，以便使得負責人員有明確的規範可資遵行，以降低其挫折感。

　　b. 選擇、培養適合此類任務的館員

　　利用讀者服務人員以兼職（ part-time ） 方式進行館藏規劃工作時，為增進其工作效率，須特別注意人員的遴選。

　　除了專門學科背景以及圖書館學的專業訓練，夏得（Schad）曾經指出該類人員所需具備之特質有七❷：

　　(1)　具高度自我趨策力者（ highly motivated self-starters ）。

　　(2)　擁有優先順序的時間管理技巧。

　　(3)　具平衡同時執行許多不同功能的能力。

　　(4)　能訂定自己的優先順序。

　　(5)　能忍受可觀的壓力及矛盾。

　　(6)　具備要使一件包含不同責任的任務（ job ）做好，並不須把每個部份（ part ）都作得盡善盡美（ perfectly ）的觀念。

　　(7)　具良好聆聽技巧以及對他人所思所想的高度感受力。

　　c. 建立有效率組織

　　館藏規劃橫跨幾個部門的運作，布里昂（ Bryant ）認為為

了因應人力緊縮的狀況，可採矩陣式組織（ matrix Organiza-
tion ）的型態，如圖3 ❸。

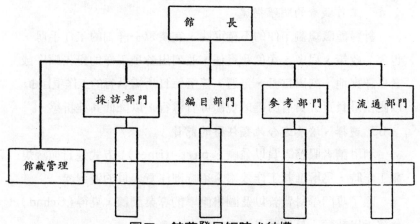

**圖三　館藏發展矩陣式結構**

資料來源：Jasper G. Schad, "Maraging Collection
　　　　　Development in University Libraries
　　　　　that Utilize Librariars with dual -
　　　　　responsibility Assignments", *Libray
　　　　　Acquisitions*： *Practices Theory*, 14:2
　　　　　(1990), P.167.

d. 加強觀念認知，建立共識

　　任何一類型的圖書館，若要發揮功能，就不可輕忽其館藏的
規劃。由於圖書館館藏的建立或各項服務措施都以讀者為中心，
因此，圖書館是一個以讀者為導向的機構，脫離讀者，圖書館不
過是一座藏書樓而已，這正是讀者服務部門人員在進行館藏規劃
時，所需深以為念的。

# 五 結 語

隨着圖書館自動化的日益進展，傳統的任務編組以及職責劃分勢必有所調整。由於電腦取代了日常瑣碎、例行的事務性工作，未來館員將更能全心全意致力於專業性工作。「館藏規劃」無疑是件亟具專業性及挑戰性的工作。

「館藏規劃」的最終目的是在建立及維護能夠滿足讀者資訊需求的館藏。如果讀者不來利用館藏，則館藏規劃就失去意義。因此，除了分析館藏，了解讀者需求，允許讀者直接或間接地參與館藏規劃的過程外，舉辦圖書館利用指導以及各種推廣服務，也是圖書館吸引讀者利用館藏的有效方法。

由本文分析可知讀者服務與館藏規劃是息息相關的，館藏規劃實為讀者服務人員一項責無旁貸的任務。

## 註 釋

❶ Mary Ann. Griffin, "Collection Development to Information Access: the Role of Public Services Librarians, " *Reference Quarterly*, 24 ( Spring, 1985 ) : 287.

❷ Karin E. Ford, "Interaction of Public and Technical Services: Collection Development as Common Ground," *Journal of Library Administration*, 9(1988), pp.47.

❸ Heartsill Young ed., The ALA Glossary of Library and In-

formation Science, ( Chicago : American Library Associa -
tion, 1983 ), p.49-50.

❹ G. Edward Evans, Developing Library Collections,( Litt-
leton, Colorado : Libraries Unlimited, 1979 ), p.28.

❺ 吳明德，館藏規劃。( 臺北市：漢美，民80年 )，頁3。

❻ 陳興夏，館藏規劃與評鑑。( 圖書館學講座專輯之四，高雄市：國立
中山大學圖書館，民74年 )，頁3。

❼ 楊美華，「大學圖書館之館藏管理」， 教育資料與圖書館學 ，24
卷4期 ( 民76年 )，頁398。

❽ 王錫璋，「館藏發展與本館採訪作業」， 中央圖書館館刊 13卷
2期 ( 民69年12月 )，頁6。

❾ Elizabeth Futas, " The Role of Public Services in Collec -
tion Evaluation ," *Library Trends*, ( Winter 1985 ), pp.
397.

❿ Larry Earl Bone, " Noblesse Oblige : Collection Develop -
ment as a Public Service Responsibility, " *Reference Libra-
rian*, 9 ( Fall / Winter 1983 ), pp.65.

⓫ 同❺，頁40-51 。

⓬ Ford, op. cit., p.47.

⓭ Richard K. Gardner, Library Collections: their Origins,
Selection, and Development, ( New York : McGraw-Hill,
1981 ),p.16.

⓮ Bone, op. cit., pp.68-70.

⓯ Gardner, op. cit., p.221.

⓰ Ibid, p.222.

⑰ Evans, op. cit., p.97.

⑱ Scott Stebelman, " The Role of Subject Specialists in Reference Collection Development,"*Reference Quarterly*, 29:2（Winter 1989 ) pp.271.

⑲ Maureen L. Gleason, " Training Collection Development Librarians, " *Collection Management*, 4 ( Winter, 1982 ), p.6.

⑳ Bone, op. cit., p.70-71.

㉑ 張秋前譯，「論參考館藏發展之藝術」，　臺北市立圖書館館訊 8卷1期（民79年9月），頁38。

㉒ Howard H. McGaw, " Policies and Practice in Discarding," *Library Trends*, 4 ( Jan. 1956 )：270.

㉓ Loriene Roy, " Does Weeding Increase Circulation？A Review of the Related Literature, " *Collection Management*, 10 (1988)：141.

㉔ " Guidelines for the Evaluation of the Effectiveness of Library Collections, " In David L. Perkins ed.,Guidelines for Collection Development ( Chicago：American Library Association, 1979 ), p.9.

㉕ Futas, op. cit., p.397-409.

㉖ 同⑦，頁400。

㉗ Bonita Bryant, " The Organizational Structure of Collection Development, " *Library Resources & Technical Services*, 30 ( Apr./ Jun. 1986 ), pp.112.

㉘ David G. Null, " Robbing Peter... Balancing Collection

Development and Reference Responsibilities ," *College &
Research Libraries*, ( Sep. 1988 ) , pp. 451.

㉙ Jasper G. Schad, "Managing Collection Development in Uni‑
versity Libraries that Utilize Librarians with Dual‑Respon‑
sibility Assignments," *Library Acquisitions*: *Practice &
Theory*, 14:2 (1990) pp. 166.

㉚ Bryant, op. cit., p. 111.

㉛ Gleason, op. cit., p. 4.

㉜ Schad, op. cit., p. 168.

㉝ Bryant, op. cit., p. 119.

# 參 考 書 目

## 一、圖 書

吳明德。館藏發展。臺北市：漢美，民80年。

陳興夏。館藏規劃與評鑑。圖書館學講座專輯之四。高雄市：國立中山大學圖書館，民74年。

Cline, Hugh F. and Sinnott, Loraine T. The Electronic Library: the Impact of Automation on Academic Libraries, Lexington, MA: Lexington Books, 1983.

Dodson, Suzanne C. & Menges, Gary L. ed. Academic Libraries: Myths and Realities, Chicago, IL: ALA, 1984.

Evans, G. Edward. Developing Library Collections, Littleton, Colorado: Libraries Unlimited, 1979.

Gardner, Richard K. Library Collections: their Origins, Selection, and Development, New York: McGraw-Hill, 1981.

Orden, Phyllis Van. and Philips, Edith B. ed. Background Readings in Building Library Collections. 2nd ed. Metuchen, N. J.: Scarecrow Press, 1979.

Perkins, David L. ed., Guidelines for Collection Development, Chicago: American Library Association, 1979.

Stueart, Robert D., Miller, George B. ed. Collection Development in Libraries : a treatise. Greenwich, Connecticut : JAI, 1980.

Young, Heartsill ed., The ALA Glossary of Library and Information Science, Chicago: American Library Association, 1983.

# 二、論 文

王錫璋。「館藏發展與本館採訪作業」。 中央圖書館館刊 13 卷 2 期 （ 69 年 12 月 ），頁 5-11 。

張秋前譯。「論參考館藏發展之藝術」。 臺北市立圖書館館訊 8 卷 1 期 （ 79 年 9 月 ），頁 36-41 。

楊美華。「大學圖書館之館藏管理」。 教育資料與圖書館學 24 卷 4 期 （ 76 年 ），頁 390-409 。

Bone, Larry Earl. "Noblesse Oblige : Collection Development as a Public Service Responsibility, " *Reference Librarian*, 9 ( Fall / Winter 1983 ), pp. 65-73.

Bryant, Bonita. "Allocation of Human Resources for Collection Development," *Library Resources & Technical Services*, 30 ( Apr. / Jun. 1986 ), pp. 149-162.

——————— " The Organizational Structure of Collection Development, " *Library Resources & Technical Services*, 31 ( Apr. / Jun. 1987 ), pp. 111-122.

Buckland, Michael K. " The Roles of Collections and the Scope of Collection Development, " *Journal of* Documetation, 45:3 ( Sep. 1989 ), pp. 213-226.

Ferguson, Anthony W. " University Library Collection Development & Management Using a Structural-Functional Systems Model, " *Collection Management*, 8 ( Spring 1986 ), pp. 1-14.

──────────. and Taylor, John R. "What Are You Doing? an Analysis of Activities of Public Service Librarians at a Medium-Sized Research Library, " *Journal of Academic Librarianship*, 6 ( Mar. 1980): 24-29.

Ford, Karin E. " Interaction of Public and Technical Services: Collection Development as Common Ground," *Journal of Library Administration*, 9 (1988), pp. 41-53.

Futas, Elizabeth. " The Role of Public Services in Collection Evaluation, " *Library Trends*, ( Winter 1985) pp. 397-416.

Gleason, Maureen L. " Training Collection Development Librarians, " *Collection Management*, 4 ( Winter, 1982): 1-8.

Griffin, Mary Ann. " Collection Development to Information Access: the Role of Public Services Librarians, "

*Reference Quarterly*, 24 ( Spring, 1985 ) : 285-9.

McGaw, Howard H., " Policies and Practice in Discarding," *Library Trends,* 4 ( Jan. 1956 ) : 269-282.

Null, David G. " Robbing Peter ⋯⋯ Balancing Collection Development and Reference Responsibilities," *College & Research Libraries*, ( Sep. 1988 ), PP. 458-452.

Roy, Loriene. "Does Weeding Increase Circulation ? A Review of the Related Literature, " *Collection Management*, 10 ( 1988 ) : 141-156.

Ryland, John." Collection Development and Selection: Who should do it ?," *Library Acquisitions*: Practice & Theory, 6(1982): 13-17.

Schad, Jasper G. " Managing Collection Development in University Libraries that Utilize Librarians with Dual-Responsibility Assignments, " *Library Acquis - tions: Practice* & Theory, 14:2 (1990) pp.165-171.

Stebelman, Scott. " The Role of Subject Specialists in Reference Collection Development, "*Reference Quarterly*, 29:2 ( Winter 1989 ),pp. 266-273.

Turock, Betty." The Public Librarian and the Group Process, " *Public Library Quarterly*, 4 ( Winter 1983): pp.3-11.

# 譯名對照表

| | |
|---|---|
| Futas | 福特斯 |
| Stebelman | 斯特貝爾曼 |
| Denver | 丹佛 |
| Schad | 夏得 |

# 線上檢索服務

周利玲

## 一　前　言

　　90 年代的圖書館應用資訊技術處理各種業務，並提供各項服務已是一必然的現象。電子計算機的發展，使激增的資訊能更迅速地組織分析；便利的通訊網路使得資訊的傳播更廣泛。圖書館與資訊技術的結合，可說是圖書館開創新境界的契機。

　　圖書館中的各項業務，諸如：採訪、編目、期刊管理、流通及行政管理業務等，均可應用資訊技術輔助管理。目前資訊技術應用於讀者服務中的項目包括：流通控制、電腦輔助的參考服務（如：線上公用目錄、館際合作與資源共享、線上資訊檢索）、光碟系統檢索、多媒體資料服務等❶。其中線上資訊檢索服務更是充份結合了電腦及通訊技術，使資訊需求者能突破時間與空間的障礙，迅速而且精確地取得所需的資訊。

　　線上資訊檢索服務自 1960 年代正式推出以來，普遍受到各類型圖書館與資料單位的採用，已發展成為一項重要的讀者服務項目。本文的重點即在論述線上檢索服務的源起與發展，並探討線上檢索服務在管理時應注意的事項，文末則就線上檢索服務對讀者服務所產生的影響加以分析。

# 二 線上檢索服務的源起與發展

## 1. 線上檢索服務的意義

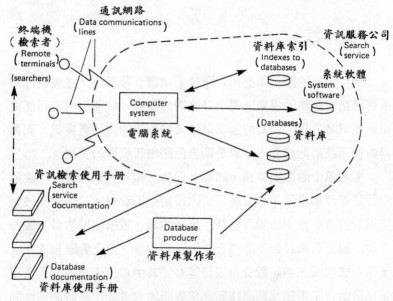

### 圖一 線上資訊檢索服務圖解

資料來源：Stephen P. Harter, *Online Information Retrieval*:*Concepts*, *Principles*, *and Techniques* ( Orlando：Academic Press, 1986 ), P. 5.

線上檢索（ Online Searching ）是指使用者透過電腦查詢資料庫中各種資訊的交互過程❷；線上資訊檢索服務（Online Information Retrieval Services ）是指由「公營或民營的代理商（ venders ）或出版者（ Publishers ）選擇或租用各種資料庫，設計線上資訊檢索系統，以便提供使用者線上檢索的一種服務」❸。

線上資訊檢索服務的組成元素包括：資訊服務公司、系統軟體、資料庫、資料庫索引、資料庫製作者、電腦系統、通訊網路、檢索者、使用手册等，這些元素的構成方式可參見圖一❹。

## 2. 線上檢索服務的發展

線上檢索服務的興起主要是受到兩個因素的推動： 1957 年蘇聯斯潑尼克（ Sputnik ）人造衛星的發射以及電腦處理和通訊技術的快速發展❺。

美國在蘇聯斯潑尼克事件的衝擊下，積極從事各種研究，造成資訊大量地膨脹；而電子計算機的出現則適時地成爲處理資訊的工具。1954 年電腦首次被用來展示批次（ Batch ）書目檢索的能力；1964 年，美國國家醫學圖書館（ National Library of Medicine ，簡稱NLM）利用「醫學文獻分析及檢索系統」（ Medical Literature Analysis and Retrieval System ，簡稱MEDLARS ） 以磁帶提供批次檢索服務❻。總而言之，在 1960 年之前，資訊檢索系統均是以批次作業的方式進行，之後在電腦分時（ Timesharing ）功能及傳輸設備發展完成後，資訊檢索系統才由批次作業正式進入線上（ Online）作業。

　　1960年至1970年是線上檢索系統的實驗性階段，各資料庫
的製作大多是由政府機構負責設計或贊助開發的。著名的三家線
上資訊檢索服務公司——洛克希德公司(Lockheed Information
Systems)、系統發展公司（System Development Cor-
poration）及書目檢索公司（Bibliographic Retrieval Sys-
tem）在早期亦皆是替政府機構開發線上資訊檢索系統，才奠下
後來商業經營的發展基礎。

　　1972年洛克希德公司的DIALOG系統開始商業化經營，提
供大眾檢索，當時DIALOG 系統只提供三種資料庫供查詢。系
統發展公司於1973年也推出ORBIT（Online Retrieval of
Bibliographic Information Timeshared）系統，開始營利性
線上檢索服務，成為第二個資料庫經銷商。1976 年書目檢索服
務公司的BRS系統也加入商業化線上檢索服務的市場❼。此三者
在線上檢索技術的開發下及讀者需求中成為主要的資料庫經銷商
以及資訊檢索服務公司。

　　80 年代以來，隨著個人電腦的普及、電子儲存媒體（如：
光碟、影碟、磁帶、磁片等）的開發以及國際間通訊網路的建立，
有更多的索引與摘要公司投身於資料庫的製作，使得線上檢索服
務逐漸由特定的使用對象（如：政府機構），擴展到圖書館、資
料中心，甚至是家庭中。線上檢索服務在未來將更為普及化、多
元化。

　　我國臺灣地區對於線上檢索服務的開發與推展也正熱烈地進
行中。民國 68年交通部國際電信局正式開放「國際百科資料供
應業務」（Universal Database Access Service，簡稱UD-

AS），該系統是經由電信網路連接美國資訊傳播中心，以檢索其資料庫的線上檢索服務。國內第一個申請接用此項服務的單位是美國銀行（Bank of America）；至民國74年止接用的單位共計有64個❽。第一個採用國際百科資料庫的圖書館爲國立師範大學圖書館；國內大多數的圖書館均使用DIALOG 系統❾。

國際百科業務的推展代表了線上檢索服務在國內亦受到重視；除了引進國外的資訊檢索系統，國內相關單位也致力於研究開發中文資訊系統，例如：國立中央圖書館資訊服務系統、國科會科資中心之科技資訊網、農資中心的全國農業科技資訊服務系統、中央研究院資料庫查詢系統與立法院資料庫等❿，均是應資料查詢之需要而開發製作。

## 3. 線上檢索服務之優、缺點

線上檢索服務能廣受資訊需求者的歡迎自有其優點存在，但其在應用時亦有部份缺點尚待克服。茲將線上檢索服務的優點與缺點分述如下：

a. 線上檢索服務之優點⓫：

(1) 檢索速度較人工快，可節省資料查詢所需的時間。

(2) 新穎性高，資料更新的速度較印刷式資料快。

(3) 檢索較具彈性，線上檢索提供較多的檢索點及檢索方式，如：布林邏輯運算（ Boolean Logic Operation ），切截（ Truncation ）功能等。

(4) 使用方便，使用者只需利用終端機便可連線檢索，不用親自到圖書館。

(5) 資料涵蓋範圍廣，使用者不必逐步翻閱每一本工具書，便可檢索各類型的資料。

(6) 可提供立即的答覆，查詢者和電腦可以即時線上「交談」，是一種雙向溝通。

(7) 可節省大量的資料貯存空間。

b. 線上檢索服務之缺點⓬：

(1) 資料的學科範圍與時間受到限制：目前的資料庫大多是科技性的，人文學類資料較缺乏；而且有些資料庫並不含回溯性資料，因此檢索時仍有所不便。

(2) 缺乏標準：各資訊服務系統，有其獨特的檢索步驟及用語，使用者須分別學習各種檢索方法，浪費很多時間。

(3) 缺乏有經驗的線上檢索館員。

(4) 使用者收費的困擾。

(5) 使用時間受到主機的限制，不一定能在圖書館開放時間內使用。

(6) 檢索到書目資料來源後，缺乏資料館藏地，仍需花時間查尋原件，無法滿足讀者的完全需求。

(7) 機器設備的維修需要額外的人員及費用。

# 三　線上檢索服務的基本要素

資料庫、設備與費用、人員是進行線上檢索服務的四項基本要素，茲將此四項要素在建立時應注意的事項分析如下。

1. **資料庫**

資料庫是指以機讀方式組成的有系統的電腦記錄❸。資料庫可因應各種不同的需要，提供各種資訊，並可依資料的主題或用途等性質加以分類。

a. 線上資料庫的種類

線上資料庫在1965年間大約只有12到20個可供利用，但到了1970年時已增加至300個左右❹。而根據線上資料庫名錄（Directory of Online Databases）的統計，至1990年時，資料庫總量已達4700個❺，成長的速度相當快。 不僅是資料庫的數量龐大，資料庫的內容亦包羅萬象；依資料庫的性質可歸類如下❻：

(1) 參考性資料庫（Reference databases）：提供指引性資料，以供進一步查詢原始文獻者，又分為二種：

　　(a)書目式資料庫（Bibliographic databases）：包括圖書、期刊、專論及技術報告等之書目資料和內容摘要。

　　(b)轉介性資料庫（Referral databases）：又稱為名錄式資料庫（Directory databases），包括學會名錄，人名錄，公司名錄及電腦軟、硬體名錄等。

(2) 內容性資料庫（Source databases）：提供完整的數據或全文資料，包括三種：

　　(a)數據式資料庫（Numeric databases）：提供原始數據或統計資料，包括財務、人口、普查資料、研究成果等。

　(b)文字數據混合性資料庫（ Textual-Numeric data-
　　bases ）：提供文字和數據資料，如字典及手冊等。

　(c)全文式資料庫（ Full-text databases ）：提供原始
　　的全文資料，如百科全書、法庭上之判決文、報紙文
　　章及規格等。

　b. 資料庫的選擇與評估

　　資料庫的種類繁多，圖書館應視本身的性質與讀者的需求來
選擇資料庫。由於資料庫總數日益增多，資料庫的品質不一，因
此在選擇資料庫時更應加以分析評估，以下茲列舉數項要點作爲
判斷資料庫的依據❶：

　(1)　了解資料庫涵蓋的學科範圍及資料類型是否完整以及其
　　　涵蓋的時間範圍爲何。

　(2)　資料庫的時效性：原始資料製成資料庫所需的時間愈短
　　　愈好，即資訊需求者獲得新穎資料的機會愈大。

　(3)　資料庫索引製作的方法如何？是否提供索引典供參考？

　(4)　資料庫是否包含全文資料或提供摘要供檢索？

　(5)　不同資料庫間資料重疊的比例大小？

　(6)　資料庫中資料量的多寡以及每年的成長率如何？

　(7)　資料庫更新的頻率爲何？是否按時更新？

　(8)　資料庫的錯誤率及資料格式的一致性如何？

　(9)　檢索的方法是否易於理解及使用？

　(10)　檢索時，提供的檢索點（ Access Points ）有多少？

　(11)　是否提供使用手冊或指南等書面式參考資料？

⑿ 資料庫的價格。

## 2. 設備及費用

線上檢索系統所需要的設備有⓲：

a. 硬體：包括電腦的輸入／輸出裝置、中央處理機、輔助性儲存媒體（如：磁碟、磁帶、磁片等）以及終端機或個人電腦等。選擇終端機時應考慮下列幾項因素：(1)費用；(2)品牌；(3)買斷或租用；(4)維修問題；(5)功能；(6)速度；(7)和通訊網路之相容性；(8)易於操作；(9)印出設備的品質；⑽產生的音量大小⓳。

b. 軟體：即系統程式，用來執行各項指令以使檢索過程能有效地進行。通常是由資訊檢索服務公司提供各種軟體。

c. 資料庫：由資料庫製作者負責製作，再經由資訊檢索服務公司提供給使用者檢索。

d. 通訊網路：用來連接電腦主機和使用者之終端機，以便傳遞檢索指令及各種訊息。目前較著名之通訊網路為 Telenet 及 Tymnet 兩種。

e. 電話：通訊網路是用來作長距離的通訊，而通訊網路和終端機間則是靠電話連線。

f. 數據機（Modular／Demodular，簡稱MODEM）：由於電腦和終端機間傳輸的是數位訊號(Digital Signals)，而通訊網路間傳輸的是類比訊號（Analog Signals），因此需經由數據機負責兩者間訊號的轉換，以使兩者能互相溝通。

提供線上檢索服務所需的費用則包括 ⑳：

a. 終端機費用：含購買或租賃費用以及維修費等。

b. 通訊費：即利用電話線及通訊線路所需的費用。

c. 資料庫使用費：使用資料庫的費用，依各資料庫使用時間多寡計算。

d. 線上或線外印出費：使用者若需原件資料時，可依其需求以線上或線外方式印出，因此應付資料印製費用。此外，除了上述各項線上檢索所需的費用外，尚需考慮其他相關費用，如：人事訓練費、設備費、管理費及輔助性參考資料購置費等。

我國「國際百科資料供應業務」線上檢索服務系統，由於使用國際衛星電信線路，因此設備及費用的計算略有不同；應包括：一次應繳付之費用（含國內數據電路接線費、數據機、數據終端設備）、通訊費（含連線費及使用費）以及用戶每月最低通訊費㉑。

## 3. 人 員

### a. 檢索人員應具備的特質

線上檢索人員是資訊需求者和資料之間的橋樑，檢索人員能力的優劣直接影響到線上檢索的成效；尤其在目前線上檢索仍屬於一項非常昂貴的服務時，如何在有限的成本及時間內，滿足資訊需求者的要求則是相當重要的。因此，線上檢索人員的素質就特別值得重視。

有多位學者都曾針對線上檢索人員應具有的特質加以探討㉒。

歸納言之，一位優秀的檢索人員應儘量要求自己符合下列特質❷：

  (1)  具備良好的能力及個人素養：

     (a)要有服務的熱忱，樂意協助他人。

     (b)要有耐心，具良好的溝通技巧。

     (c)有自信，能夠迅速作出決策。

     (d)具邏輯分析的概念，能掌握重要概念並加以組織。

     (e)有良好的英文基礎，熟英文字彙及拼字；打字速度要快速正確，如此可節省檢索時間。

  (2)  對線上檢索有通盤的認識：

     (a)熟悉檢索系統的指令及語法。

     (b)熟悉檢索的基本概念和規則，如：布林邏輯和切截等方式的用法。

     (c)熟諳控制語彙（ Controlled Vocabularies ）及自然語言（ Natural Language ）的運用，並了解兩者的優、缺點。

     (d)了解資料庫的特性及變化情況，並且善用各種參考資料。

  (3)  具備良好的學習精神：願意不斷地學習，對於檢索的方式及本身的缺點都能勇於接受批評並改進。

b. 線上檢索人員之訓練

    線上檢索人員在面對不斷增加的新資料庫及資訊檢索服務公司時，唯有不斷地自我充實與學習才能維持線上檢索的品質。線上檢索人員訓練的目的即在讓檢索人員能正確地使用線上檢索系統，進而提昇線上檢索服務的成效。線上檢索人員的訓練計劃可分為三種層次進行❷：

(1) 一般性指導：

此類的訓練對象主要是圖書館內的所有人員，其目的在
使圖書館內部的人員能了解線上檢索服務的作業情形，
以便答覆讀者一般性的查詢。訓練的內容應說明線上檢
索服務的申請程序、洽詢人員、提供服務的時間以及項
目等。

(2) 線上檢索之基本訓練：

主要是針對剛擔任檢索工作或即將負責檢索工作的人員
而設計之訓練，使其對線上檢索能有初步的認識並學習
檢索的方式。內容應說明線上檢索的意義、資料庫的種
類、各種設備之使用方式等。

(3) 線上檢索人員的繼續訓練：

主要的對象是有經驗的檢索人員，以使其檢索技巧更熟
練；內容包括複習線上檢索的程序，討論最近的發展趨
勢並交換個人經驗等。

線上檢索人員訓練或充實的途徑則有下列幾種❷：

(1)參加圖書館學系所或圖書館學會所舉辦的專業研習課
程，以獲得線上檢索的通盤概念。

(2)參加資訊檢索服務公司定期舉辦的線上檢索訓練課程
或研討會。

(3)參加資料庫製作者針對本身製作的資料庫所提供的訓
練課程。

(4)利用電腦輔助訓練（Computer Assisted Training）

套裝軟體自我學習，例如：DIALOG系統的ONTAP
（ Online Training and Pratice ）資料檔即可供自
我學習。

(5)由圖書館內部的資深人員負責指導及訓練新進的檢索
人員。

(6)隨時利用機會自我充實，如：閱讀專業性期刊及使用
手冊等。

# 四　線上檢索進行的程序

線上檢索進行的方式有三種類型❷：

1. 由參考館員或資訊中間人（ Intermediary ） 在了解讀
者的需求後，代讀者進行線上檢索。

2. 由讀者和資訊中間人共同合作協商，並同時使用終端機
檢索。

3. 由讀者（ 即所謂的資訊需求者〔 end-user 〕 ）自行利
用終端機檢索。

目前線上檢索的進行方式多採用第一種，即由資訊中間人
（通常是由參考館員擔任）代為檢索。本部份所討論的內容也是
依據第一種方式的進行程序而加以說明。

## 1.　檢索前應注意的事項

並非所有的參考問題都需利用線上檢索來回答。一般來說，
適用線上檢索的情形有下列數種❷：

    a. 檢索主題需相當深入且涵蓋的範圍較大時；

    b. 希望對某一主題作完整性地查詢時；

    c. 當利用人工查詢後仍一無所獲時；

    d. 回答較困難而無法利用現有的工具書查詢的問題時；

    e. 當檢索的主題非常新穎時。

因此如何確定讀者的問題及需求是否需要利用線上檢索來回答就是非常必要的過程；要了解讀者的需求，最好的方式是在檢索前先進行面談。在面談時，館員應告知讀者下列事項：a.費用的計算方式；b.可獲得的資料型式；c.取得資料所需的時間；d.說明線上檢索的限制；e.說明所提出的問題是否適合進行線上檢索。此外，在面談時應僅量了解讀者使用其他類型參考資料的過程，並與其討論檢索的主題、選擇適當的資料庫、決定檢索的步驟；同時說明系統的特性、檢索的程序等，以確使線上檢索的過程能順利㉘。

### 2. 線上檢索的步驟

進行線上檢索的步驟如下㉙：

    a. 透過參考面談，了解讀者的資訊需求及檢索目的。

    b. 選擇適當的檢索系統及資料庫。

    c. 針對讀者的問題，挑出可作爲檢索項的重要概念，並確定各概念間的相關性。

    d. 找出可代表重要概念的各種關鍵字或關鍵詞。

    e. 依檢索系統要求的指令和語法，列成正式的檢索策略。

    f. 準備一種以上的檢索策略，以便在檢索結果不理想時可立即重新檢索。

g. 實際上機檢索，鍵入檢索策略。

h. 在進行檢索的過程中，隨時評估檢索結果是否符合所需。

i. 根據評估的結果判斷是否需要鍵入另一項檢索策略，重新再進行檢索。

根據上述的 9 項步驟，可將進行檢索的步驟繪製成圖二，以作為檢索人員的參考❸。

### 3. 線上檢索的評估

評估線上檢索的目的是為了了解線上檢索的查詢結果是否能滿足讀者的資訊需求❸，以作為改善線上檢索服務的依據。根據美國圖書館學會之參考及成人服務部門（Reference and Adult Service Division ，簡稱 RASD）的建議，線上檢索評鑑的步驟有五項：a.評鑑的目標必須明確，而且是可計量的；b.必須確定評鑑用的表格及方法，以蒐集讀者所回饋的資訊；c.實際地進行評鑑活動；d.評鑑的結果需加以分析解釋，以了解導致檢索結果不滿意的原因，並提出可行的改進方法；e.確實執行各項改進的方案，以達成評鑑的目標❸。

為能有效地獲得評鑑所需的數據和資料，管理線上檢索服務時，應準備一些基本的表格，如：檢索申請表（Search reguest form ）、檢索策略工作單（Search strategy Worksheet）、檢索記錄表（Search log ）、檢索評鑑表（Search evaluation form ）等❸，以記錄檢索的策略，檢索的過程與結果；由這些表格所蒐集的資料來加以分析，便可得知使用線上檢索的次數及

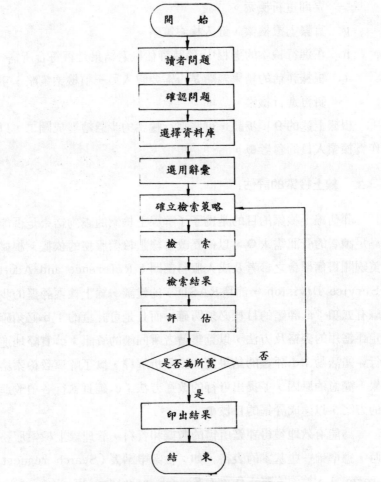

**圖二　進行線上檢索之流程圖**

資料來源：張鼎鍾，「資訊時代的參考服務」，中國圖
書館學會會報 46 期（民 79 年），頁 27。

讀者的滿意程度，如此便可用來評估線上檢索服務的必要性及品質成效。

## 五　線上檢索服務對讀者服務的影響

　　圖書館提供線上檢索服務之後，對傳統的作業方式與服務型態都產生了不小的影響，以下茲就線上檢索服務對讀者服務的影響論述如下。

### 1.　使用者是否收費的問題

　　使用線上檢索查詢資料是否需收取費用，一直是頗受爭議的問題。贊成收費者認為線上檢索是針對個人獨特的需求而提供的服務，其獲得的結果並不能使圖書館的其他讀者受惠，因此使用者需為自己所得到的福利付費。而持反對意見的人士則認為線上檢索服務是參考服務的延伸，既然圖書館對傳統參考服務並不收費，那麼提供線上檢索服務亦不應向讀者收費 ❸❹。

　　此外，圖書館對讀者提供線上檢索利用指導是否也需收費呢？在學習線上檢索的過程中，最好是能有實際上機操作的經驗；而這項費用應由誰負擔呢？若由讀者自行付費，則參加這項利用指導的讀者將少之又少；若是由圖書館付費，則長期下來勢必會成為圖書館一項沈重的經濟負擔了 ❸❺。

　　因此，線上檢索服務對讀者服務所產生的影響之一便是圖書館傳統上免費服務的精神受到考驗。重點在於線上檢索究竟是一項商品呢？或是一種服務呢？這是在考慮線上檢索服務是否應收費時，需先加以界定的問題。

## 2. 提供線上檢索服務可能會影響圖書館參考館藏的發展

根據藍開斯特（F. W. Lancaster）和古德和（ Herbert Goldher ）所進行的調查顯示目前採用線上檢索服務的圖書館對其在印刷式參考資料的採購尚未產生重大的影響 ❸。但可以確定的是線上檢索服務的提供對圖書館的財力負擔已更加重；長久下來，圖書館勢必得面臨一項困難的抉擇——提供線上檢索服務並同時訂購索引、摘要等印刷式工具書，或者是提供線上檢索但適量地削減部份印刷式工具書之訂購。無論是採行何者方式，對圖書館的參考館藏之發展均會有所影響。

線上檢索對採訪業務的正面影響是可作爲採購圖書資料時的參考。圖書館員可根據線上檢索所得的參考文獻對館內的參考館藏進行評估，以決定那些資料常被引用，應繼續訂購；那些資料較少被利用，則可考慮停止訂購 ❸。

## 3. 線上檢索服務的提供將促使館際合作業務更加活躍

由線上檢索所查得的參考書目，並非在館藏中均有收藏；當讀者要求取得原始資料時，有些資料就需透過館際複印或館際互借的方式取得，因此館際合作業務將因而更爲活躍 ❸。

線上檢索使讀者能接觸更多的資訊來源，然而圖書館在有限的能力下，要爲讀者提供更完善的服務時，就需更積極地擴展館際合作的領域了。

### 4. 參考館員未來的角色定位

圖書館的功能之一是教育讀者利用資訊。當線上檢索服務開始提供後，有人認爲圖書館員的角色將轉變爲資訊的提供者，即由圖書館員利用終端機查詢資料提供給讀者利用，而非教導讀者如何有效地利用圖書館資源，因此教育讀者的功能在讀者服務中便完全被抹除了❸。

事實上，此種情形在資訊需求者（end-user）逐漸參與檢索工作後已漸轉變。雖然資訊檢索服務公司不斷地推出適合資訊需求者自行操作的檢索系統，但是在資料庫不斷地增加、檢索方法不斷地改進下，資訊需求者（讀者）可能無法迅速地因應各種變化，因此參考館員在此一趨勢下便又需擔負起教育讀者利用線上檢索系統的功能了。

未來的參考館員不僅是指導讀者利用線上檢索的教育者，同時亦是在讀者無法自行檢索時，代替讀者進行線上檢索的資訊中間人。

## 六 結 論

線上檢索服務的優點，使資訊的傳播更爲迅速便利，但其在應用上仍有缺點尚待改進；未來線上檢索服務將朝這些方向研究改進。以下是幾項值得注意的發展趨勢：

1. 資料庫製作者將增多：有更多的出版商會將其出版品以電腦化產品發行，並提供給資訊檢索服務公司供讀者查詢。這些出版商都是未來資料庫之製作者❹。

2. 全文資料庫將大量增加：早期的資料庫主要是以書目性資料庫爲主，無法提供原始資料；但是目前，大多數讀者均希望能夠直接從資料庫中取得原始文獻。此一需求將促使資訊檢索服務公司開發更多的全文資料庫供讀者查詢❹。

3. 資料庫重新整合與標準化：資料庫內容重疊和檢索指令不一致的問題，是目前線上檢索所遭遇的困難之一，資訊檢索服務公司應設法克服技術及政策上的限制，以便爲使用者提供更便利的檢索服務❹。

線上檢索服務使得專業館員能獲得較多的成就感與肯定；增加了館員和讀者間溝通的機會；同時更吸引了不少新讀者進入圖書館利用各種資源，可說是爲傳統的讀者服務注入新的動力。然而如何使傳統的讀者服務在面對資訊技術的衝擊時，能結合新科技，化阻力爲助力，以開創新境界，則仍需圖書館員的努力，爲圖書館在資訊社會中求得新定位。

## 附　註

❶ 吳麗麗，〈淺談資訊技術對圖書館讀者服務的衝擊及影響〉，《中國圖書館學會會報》44 期（民 78 年），頁 113-116。

❷ Donald T. Hawkins and Carolyn P. Brown, "What is an Online Search ?," *Online* 4 ( Jan. 1980 ): 12.

❸ 李德竹，〈資料庫與線上檢索服務〉，《圖書館學與資訊科學》5

卷1期（民68年），頁80。

❹ Stephen P. Harter, *Online Information Retrieval*: *Concepts,
Principles, and Techniques* ( Orlando: Academic Press,
1986 ), p.5.

❺ M. Lynne Neufeld and Martha Cornog, " Database History:
From Dinosaurs to Compact Discs, " *Journal of the
American Society for Information Science* 37:4 ( July
1986 ): 185.

❻ Charles P. Bourne, " Online Systems: History, Technology,
and Economics, " *Journal of the American Society for In-
formation Science* 31 ( May 1980 ): 155.

❼ R. E. Hoover, ed., *The Library and Information Manager's
Guide to Online Services* ( New York: KIP, 1980 ), pp.
11-13.

❽ 莊道明，《我國臺灣地區國際百科線上資訊檢索服務調查之研究》
（臺北：漢美，民79），頁34。

❾ 張鼎鍾，〈線上資料庫的簡況與展望〉，沈寶環教授七秩華誕籌備委
員會編，《沈寶環教授七秩榮慶祝賀論文集》（臺北：學生書局，民
78年），頁105。

❿ 同❾，頁107-109。

⓫ 同❸ ，頁87-89； 胡歐蘭，《參考資訊服務》，修訂再版(臺北：
學生書局，民73年），頁256-257；同❾ ，頁109-110；范豪
英，〈從醫學圖書館看線上檢索〉，《教育資料與圖書館學》 18卷
4期（民70年），頁110-112。

⓬ 胡歐蘭，《參考資訊服務》，修訂再版（臺北：學生書局，民73年），

頁 257-259；范豪英，〈從醫學圖書館看線上檢索〉，《教育資料
與圖書館學》18卷4期（民70年），頁112-114；同 **⑨** ，頁
110。

**⑬** Heartsill Young, ed., *The ALA Glossary of Library and Information Science* ( Chicago： American Library Association, 1983 )，p. 66.

**⑭** Neufeld and Cornog, op. cit., pp. 188-189.

**⑮** 引自 Carol Tenopir, " The Most Popular Databases," *Library Journal* 116 ( April 1, 1991 )：96.

**⑯** Stephen P. Harter, *Online Information Retrieval：Concepts, Principles, and Techniques* ( Orlando：Academic Press ), pp.6-8.

**⑰** 同❸ ，頁86；William A. Katz, *Introduction to Reference Work*. Vol.2： *Reference Services and Reference Processes*, 5th ed. ( New York：McGraw-Hill, c1987 )，p.110-112；Martha E. Williams, " Criteria for Evaluation and Selection of Databases and Database Services," in *Managing Online Reference Services*, ed. Ethel Auster ( New York： Neal-Schuman Publishers, 1986 )，pp.30-32.

**⑱** 胡歐蘭，《參考資訊服務》，修訂再版（臺北：學生書局，民73年），頁208-210。

**⑲** Tze-chung Li, *An Introduction to Online Searching* ( Westport, Conn.： Greenwood Press, 1985 )，p.65.

**⑳** Ibid., pp.67-68.

**㉑** 黃世雄，《現代圖書館系統綜論》（臺北：學生書局，民74年），

頁 129-130。

**㉒** 參見T. Bellardo, "What Do We Really Know about Online Searchers ?," *Online Review* 9（June 1985）: 223-239.

**㉓** 陳秀盡，〈線上資料庫暨資訊服務系統〉，《中國圖書館學會會報》44期（民78年），頁104；Mary M. Hammer, "Search Analysts as Successful Reference Librarians," *Behavioral & Social Sciences Librarians* 2（Winter 1981／Spring 1982）: 21-29; Rosemarie Riechel, "Online Information Retrieval in the Public Library: Staff Selection and Development for Quality Service," *Reference Librarian* 25／26（1989）: 619-623.

**㉔** Riechel, *op. cit.*, pp. 623-628.

**㉕** 陳秀盡，〈線上資料庫暨資訊服務系統〉，《中國圖書館學會會報》44期（民78年），頁104-105。

**㉖** Joann H. Lee, ed., *Online Searching: The Basics, Setting, and Management*. 2nd ed.（Englewood, Colo.: Libraries Unlimited, 1989）, p. 12.

**㉗** William A. Katz, *Introduction to Reference Work*. Vol. 2: *Reference Services and Reference Processes*, 5th ed.（New York: McGraw-Hill, c 1987）, p.89-90.

**㉘** Bruce D. Bonta, "Online Searching in the Reference Room," *Library Trends* 31（Winter 1983）: 499.

**㉙** Harter, *op. cit.*, p.125.

**㉚** 張鼎鍾，〈資訊時代的參考服務〉，《中國圖書館學會會報》46期，頁27。

❸❶ F. W. Lancaster, *If You Want to Evaluate Your Library* ( Champaign, Ill.: Univ. of Illinois, Graduate School of Library and Information Science, 1988 ), p. 129.

❸❷ Richard W. Blood, "Evaluation of Online Searches," *RQ* 22 ( Spring 1983 ): 267.

❸❸ Ibid., p.268.

❸❹ Carolyn G. Weaver, "Free Online Reference and Fee-Based Online Services: Allies, Not Antagonists, " *Reference Librarian* 5/6 ( Fall/Winter 1982 ): 112.

❸❺ 同❶，頁 119 。

❸❻ F. W. Lancaster and Herbert Goldher, "The Impact of Online Services on Subscriptions to Printed Publications," in *Managing Online Reference Services*, ed. Ethel Auster ( New York: Neal-Schuman Publishers, 1986 ), pp.372 - 384.

❸❼ 同❷❺，頁 105 。

❸❽ 同❸❼，頁 105-106 。

❸❾ Trudy A. Gardner, "Effect of On-Line Data Bases on Reference Policy, " *RQ* 19 ( Fall 1979 ): 73.

❹⓿ Richard Harris, "The Database Industry: Looking into the Future, " *Database* 11 ( Oct. 1988 ): 42 -43.

❹❶ Ibid., p.43.

❹❷ Simone Klugman, "Online Information Retrieval Interface with Traditional Reference Services, " *Online Review* 4 ( Sep. 1980 ): 271.

# 參 考 書 目

## 一、中文部份

李德竹。〈資料庫與線上檢索服務〉。《圖書館學與資訊科學》5卷1期（民68年），頁79-103。

吳麗麗。〈淺談資訊技術對圖書館讀者服務的衝擊及影響〉。《中國圖書館學會會報》44期（民78年），頁111-121。

胡歐蘭。《參考資訊服務》。修訂再版。臺北：學生書局，民73年。

范豪英。〈從醫學圖書館看線上檢索〉。《教育資料與圖書館學》18卷4期（民70年），頁106-117。

徐金芬。〈線上資料庫檢索的讀者指導〉。《中等教育》39卷1期（民77年），頁74-78。

陳秀盡。〈線上資料庫暨資訊服務系統〉。《中國圖書館學會會報》44期（民78年），頁95-109。

莊道明。《我國臺灣地區國際百科線上資訊檢索服務調查之研究》。臺北：漢美，民79年。

莊道明。〈我國臺灣地區國際百科線上資訊檢索服務調查之研究〉。沈寶環教授七秩華誕籌備委員會編。《沈寶環教授七秩榮慶祝賀論文集》。臺北：學生書局，民78年。

莊道明。〈公共圖書館提供線上檢索服務可行性之考量〉。《臺北市立圖書館館訊》5卷4期（民77年），頁59-62。

張鼎鍾。〈線上資料庫的簡況與展望〉。沈寶環教授七秩華誕籌
　　備委員會編。《沈寶環教授七秩榮慶祝賀論文集》。臺北：
　　學生書局，民78年。

張慧銖。〈線上檢索——在參考服務上的重要性〉。《書香》3期
　　（民78年），頁27-32。

黃世雄。《現代圖書館系統綜論》。臺北：學生書局，民74年。

# 二、英文部份

Anderson, Barbara E. "Ready Reference Using Online
　　Databases." *Reference Librarian* 15（Fall 1986）：
　　225-235.

Anderson, Charles R. "Budgeting for Reference Services
　　in an On-Line Age." *Reference Librarian* 19 (1987)：
　　179-195.

Auster, Ethel , ed. *Managing Online Reference Services.*
　　New York：Neal-Schuman, c1986.

Bellardo, T. "What Do We Really Know about Online
　　Searchers?" *Online Review* 9（June 1985）：223-
　　239.

Blood, Richard W. "Evaluation of Online Searches." *RQ*
　　22（Spring 1983）：266-277.

Bonta, Bruce D. "Online Searching in the Reference

Room. " *Library Trends* 31 ( Winter 1983 ) : 495-510.

Breen, Margret L. "Charging for Online Search Services in Academic Libraries. " *College & Research Libraries News* 48 ( July/Aug. 1987 ) : 400-402.

Brunelle, Bette S., and Cuyler, Alison E. "Adapting Online Database Systems for Reference Service. " *Reference Librarian* 5/6 ( Fall/Winter 1982 ) : 93-98.

Byerly, G. *Online Searching : A Dictionary and Bibliographic Guide.* Littleton, Colo.: Libraries Unlimited, 1983.

Champlin, Peggy. "The Online Search : Some Perils and Pitfalls. " *RQ* 25 ( Winter 1985 ) : 213-217.

Chenoweth, Russ. "The Integration of Online Searching in Reference Service. " *Reference Librarian* 5/6 ( Fall/Winter 1982 ) : 119-127.

Clayborne, Jon. "Online Searching-Reference Librarians and Reference Publishers Meet the Challenge Together. " *Reference Librarian* 15 ( Fall 1986 ) : 201-208.

Cogswell, James A. "On-Line Search Services : Implications for Libraries and Library Users." *College & Research Libraries* 39:4 ( July 1978 ) : 275-280.

Faibisoff, S. G., and Hurych, J. "Is There a Future for the End User in Online Bibliographic Searching?" *Special Libraries* ( Oct. 1981 ) : 347-355.

Fidel, R. "Do User Charges Affet Online Searching Behavior?" *Proceedings of the 46th ASIS Annual Meeting* 20 ( Oct. 2-6, 1983 ) : 132-134.

Friend, L., and Bonta, B. "Reference Use of Online Databases: An Analysis. " *Proceedings of the 2nd National Online Meeting* 2 ( Mar. 1981 ) : 213-220.

Gardner, Trudy A. "Effect of On-Line Data Bases on Reference Policy. " *RQ* 19 ( Fall 1979 ) : 70-74.

Halperin, Michael. "Database Choice: A Practical As- sessment. " *Reference Librarian* 5/6 (Fall/Winter 1982 ) : 187-194.

Hammer, Mary M. "Search Analysts as Successful Re- ference Librarians. " *Behavioral* & *Social Sciences Librarians* 2 ( Winter 1981/Spring 1982 ) : 21-29.

Harter, Stephen P. *Online Information Retrieval: Con- cepts, Principles, and Techniques.* Orlando: Academic Press, 1986.

Harter, Stephen P., and Fenichel, Carol H. " Online Sear- ching in Library Education. " *Journal of Education for Librarianship* 23 ( Summer 1982 ) : 3-22.

Hawkins, Donald T., and Brown, Carolyn P. "What is an

Online Search?" *Online* 4 ( Jan. 1980 ) : 12-18.

Hitchingham, Eileen ; Titus, Elizabeth ; and Pettengill, Richard. "Online Services at the Reference Desk." *Porceedings of the 45 th ASIS Annual Meeting* 19 ( Oct. 17-21, 1982 ) : 133-134.

Hurych, Jitka. "The Professional and the Client : the Reference Interview Revisited." *Reference Librarian* 5/6 ( Fall/Winter 1982 ) : 199-205.

Katz, Bill, and Clifford, Anne. *Reference and Online Services Handbook.* New York: Neal-Schuman, 1982.

Katz, William A. *Introduction to Reference Work.* Vol. 2 : *Reference Services and Reference Processes.* 5 th ed. New York: McGraw-Hill, c1987.

Klugman, Simone. "Online Information Retrieval Interface with Traditional Reference Services." *Online Review* 4 ( Sep. 1980 ) : 263-272.

Krieger, Tillie. "Online Searching and Its Place in the Library School Curriculum." *Reference Librarian* 18 ( Summer 1987 ) : 239-253.

Kusack, James M. "Integration of On-Line Reference Service." *RQ* 19 ( Fall 1979 ) : 64-69.

Lamprecht, Sandra J. "Online Searching and the Patron: Some Communication Challenges." *Reference Librarian* 16 ( Winter 1986 ) : 177-185.

Lee, Joann H., ed. *Online Searching: The Basics, Setting, and Management*. 2nd ed. Englewood, Colo.: Libraries Unlimited 1989.

Li, Tze-chung. *An Introduction to Online Searching*. Westport, Conn.: Greenwood Press, 1985.

Neufeld, M. Lynne, and Cornog, Martha. "Database History: From Dinosaurs to Compact Discs." *Journal of the American Society for Information Science* 37 ( July 1988 ): 183-190.

Norton, R. A., and Westwater, J. "Starting End-users." *Aslib Proceedings* 38 (1986): 381-386.

Oberman, Cerise. "Management of Online Computer Services in the Academic Reference Department. " *Reference Librarian* 5/6 ( Fall/Winter 1982 ): 139-142.

Ojala, Marydee. "End User Searching and its Implications for Librarians. " *Special Libraries* 76 ( Spring 1985 ): 93-99.

Rice, Jr., James. "Fees for Online Searches : A Review of the Issue and A Discussion of Alternatives. " *Journal of Library Administration* 3 ( Spring 1982): 25-34.

Riechel, Rosemarie. "Online Information Retrieval in the Public Library: Staff Selection and Development for

Quality Service. " *Reference Librarian* 25/26
(1989) : 617-629.

Roose, Tina. " Integrating Online Searching with Refer-
ence Service. " *Library Journal* 112 ( June 1, 1987):
86-87.

Roose, Tina. "Online Bibliographic Searching in Cooper-
ative Reference Networks. " *RQ* 21 (Summer 1982):
325-329.

Shaw, Debora. "Nine Sources of Problems for Novice
Online Searchers. " *Online Review* 10 (Oct. 1986):
295-303.

Shuman, Bruce A. "Online and Manual Searches : A Com-
parison. " *Reference Librarian* 5/6 ( Fall/Winter
1982 ) : 173-180.

Somerville, Arleen N. "The Pre-Search Reference Inter-
view-A Step by Step Guide. " *Database* 5 ( Feb.
1982 ) : 32-38.

Surprenant, Thomas T., and Perry-Holmes, Claudia.
"The Reference Librarian of the Future : A Scenario."
*RQ* 25 ( Winter 1985 ) : 234-238.

Tenopir, Carol. "Online Data Bases-Decision Making by
Reference Libra ians. " *Library Journal* 113 ( Oct.1,
1988 ) : 66-67.

Tenopir, Carol. "The Most Popular Databases." *Library*

*Journal* 116 ( April 1, 1991 ) : 96, 98.

Wanger, J. "Evaluation of the Online Search Process : A Preliminary Report. " 3*rd International Online Information Meeting* 3 ( Dec. 1979 ) : 1-11.

Weaver, Carolyn G. "Free Online Reference and Fee-Based Online Services : Allies, Not Antagonists. " *Reference Librarian* 5/6 ( Fall/Winter 1982 ) : 111-118.

Williams, M. E. "Online Retrîeval— Today and Tomorrow." *Online Review* 2 (1978) : 353-366.

# 讀者服務的溝通問題：參考晤談

周曉雯

## 一 前 言

參考服務是讀者服務中十分重要的一環，卡茲（William A. Katz ）認爲：「參考工作就是回答問題的過程。」❶而據瑞提（Jamese Rottig）所說：「參考服務在理論上可定義爲一種人際溝通的過程，其目的是向需要資訊的人提供資訊，方法有二：一是直接給予讀者所需資訊；另一是間接地供給其適宜的資料來源，或敎導讀者如何由資料來源中找到所需資訊。」❷可見溝通在參考服務上扮演舉足輕重的角色，且參考服務的最終目的是讓讀者滿意。因此藉由晤談、諮詢等溝通管道，找出讀者眞正的內在問題需求，便成爲整個參考服務程序的樞紐，也是掌握參考服務成敗的關鍵。

## 二 參考晤談的意義及類型

### 1. 參考晤談的意義

參考晤談的本質是溝通，因此欲瞭解參考晤談的意義，必先瞭解溝通的含意。所謂溝通是指一個人將意含（meaning）傳至另一個人的過程，包括了發送者、媒體、訊息、接受者四部份❸。而參考晤談（reference interview）是圖書館參考館員及其使用者之間，為了找出使用者的真正資訊需求所作的人際溝通，其與問題諮詢（question negotiation）同義❹，又可稱為參考面談❺，其目的在於正確地釐清和辨認讀者內在的問題與需求❻。

## 2. 參考晤談的類型

參考晤談中諮詢（query）的內容無論是口頭的表達或見諸書面文字皆涵蓋於其內❼。但近年來因線上檢索興起而衍生的晤談需求，由於別有特色而自成一類，故將參考晤談的類型分為一般參考問題的晤談及為線上檢索之需的晤談二大類，茲分述如下：

a. 一般參考問題的晤談

根據傳播媒介或方式的不同可區分為三種：

(1) 傳統式面對面的晤談；

(2) 電話諮詢服務；

(3) 書面諮詢溝通。

b. 為線上檢索之需的晤談

為線上檢索之需而進行的晤談，因大多數是需要和使用者面對面進行溝通，藉由討論後的立即回饋來訂定或修正檢索策略，故也可算是面對面晤談的一種，而根據目的的不同，又可區分為檢索前及檢索後晤談：

(1) 檢索前（pre-search）晤談：

　　指在進行線上檢索之前，爲了釐清需求以訂定檢索策略
　　而進行的晤談。

(2)　檢索後（ post-search ）晤談：
　　是在檢索之後，針對檢索結果進行檢討或進一步修正檢
　　索策略，以利繼續檢索。

# 三　參考晤談的目的及必要性

　　參考晤談最主要的目的是釐清讀者問題，以找出讀者眞正的
內在需求，並收集充份的資訊以提供成功的服務。良好的晤談有
助於問題的分析與解答。

## 1.　一般性參考問題需進行晤談之因

　　一般讀者需要和圖書館館員進行晤談，約可歸納爲下列幾個
原因❽：

　　a．讀者對於圖書館收藏，缺乏質量及深度上的瞭解。
　　b．讀者往往缺乏使用參考書的知識。
　　c．讀者對專門術語缺乏瞭解。
　　d．讀者未能確定目標和需要。
　　e．讀者常會提出一些不相關、不完整的問題。
　　f．讀者本身對問題有誤解。
　　g．讀者記憶錯誤，需館員引導其回想。
　　h．澄清讀者問題。

## 2.　爲線上檢索之需進行晤談之因

　　除了上述原因需進行晤談之外，由於線上檢索晤談的目的與特色，還有下列幾項因素：

　a. 檢索前晤談之因：❾

　(1)　線上檢索是付費服務，要藉由晤談擬定策略以節省費用。

　(2)　線上檢索多半是由館員操作。

　(3)　若有錯誤，修正成本高。

　b. 檢索後晤談之因：

　(1)　檢討檢索結果。

　(2)　進一步修正檢索策略，做爲下一次檢索的依據，使檢索結果更精確。

　　綜合上述各種原因，可知參考晤談實有進行的必要性。另外值得注意的是有些讀者因個性害羞，不瞭解館員功能，未曾受教導去請教館員，對館員印象不佳，對參考室櫃臺生畏，術語障礙，年齡因素，經驗因素，認爲自己懂得比館員多等因素，可能不敢或不願向館員提出問題❿，或者有些讀者不願透露找資料的理由和用途，這些類型的讀者並非不需要晤談，所以圖書館館員更應主動積極地藉由晤談瞭解他們的需求，提供適當的服務。

## 四　溝通理論

　　參考晤談既是一種溝通的過程，所以首先應對溝通的理論及模式有所認識。

### 1.　向農－魏佛（ Shannon-Weaver ）溝通模式 ⓫

　　此溝通理論模式，最初是由向農（Claude Shannon）提出，主要說明資料訊息經由傳送者傳輸至接受者乃至於目標者的過程，值得強調的是，在傳輸的過程中有噪音之干擾，因此傳輸的信息，可能完全或不完全正確；後由魏佛（Warren Weaver ）加以圖表組織化，如圖一所示。

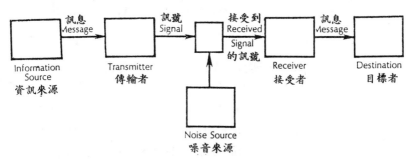

### 圖一　向農－魏佛（ Shannon-Weaver ）溝通模式

資料來源：Stuart Glogoff, "Communication Theory's
　　　　　Role in the Reference Interview," *Drexel
　　　　　Library Quarterly* 19（ Spring 1983）：
　　　　　58．

### 2.　法瑞克（ Vavrek ）及其修正溝通模式 ⓮

　　由法瑞克（ Bernard Vavrek ）提出，其主旨闡明館員與讀者之間參考晤談的溝通管道，如圖二，原來僅是單向，後來由於體認回饋在溝通過程的重要性，故修正為圖三所示的情況，此模

式中特別強調的是回饋的程序，即館員對讀者的問題所作的回應，
其重視的是雙向而非單向的溝通。

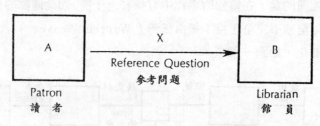

圖二　法瑞克（Vavrek）溝通模式

資料來源：Stuart Glogoff, "Communication Theory's
　　　　　Role in the Reference Interview," *Drexel*
　　　　　*Library Quarterly* 19（Spring 1983）：
　　　　　59．

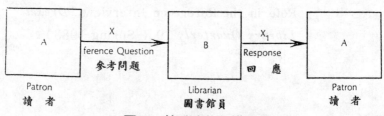

圖三　法瑞克修正溝通模式

資料來源：Stuart Glogoff, "Communication Theory's
　　　　　Role in the Reference Interview," *Drexel*
　　　　　*Library Quarterly* 19（Spring 1983）：
　　　　　60．

### 3. 瑞提（Rettig）溝通模式 ⓭

由瑞提（James Rettig）所提出，此模式更加強交互回饋（mutual feedback）的重要性，顯示館員與讀者之間，必須彼此相互給予回饋，是一種持續不斷的循環過程，如圖四所示。

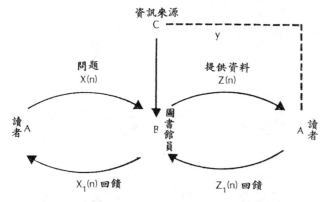

**圖四　瑞提（Rettig）溝通模式**

資料來源：Stuart Glogoff, "Communication Theory's Role in the Reterence Interview," *Drexel Library Quarterly* 19（Spring 1983）：59.

### 4. 沈寶環敎授之溝通組合：⓮

沈寶環敎授曾引用行爲科學專家海里斯（Thomas A. Harris）闡釋人際關係時的排列組合精神，來說明圖書館館員與讀者溝通時可能發生的情況，如圖五，其中：

㈠ 「問對」「答對」，爲最圓滿的服務；

㈡ 「問對」「答錯」，爲最嚴重的缺失；

㈢ 「問錯」「答對」，爲最幸運的表現；

㈣ 「問錯」「答錯」，爲最荒謬的情況。

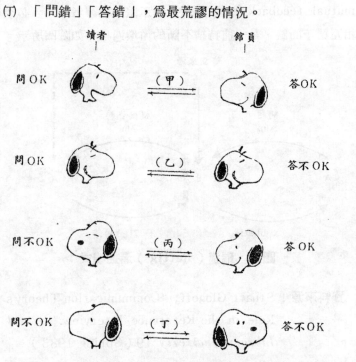

**圖五　沈寶環教授提出之溝通組合**

資料來源：沈寶環，〈聽！仔細的聽：「圖書館員與讀者之間如何溝通」問題之研究〉，《中國圖書館學會會報》41期（民國76年12月），頁40。

　　綜合上述，可歸納成圖六所示之簡單的溝通模式❻，其強調生生不息的循環特性，以及回饋的重要性，當然外在環境的噪音干擾也是不容忽視的。

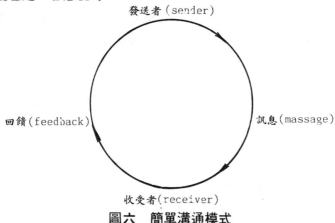

圖六　簡單溝通模式

資料來源：鄭雪玫，「人際溝通與讀者服務」，沈寶環
　　　　　教授七秩華誕籌備委員會編，《沈寶環教授七
　　　　　秩榮慶祝賀論文集》（台北：學生書局，民
　　　　　78年），頁118。

## 五　參考晤談的溝通技巧

　　基本的溝通技巧可分為發送技巧與接受技巧二大部份。發送技巧包括說、寫、非語言文字的表達，接受技巧包括聽、讀、非語言文字的感受❻。而一個參考館員在進行參考晤談時，應兼顧發送及接受技巧，以進行良好的溝通，方能有成功的晤談成果。

## 1. 面對面的晤談技巧

　　包括一般性參考問題及為線上檢索之需所進行的晤談。顧名思義，面對面的晤談，是指彼此都可見到對方行為，聽到對方說話內容及語調的一種溝通方式，它的特徵就是在溝通的過程中包含了口語（ verbal ）及非口語（ non-verbal ）的溝通，所以就分別談談這二部份的溝通技巧。

　a. 口語的溝通技巧

　　語言是溝通時使用最普遍的方法，在參考晤談時應注意的口語溝通技巧有下列幾項：

　(1)　注意聆聽並加以記憶：

　　　　「聽」是一切溝通的起點，仔細聆聽讀者所說的話，並加以記憶，甚至配合適當的回饋，才能掌握問題的重心，正確地瞭解讀者的需求❶。在聽說讀寫的技巧中，運用最多的是聽，但却是接受最少教育和訓練。聆聽是一門藝術，也是一種複雜而困難的技巧，有效的聽與說話同等重要，但却比說話更難做好。而沈寶環教授曾為文提出圖書館員「聽」的十則❶：

　　　　(a)注意力集中。

　　　　(b)以溫和、同情的眼光望著讀者。

　　　　(c)不可打斷讀者的話。

　　　　(d)不要催促讀者。

　　　　(e)不懂的問題，以委婉的口吻請求讀者澄清。

　　　　(f)對於離譜的問題不可發笑。

(g)不可以諷刺讀者。

(h)要控制自己的情緒。

(i)比較複雜的問題，要做速記或簡單的筆記。

(j)有時要以身體語言（ Body Language ）（ 如點點頭、微笑、輕拍對方肩頭、手式等動作 ）以表贊許，鼓勵詢問的讀者盡所欲言。

館員應主動傾聽，並隨時保持準備傾聽。

(2) 適時判斷 ⑲：

必須在獲得足夠資訊後才對讀者的問題做判斷，過早的假設，可能會曲解讀者原意，甚至會造成強迫讀者接受館員意見的傾向，應予以避免。

(3) 以語言反應感受 ⑳：

嘗試正確地反映或解釋讀者的陳述和感覺，可以幫助瞭解讀者的需求。

(4) 重述 ㉑：

重述是溝通回饋的重要部份，其存在的理由有四：

(a)可以增加讀者的安全感。

(b)可以提供讀者思考的機會。

(c)可以誘發讀者的發言。

(d)是處理沈默的技巧之一，以鼓勵讀者繼續發言。

重述時可將讀者的話完完整整地重述一次，亦可採歸納技術，重述重點即可。

(5) 詢問問題：

館員問問題的技巧有三 ㉒：

(a)開放性問題（ Open Question ）：

　不限制讀者如何回答，適用於晤談初期，或讀者對其

　主題及問題有較清楚的概念，並能有效地用語言表達

　時使用。

(b)封閉性問題（ Closed Question ）：

　讀者只能在限定的答案中做選擇，或做是、不是的答

　覆。適用於晤談後期或讀者無法明確提供相關訊息時。

(c)中立諮詢法（ Neutral Questioning ）：

　其本質在於使圖書館館員能夠從使用者的觀點去瞭解

　讀者的諮詢需求。其是屬於開放式問題的部份集合，

　其特徵在於用詞比較結構化。

此三者的關係如圖七所示，而三者的問話方式之比較則

可參考表一，館員可交互運用這三種方式。

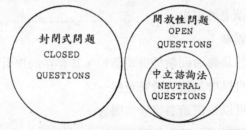

## 圖七　開放性、封閉性及中立諮詢法之關係

資料來源：Brenda Dervin and Patricia Dewdney,

　　　　 "Neutral Questioning: A New Approach

　　　　 to the Reference Interview," *RQ* 25

　　　　（ Summer 1986 ）：509.

### 表一　參考晤談中問話的三種型式

每一個例子，讀者內在的問題是：「你有任何大公司詳細資料嗎？」

| A. 封閉式問題 | B. 開放式問題 | C. 中立式問題 |
| --- | --- | --- |
| 你要年度報告嗎？ | 你要那一種資料？ | 假如你能告訴我你問題的種類，我將會有較好的答案來幫助你。 |
| 是國家性或國際性公司？ | 你所謂的大公司意指為何？ | 你想知道的大公司是什麼樣的？ |
| 你是否要找一特定公司？ | 什麼公司是你所感興趣的？ | 告訴我一點關於你計劃如何使用這些資訊的想法。 |

資料來源：Brenda Dervin and Patricia Dewdney, "Neutral Questioning：A New Approach to the Reference Interview," *RQ* 25 （Summer 1986）：510.

(6)　鼓勵：
對於讀者陳述問題，應適時運用短句，如：請舉個實例等，來鼓勵讀者繼續說下去。

(7)　適時中止：
在晤談中館員不可打斷或改變主題，待問題澄清後方可結束問題。

(8) 提供建議和可行方案：

根據讀者需求，提出可行的建議，以供查尋資料的參考。

b. 非口語的溝通技巧

在我們語言導向的文化中，常常將溝通視爲一種完全用言辭表達的行爲。而人們在進行口語傳播時，常常只曉得專注於有聲訊息的內容，而忽略了無聲訊息的存在。想想我們在學習的過程中花了多少時間在增進口語上的辭彙能力？雖然語言文字的重要性不容忽視，但它也只是我們用來和別人溝通的方法之一而已，畢竟人出生後最先接觸的，還是各種早在我們瞭解語言文字之前就會應用的非口語訊息，而且人們口語上的表達有時無法完全明白地說出心中眞正的意思，或偶有辭不達意、言不由衷的情形，然而非口語的溝通訊息，往往是顯示內在需求的意涵。再者，根據柏爾惠斯特（Ray Birdwhistell）指出， 在兩個人面對面的溝通過程中，來自語言文字的社敎意義只有 35％，換言之，有65％的意涵是由非口語訊息傳遞的❷。這正說明了非口語訊息的重要性。

對於參考晤談而言，無論是從讀者身上獲得非口語訊息，或館員以非口語訊息鼓勵、引導讀者陳述其資訊需求，非口語溝通都扮演著重要的角色。因此，欲使晤談有效而成功，對於非口語溝通技巧的掌握不得不重視。

(1) 肢體語言的溝通：

舉凡面部表情、手勢、點頭、姿勢……等等可見之體態動作所傳遞的訊息，稱爲肢體語言的溝通。面部的表情可以表現出一個人的心境與認知程度，以及說明了口語的真實內涵意義。如圖八所示 ❷，每個人說同一句話，但從表情中可以讀出不同的意思，館員應善加運用表情，並觀察讀者表情，以便彼此的意思能被瞭解。另外，微笑也是讓讀者願意發問的有效利器。

**圖八　不同面部表情傳遞不同訊息**

**資料來源**：羅賓斯（James G. Robbins）、瓊斯（Barbara S. Jones）合著；李啓芳主譯，有效的溝通技巧（Effective Communication for Today's Manager）台北：中華企業管理發展中心，民74），頁54。

手勢也是肢體語言十分重要的一部份。是否曾注意到我們講電話時，常常不由自主地運用很多手勢來加強語氣，即使對方並無法看見。這說明了手勢對語言的配合，是一種自然的反應，也使得意念能更清楚的表達，甚至有時手勢也可以代替語言。

另外適時的點頭具有增強、鼓勵的作用，它可以表示瞭解或正在仔細聆聽，而使讀者有信心繼續說明其需求㉖。所以適時運用點頭，可讓讀者有被尊重之感，使晤談更加流暢。

不同的姿勢可以表現出友善、優越、不耐煩、敵對的態度，應儘量保持和緩、輕鬆的姿勢。

(2) 視覺的溝通㉗：

「眼睛是靈魂之窗」是大眾公認的事實，我們也常說：「你有一雙會說話的眼睛」、「一個人的眼睛不會說謊」，因此眼睛傳達的訊息十分豐富，而眼神的接觸也成了溝通的重要因素。事實上，眼睛在溝通的過程中肩負接收及發送訊息的雙重任務，所以在晤談時，適當的注視對方，可以讓讀者感覺說話的內容被重視，並且受到歡迎，但必須注意過份專注的凝視也會讓人有侷促不安之感。同時在晤談時也要好好觀察讀者所有細微的反應，做為瞭解其真正需求的參考。

(3) 聲音的溝通㉘：

聲音的溝通亦可稱之為次語言（ paralinguistics ），它能反映我們內在的反應、感受與態度，舉凡音調、音量、音質、語氣、語調、頻率、節奏⋯⋯等等，都會影響我們發送口語訊息所帶給人的感受，同樣地我們也可從別人的聲音中獲得一些情緒訊息。

(4) 空間的溝通：

在溝通的過程中，所坐或所站的地方，也具有訊息價值。例如：環境的舒適程度，兩個人坐的位置，站著交談的距離等，都會影響溝通時的感覺及流程的順暢與否。在諮商的領域中，諮商室沙發位置的安排，是很受重視的，如圖九所示，C是比較好的溝通位置。相同的道理，用於參考晤談，若採A的方式進行長時間晤談，桌子無形中就成為一種障礙，形成地位對立隔閡的象徵，最好避免❷。因此，在圖書館空間的安排上，不僅應注意參考諮詢臺在參考室的位置，也可對設置的必要性加以研究。至於距離，人類學家郝爾（Edward Hall）對空間現象及其所溝通內容，曾做過廣泛研究，此研究發展為「proxemics」的新領域，其指出不同文化背景的人處理空間距離會有所不同，他研究結果指出：兩個不熟識的北美男士，站著交談最舒適的距離，大約為兩呎左右，但許多其他文化的人們，可能喜歡站得比較近些❸。近年來有關圖書館建築或空間配置的研究，已注意

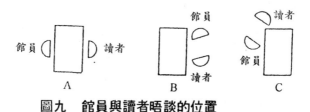

**圖九　館員與讀者晤談的位置**

資料來源：劉焜輝，《企業諮商》（台北：天馬，民77），頁43。

到參考諮詢臺在參考室中位置，如何擺設較利於讀者利用，說明了圖書館讀者導向的經營趨勢。距離太遠有疏離感，太近有壓迫、進攻的感覺，所以適當的距離，在晤談中也是需注意的。

(5) 時間的溝通 ㉛：

在線上檢索前的晤談，經常會採預約的方式，此時準時成為讓對方感到被尊重的必要條件，是良好溝通的開始。除此之外，諸如說話、移動或手勢的速度，會顯示人內在緊張的程度、感受，甚至一個人的性格，因此，時間反映的訊息，在溝通上也有其價值存在。

## 2. 電話諮詢技巧

電話諮詢服務與面對面晤談最大的差別在於看不到對方，屬於間接式的溝通，因此除了聲音、語調之外，其他非口語的溝通都無法派上用場，而且問答的時間往往也比較短，所以館員必須在簡短的對話中找出讀者的問題所在，因此適當地技巧運用是十分重要的。

電話諮詢著重於口語溝通的技巧，與前述口語溝通技巧部份差異不大，故不再冗述，其中仔細聆聽和詢問重述特別重要，因為聽成為唯一的接受管道，必須專注聆聽，釐清問題重點；而詢問及重述技巧的運用更能一步步判斷問題的類別，縮小主題範圍，找出問題的重心。

非口語的溝通技巧上，在看不見任何表情的狀況下，聲音表情就顯得格外重要了，聲調、語氣就成為判斷讀者是否真正瞭解或滿意的唯一指標。

同樣地，館員的聲音表情也是影響讀者感受的重要因素，因此，開放式的自我介紹，親切的口氣及電話禮貌，都是應注意的條件。

### 3. 書面的溝通技巧

書面溝通的優點是使對方可以保存資訊，必要時可以隨時拿出來研究，其具有讓分散在不同地方的許多人可以看到相同資訊的特徵❷。然其最大的缺點就是無法立刻得到對方的反應。此種溝通不僅看不見對方的任何動作表情，甚至聽不到聲音、語調，因此許多口語、非口語的技巧在此也無用武之地，全靠語文的修養。館員在覆函時須掌握簡潔有條理的原則，措辭必須適當，語氣必須有禮，方可達到與讀者溝通的目的。

由於通訊科技的迅速發展，使得文件傳遞加速，而利用網路的連接，將來電子郵件的普及，將對書面溝通產生重大變革。因為線上的及時交談改進了書面溝通無法立即反應的缺點，所以許多口語的溝通技巧又可用於書面溝通上，只是須把口語訊號轉為文字訊號而已。

## 六　參考晤談的步驟

參考晤談是一種反覆溝通的過程，其步驟如下所述❸：

1. 讀者陳述問題。
2. 館員重覆讀者問題。

3.　澄清問題。

4.　深入分析問題。

5.　館員對讀者詢問。

6.　擬定檢索策略。

7.　進行檢索。

8.　決定檢索結果是否符合需求。

　　若檢索結果不符需求，則再予以澄清、分析眞正的需求，經由不斷循環的粹鍊，直到讀者滿意爲止。流程圖見圖一○。

# 七　參考晤談的原則

　　進行參考晤談時應注意以下原則 ❹：

1.　記住晤談是一種人際關係，參考館員在和一個人會談，而非和一部機器打交道，故應將讀者的求知慾看得很重要。

2.　從交談中瞭解讀者及其所提及的問題。

3.　參考館員應設身處地爲讀者著想，進而表現出對讀者意見的重視。

4.　切勿在會談時獨佔，但適當地控制場面實屬必要。

5.　尊重個人隱私權，提供適當場地。

6.　以輕鬆愉快的態度與讀者討論問題，讓其感到安然自在。

7.　控制場面，使其不致偏離討論主題之範圍。

8.　避免以盛氣凌人、敎導、敎訓的態度與讀者晤談。

9.　不知道的事「不知爲不知」的答覆。

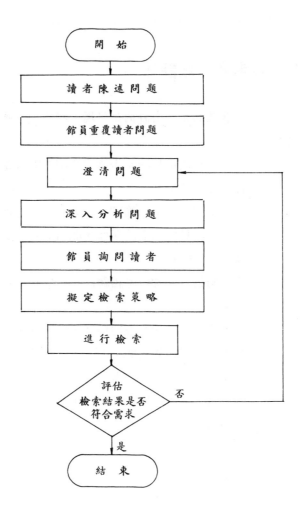

圖一○　參考晤談流程圖

10. 不願接受幫忙的讀者，不應予以強迫。

# 八　參考晤談之評估

晤談之成效必須藉由評估來呈現，評估項目應包括下列四要項❸：

1. 目的：晤談的目的是否達成？讀者需求是否釐清？是否提供相關資料？
2. 內容：問題的主題範圍、深度、限制是否確實釐清？
3. 形式：館員與讀者的態度，問話形式的適切性，以及溝通時遭遇的障礙。
4. 檢索結果：查詢所得相關性、正確性，是否能滿足讀者需求？

以下為評估晤談成功與否的項目，可為評估時參考之用❸：

1. 圖書館員用開放式問題的方式諮詢讀者內心問題。
2. 鼓勵讀者討論其資訊需求。
3. 對讀者詢問予以摘要以促使相互的瞭解。
4. 和讀者有眼神的注視。
5. 完全注意讀者。
6. 記憶詢問的目的。
7. 讓讀者覺得輕鬆舒適。
8. 遵循讀者思想的訓練。
9. 對讀者需表現同理心（empathy）。
10. 對非口語訊息有所反應。

# 九　參考晤談技巧的訓練

　　在圖書館學的教育中，比較缺乏有系統地訓練館員如何進行參考晤談，因此在面對讀者進行晤談時，鮮少有人一開始就能嫻熟地運用各種溝通的技巧，達成完美的晤談，館員除了靠經驗的累積和開闊的胸襟，去改善參考晤談的結果之外，並且要確定溝通的能力並非天生，而其技巧是可學習而得的。因此在此介紹二種在企業界經常使用於溝通技巧訓練的方式——交流分析（Transcational Analysis）及敏感度訓練（Sensitivity Training），以期對參考晤談之增進有所幫助。

## 1.　交流分析（Transcational Analysis，簡稱 TA）

　　交流分析是由柏尼（Eric Berne）所提出，原先的目的是要協助心理病人能夠思考和討論自己所遭遇的困難，而後被管理學者普遍運用成爲管理溝通訓練的輔助工具❸⑦。

　　交流分析認爲每一個人都是在一種比較性心理狀態中與別人進行溝通，其基本假設是將自己和談話對象所屬之特定自我狀態分爲父母型、成人型及兒童型三種，其特質分別如下❸⑧：

　　a.　父母型自我狀態（Parents Ego State，　於圖中以 P 表
　　　　之）：

　　指一個人會根據他早年在其他大人身上觀察到的言行舉止，而採取權威導向的行爲。

　　b.　成人型自我狀態（Adults Ego State，於圖中以 A 表之）：

指一個人是處於一種有認識力和有理性的過程中，採取理性、客觀而合邏輯的方式去蒐集資訊而建立言論。

c. 兒童型自我狀態（Children Ego State，於圖中以C表之）：

指一個人被相當強烈的正面性或負面性情緒所掌握，其傾向於需要被保護，需要照顧呵護，以及言行不合邏輯等情形。

在兩方各可能有三種不同的自我狀態下溝通，可能產生下列三種不同的交流情況❸：

a. 對稱型交流分析（Symmetrical TA）：

指雙方皆處於同一階層之心理狀態，而進行溝通，溝通的方向是平行的，其中以成人狀態對成人狀態的溝通為良好的溝通狀態（圖一一）。

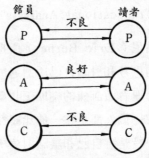

圖一一　對稱型交流分析

資料來源：廖又生老師所授「圖書館管理」課程筆記。

b. 互補型交流分析（Complementary TA）：

指互補狀態之溝通，如父母型對兒童型心理狀態之溝通。為良好之溝通方式（圖一二）。

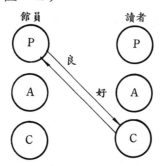

**圖一二　互補型交流分析**

**資料來源**：廖又生老師所授「圖書館管理」課程筆記。

c. 交叉型交流分析（Crossed TA）：

刺激與反應是處於二種不同的心理狀況，如圖一三所示，雙方各說各話，形成交叉型之溝通線，爲不良的溝通方式。

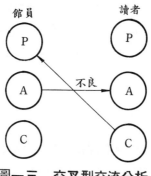

**圖一三　交叉型交流分析**

**資料來源**：廖又生老師所授「圖書館管理」課程筆記。

d. 隱藏型交流分析（Ulterior TA）：

指有弦外之音的溝通，維持表面和諧，其實衝突性很大，應儘量避免，且應化隱藏爲清晰，方能有良好的溝通（圖一四）。

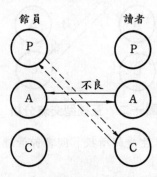

**圖一四　隱藏型交流分析**

資料來源：廖又生老師所授「圖書館管理」課程筆記。

透過交流分析之訓練，培養對人群關係較正確的觀察及分析態度，在以後的溝通過程中則可以利用公式化的溝通情況，觀察自己和別人的能力，分辨所涉及的各種狀態，以調整自己應對的行爲，找出有效的應付方法。

2. 敏感度訓練（Sensitivity Training）

敏感度訓練又稱實驗室訓練（Laboratory Training），於1940年代晚期由布萊德福（Leland Bradford）和他的同事們所建立的理論，並由美國緬因州成立實驗室加以提倡。它是一種領導能力和人格的發展，透過強烈的情感經驗，來改進個人與他人有效相互影響的能力❹。

　　而參考晤談中館員應具備敏銳的觀察力、判斷力及反應能力，利用敏感度訓練所採用團體動態學及非指導性諮詢觀念來訓練人員對人群關係的感受性。基本上就是訓練人瞭解小團體之互動狀況，能正確感受他人的情緒，進而產生影響或引導的作用，此對非語言溝通將有很大助益❹。

　　除了這兩種訓練之外，在傾聽能力、角色扮演、說話用辭技巧的訓練也是不容忽視的。而館員本身也應有所警惕，想要提供良好的讀者服務，就應好好充實本身晤談的能力，除了加強圖書館學、心理學、諮商輔導、管理學、傳播學……等各方面的理論知識及技巧之外，最重要的是時時細心觀察，處處用心體會，以培養自身的觀察力、判斷力、反應力、表達能力以及分析能力，並把握每一次服務的機會，累積經驗方能純熟而靈活地運用各種溝通技巧，以奠立成功晤談的基礎。

# 十　結　論

　　人無時無刻都在進行溝通，即使一個人面無表情且不和任何人說話，也都傳遞了某種訊息，產生了溝通的事實。圖書館事業是一種服務的事業，在以讀者為重心的服務導向中，有效的溝通便是良好服務的鑰匙，而成功的參考晤談，便是讀者服務令人滿意的象徵。所以，如何利用溝通晤談的技巧，探求讀者內在真正的資訊需求，以提供適宜的服務，是圖書館館員所應必備的能力。

# 附　註

❶ William A. Katz, *Introduction to Reference Work*, 5th ed. Vol. 1 Basic Reference Sources ( New York: McGraw-Hill, 1987 ), p. 3.

❷ James Rettig, " A Theoretical and Definition of the Reference Press, " *RQ* 18 ( Fall 1978 ): 26.

❸ 沈寶環，〈聽！仔細的聽：「圖書館員與讀者之間如何溝通」問題之研究〉，《中國圖書館學會會報》41期（民76年12月），頁39。

❹ *The ALA Glossary of Library and Information Science*, s.v. " Reference Interview. "

❺ 胡歐蘭，《參考資訊服務》，修訂再版(臺北：學生書局，民73年)，頁136。

❻ Linda J. Long, "Question Negotiation in the Archival Setting Up: The Use of Interpersonal Communication Techniques in the Reference Interview, " *American Archivist* 52 ( Winter 1989 ): 41.

❼ 沈寶環，《西文參考資料》（臺北：學生書局，民74年），頁6。

❽ 顧敏，〈問答式的知識傳播服務〉，《中國圖書館學會會報》32期（民69年12月），頁47-48；Eillis Mount, " Communication Barriers and Reference Question, " *Special Libraries* 59 ( October 1966 ): 576-578.

❾ Arleen N. Somerville, " The Pre-Search Reference Interview: A Step Guide, " *Database* 5 ( February 1982 ): 32.

⑩ Katz, op. cit., pp. 42-43.

⑪ Stuart Glogoff, "Communication Theory's Role in the Reference Interview," *Drexel Library Quarterly* 19 ( Spring 1983 ): 57-58.

⑫ Ibid., pp. 57, 59-60.

⑬ Ibid., pp. 59, 61.

⑭ 同❸，頁 39-40。

⑮ 鄭雪玫，〈人際溝通與讀者服務〉，沈寶環教授七秩華誕籌備委員會編，《沈寶環教授七秩榮慶祝賀論文集》（臺北：學生書局，民 78 年），頁 118。

⑯ 羅賓斯（ James G. Robbins ）、瓊斯（ Barbara S. Jones ）合著；李啓芳主譯，《有效的溝通技巧》（ Effective Communica- tion For Today's Manager ）（ 臺北：中華企業管理發展中心，民 74 年），頁 3。

⑰ Edward J. Jenneric, "The Art of the Reference Interview," *Indiana Libraries* ( Spring 1981 ): 11, 13.

⑱ 同❸，頁 44。

⑲ Jennerich, op. cit., p. 11.

⑳ Ibid.

㉑ 劉焜輝，《企業諮商》（臺北：天馬，民 77 年），頁 50-51。

㉒ Brenda Dervin and Patricia Dewdney, "Neutral Questioning: A New Approach to the Reference Interview," *RQ* 25 ( Summer 1986 ): 508-510.

㉓ Jennerich, op. cit., p. 11.

㉔ Joanna Lopez Munoz, "The Significance of Nonverbal Communication in the Reference Interview," *RQ* 16 ( Spring 1977 ) : 220.

㉕ 同⑯，頁53-54。

㉖ 陳敏珍，〈參考晤談理論與運用之研究〉，《臺北市立圖書館館訊》7卷（民78年9月），頁93。

㉗ 同⑯，頁55-58。

㉘ Mount，op. cit.，pp. 576-578；同⑯，頁58-60。

㉙ 同㉑，頁43。

㉚ 同⑯，頁61。

㉛ 同㉚，頁64。

㉜ 《管理者手冊》（臺北：中華企業管理發展中心，民78年），頁136。

㉝ 同㉖，頁91。

㉞ 同⑤，頁140-141。

㉟ Marilyn Domas White，"Evaluation of the Reference Interview," *RQ* 25 ( Fall 1985 ) : 77-78.

㊱ Gerald Jahoda and Judith Schiek Braunagel，*The Librarian and Reference Queries*: *A Systematic Approach*，( New York : Acadmic Press 1980 )，p. 130.

㊲ 阿博契特（Karl Algrecht）著；尉騰蛟譯，《22種新管理工具》（ New Management Tools: Ideas and Techniques to Help Your As A Manager），二版（臺北：長河，民73年），頁97。

㊳ 同㊲，頁98-100；狄斯洛（Gary Dessler）著；王志剛譯，《管理學導論》（ Management Fundamentals），四版（臺北：華泰，民76年），頁381-383。

㊴ 廖又生老師所授「圖書館管理」課程筆記。

㊵ 〈實驗室（敏感性）訓練（Laboratory〔Sensitivity〕Training)〉，《最新企業管理大辭典》（臺北：哈佛企業管理顧問公司，民72年），頁 659 。

㊶ 〈人群關係實驗室訓練 T Groups － 幫助您了解部屬的需要〉，《企業管理百科全書》上冊，再版(臺北：哈佛企業管理顧問公司，民 70年），頁 578-579。

# 參 考 書 目

## 一、中文部份

### (1) 圖 書

狄斯洛（Gary Dessler）著；王志剛譯。《管理學導論》
　　（Management Fundamentals）。四版（臺北：華泰，民
　　76年），頁380-383。

阿博契特（Karl Algrecht）著；尉謄蛟譯。《22種新管理工具》
　　（New Management Tools：Ideas and Techniques to
　　Help Your As A Manager）。二版。臺北：長河，民73
　　年。

胡歐蘭。《參考資訊服務》。修訂再版。臺北：學生書局，民73
　　年。

國立中央圖書館閱覽組編。《參考服務研討會參考資料》。臺北:
　　編者，民73年。

《管理者手册》。臺北：中華企業管理發展中心，民78年。

劉焜輝。《企業諮商》。臺北：天馬，民77年。

羅賓斯（James G. Robbins）、瓊斯（Barbara S. Jones）合
　　著；李啓芳主譯。《有效的溝通技巧》（Effective Com-
　　munication For Today′s Manager）。臺北：中華企業管

理發展中心，民74年。

## (2)　期刊論文

〈人群關係實驗室訓練 T Groups──幫助您了解部屬的需要〉。
　　《企業管理百科全書》上冊，再版（臺北：哈佛企業管理顧
　　問公司，民70年），頁578-579。

王麗娟。〈公共圖書館諮詢服務之推展〉。《教育資料與圖書館
　　學》21卷（民72年9月），頁92-98。

牛曼惠。〈參考面談〉。《圖書館學刊》（輔大）18期（民78
　　年6月），頁22-29。

沈寶環。〈聽！仔細的聽：「圖書館員與讀者之間如何溝通」問
　　題之研究〉。《中國圖書館學會會報》41期（民76年12
　　月），頁35-45。

周業仁。〈參考館員與讀者之間溝通行爲之探討〉。《書府》9
　　期（民77年6月），頁41-45。

高錦雪。〈參考服務的基本觀念和技巧〉。《中國圖書館學會會
　　報》32期（民69年12月），頁29-36。

陳敏珍。〈參考晤談理論與運用之研究〉，《臺北市立圖書館館
　　訊》7卷（民78年9月），頁88-96。

陳善捷。〈參考服務的新觀念〉。《教育資料與圖書館學》22卷
　　（民74年3月），頁256-265。

鄭雪玫。〈人際溝通與讀者服務〉。沈寶環教授七秩華誕籌備委
　　員會編。《沈寶環教授七秩榮慶祝賀論文集》。臺北：學生
　　書局，民78年。

顧敏。〈問答式的知識傳播服務〉。《中國圖書館學會會報》32
　期（民69年12月），頁44-49。

## 二、西文部份

### (1) 圖　書

DeHart, Florence E. *The Librarian's Psychological Com-
　mitments*: *Human Relations in Librarianship*. Westport,
　Conn.: Greenwood Press, 1979.

Gorden, Raymond L. *Interviewing*: *Strategy, Techniques,
　and Tacitics*. 3rd ed. Homewook, Ill.: Dorsey
　Press, 1980.

Harris, Thomas A. *I'm OK-You're OK*: *A Practical
　Guide to Transactional Analysis*. New York: Harper
　& Row, 1967.

Jahoda, Gerald and Braunagel, Judith Schiek. *The Li-
　brarian and Reference Queries*: *A Systematic Ap-
　proach*. New York: Academic Press, 1980.

Katz, William A. *Introduction to Reference Work*. 5th
　ed. New York: McGraw-Hil, 1987.

Mathews, Anne J. *Communication*! *A Library's Guide to
　Interpersonal Relations*. Chicago: ALA, 1983.

McGarry, K. J. *Communication Knowledge and the libra-*

*rian*. London: Clive Bingley, 1975.

Riechel, Resemarie. *Improving Telephone Information and Reference Service in Public Libraries*. New York: Library Professional Publications, 1987.

Yates, Rochelle. *A Librarian's Guide to Telephone Reference Service*. New York: Library Professional Publications, 1986.

## (2) 期刊論文

Aron, Guy. " Active Listening in the Reference Interview: A Tafe Perspective. " *Australasian College Libraries* 6 ( March 1988 ): 29-32.

Auster, Ethel and Lawton, Stephen B. "Search Interview Techniques and Information Gain as Antecedents of User Satisfaction with Online Bibliographic Retrieval. " *Journal of the American Society for Information Science* 35 ( March 1984 ): 90-103.

Awaritefe, M. " Psychology Applied to Librarianship. " *International Library Review* 16 ( January 1984 ): 27-33.

Budd, John. " The User and the Library: A Discussion of Communication. " *Reference Librarian* 20 (1987): 205-221.

Bunge, Charles A. " Interpersonal Dimensions of the

Reference Interview: A Historical Review of the Literature. "*Drexel Library Quarterly* 20 ( Spring 1984 ) : 4-23.

Cronin, Blaise and Martin, Irene. " Social Skill Training in Librarianship. "*Journal of Librarianship* 15 ( April 1983 ) : 105-122.

Dervin, Brenda and Dewdney, Patricia. " Neutral Questioning : A New Approach to the Reference Inter - view. " *RQ* 25 ( Summer 1986 ) : 506-513.

Dewdney, Patricia. " The Effective Reference Interview. " *Canadian Library Journal* 45 ( June 1988 ) : 183-184.

Durrance, Joan C. " The Influence of Reference Prac - tices on the Client Librarian Relationship. "*College & Research Libraries* 47 ( January 1986 ) : 57-67.

Glogoff, Stuart. " Communication Theory's Role in the Reference Interview. " *Drexel Library Quarterly* 19 ( Spring 1983 ) : 56-72.

Goldie, Judith and Pritchard, Jacki. " Interview Methodology- Comparison of Three Types of Interview : One to One, Group and Telephone Interviews. " *Aslib Proceedings* 33 ( February 1981 ) : 62-66.

Hauptman, Robert. " The Myth of the Reference Interview. " *Reference Librarian* 16 ( Winter 1986 ) : 47 -52.

Jennerich, Edward J. " The Art of the Reference Inter-
view. " *Indiana Libraries* ( Spring 1981 ) : 7-18.

Jennerich, Edward J. and Jennerich, Elaine Zaremba.
" Teaching the Reference Interview. " *Journal of
Education for Librarianship* 17 ( Fall 1976 ) : 106-
111.

Jerram, L. " Personal Interaction and the Library User."
*Assistant Librarian* 80 ( December 1987 ) : 189-192.

Kaplan, Ellen J. " Effective Interviewing." *Special Lib-
braries* 67 ( February 1976 ) : 63-67.

Kent, Eben L. The Search Interview. Edited by Joann
H. Lee. *Online Searching* : *The Basic,Settings, and
Management*. 2nd ed. Englewood, Colo : Libraries
Unlimited, 1989.

Lamprecht, Sandra J. " Online Searching and the Pa-
tron: Some Communication Challenges. " *Reference
Librarian* 16 ( Winter 1986 ): 177-184.

Land, Mary. " Librarians' Image and Users' Attitudes
to Reference Interviews. "*Canadian Library Journal*
45 ( February 1988 ) : 15-20.

Lederman, Linda Costigan. " Fear of Talking: Which Stu-
dents in the Academic Library Ask Librarians for
Help?" *RQ* 20 ( Summer 1981 ) : 382-393.

Long, Linda J. " Question Negotiation in the Archival

Setting Up: The Use of Interpersonal Communication Techniques in the Reference Interview. " *American Archivist* 52 (Winter 1989 ) : 40-50.

Lukenbill, W. Bernard. " The OK Reference Department-Using Transactional Analysis on Evaluation Organizational Climates. " *RQ* 15 ( Summer 1976 ) : 317-322.

Mackeracher, Dorothy. " The Learner and the Library : There's More to Learning Than Meets the Eye. " *Library Trends* 31 ( Spring 1983 ) : 599-619.

McMurdo, George. " Psychology and Librarianship-An Appraisal of the Potential of Experimental Psychology in the Study of Librarian-Cline Behaviour. " *Aslib Proceedings* 32 ( July/August 1980 ) : 319-327.

Markey, Karen. " Levels of Question Formaulation in Negotiation of Information Need During the Online Research Interview: A Proposed Model." *Information Processing and Management* 17 ( 1981 ) : 215-225.

Merikangas, Robert J. " Theory and Practice of Library Client Interaction. " *Reference Librarian* 16(Winter 1986 ) : 297-312.

Michell, Gllian and Harris, Roma M. " Evaluating the Reference Interview: Some Factors Influencing Patrons and Professionals. " *RQ* 27 ( Fall 1987 ) : 95

-105.

Mount, Ellis. " Communication Barriers and Reference Question, " *Special Libraries* 59 ( October 1966 ) : 574-580.

Munoz, Joanna Lopez. " The Significance of Nonverbal Communication in the Reference Interview. " *RQ* 16 ( Spring 1977 ) : 218-224.

Raccagni, Laura. " Communication: The Missing Link in Reference Service. " *Current Studies in Librarianship* 2 ( Spring / Fall 1978 ) : 53-58.

Rettig, James. " A Theoretical and Definition of the Reference Process. " *RQ* 18 ( Fall 1978 ) : 19-29.

Riechel, Rosemarie. " The Telephone Patron and the Reference Interview: The Public Library Experience. *Reference Librarian* 16 ( Winter 1986 ) : 81-88.

Robinson, Barbara M. " Reference Services: A Model of Question Handling. " *RQ* 29 ( Fall 1989 ) : 48-61.

Rothstein, Samuel. " Across the Desk: 100 Years of Reference Encounters. " *Canadian Library Journal* 34 ( October 1977 ) : 395-397.

Salasin, John and Cedar, Toby. " Person to Person Communication in an Applied Research/Service Delivery Setting. " *Journal of the American Society for Information Science* 36 ( March 1985 ) : 103-115.

Sheldrick Ross, Catherine. " How to Find Out What People Really Want to Know." *Reference Librarian* 16 ( Winter 1986 ) : 19-31.

Sheldrick Ross, Catherine and Dewdney, Patricia. " Reference Interviewing Skills : Twelve Common Questions. " *Public Libraries* 25 ( Spring 1986 ) : 7-9.

Smith, Nathan M. and Fitt, Stephen D. " Active Lis - tening at the Reference Desk. " *RQ* 21 ( Spring 1982 ) : 247-249.

Somerville, Arllen N. " The Place of the Reference Interview in Computer Searching : The Academic Setting. " *Online* 1 ( October 1977 ) : 14-23.

————. " The Pre-Search Reference Interview: A Step by Step Guide. " *Database* 5 ( February 1982 ) : 32-38.

Stevens, Norman D. " The Importance of the Verb in the Reference Question. " *Reference Librarian* 22 (1988) : 241-244.

Suyak Alloway, Catherine. " The Courteous Librarian : Helping Public Service Empolyees to Keep Smilling." *Reference Librarian* 16 (Winter 1986 ) : 283-296.

Taylor, Robert. " Question -Negotiation and Information Seeking in Libraries. " *College & Research Library* 29

（May 1968 ）: 179-194.

Von Seggern, Marilyn." Evaluating the Interview. " *RQ*
29（Winter 1989）: 260-265.

White, Marilyn Domas. " The Dimensions of The Refer-
ence Interview. " *RQ* 20（ Summer 1981）: 373-381.

————. " Evaluation of the Reference Interview. "*RQ*
25（Fall 1985）: 76-84.

————. " The Reference Encounter Model. " *Drexel
Library Journal* 19（ Spring 1983）: 38-55.

# 圖書館使用者與使用研究

張安明

## 一 前 言

　　現在圖書館經營的理念，已由過去的以資料爲主，進展到目前以使用者爲主之管理方式。而要切實做好這點，不能僅閉門造車地想像服務對象之需求，及與之對應的服務方式，而是須要合理科學化的研究調查，因此之故，圖書館之使用者與使用研究便益形重要。而所謂「圖書館使用者研究」乃以使用者爲研究基礎，了解圖書館使用者的特性、使用圖書館的情形、意見、及滿意度等；而「圖書館使用研究」乃了解圖書館各項服務被使用的狀況，即其服務成效（output）的研究，較不強調使用者的特性。本文即將圖書館之此類研究分爲圖書館使用者與圖書館使用兩方面來探討。

## 二 圖書館使用者／使用研究之目的及重要性

### 1. 目 的 ❶

任何研究的進行一定有其欲達到的目的、待解答的問題、待驗證的假設，而圖書館使用者／研究一般說來有以下的目的：

a. 就決策評鑑及效能評估來講：

(1) 決定圖書館或資訊系統是否達到既定目的；

(2) 決定計畫及服務的成功程度；

(3) 建立計畫及服務項目的優先順序；

(4) 改進資訊系統、服務及設備；

(5) 協助決定計畫及服務的設計、持續、修改、廢止；

(6) 評定館藏及設備是否足夠；

(7) 解決問題，克服困難；

(8) 支持預算需求；

(9) 向母機構或支持圖書館的讀者群證明圖書館存在的責任及意義；

(10) 修正目標；

(11) 促使使用者提供建議。

b. 就使用者與圖書館互動關係來講：

(1) 決定使用者的滿意程度，對圖書館及資訊系統的意見態度；

(2) 指明使用者在使用圖書館時的成功及失敗；

(3) 加強圖書館的公共關係，了解使用者知曉圖書館活動及服務的程度，幫助讀者自我教育；

(4) 了解使用者使用圖書館的型態及程度；

(5) 了解潛在使用者與真正使用者的比例；

(6) 幫助及了解資訊傳遞；

(7)　加強使用者與資訊的結合，降低使用者及資訊間的障礙；

(8)　了解使用者的資訊需求及主題興趣；

(9)　決定服務使用者的優先順序；

(10)　界定使用者、潛在使用者、及非使用者。

c.　就使用者特性來講：

(1)　了解使用者的興趣、生活型態、意見、活動、態度、心心理狀況、人口特性；

(2)　了解使用者的新趨向及需求；

(3)　研究資訊流向及文獻使用習性；

(4)　了解使用者資訊資源的狀況，無論館內或館外使用。

d.　就科學比較研究來講：

(1)　測試假設，進行比較研究，以釐出影響結果的變數。

## 2.　重要性

該類研究簡言之乃意圖發現使用者與圖書館間種種互動關係及結果，了解圖書館服務之成功與否，並作適度之修正。其重要性具體而言如下所述：

a.　未經評鑑圖書館的業務執行（performance），則圖書館不能確定是否已使資源發揮最大功效，且亦無法了解圖書館是否能繼續滿足社會的需求，而業務執行衡量主要就以圖書館使用者與使用研究作基礎 ❷。

b.　有關使用者的任何訊息都是圖書館進行作業衡量、評鑑、計畫、決策時的重要考慮因素。

c.　使用者滿意程度之研究可說服提供經費的母機構在分配

預算時不得不從優考慮圖書館之需求。

d. 使用者／使用研究提供的訊息可使圖書館管理者在擬定
計畫及決策時，不致偏離事實；久而久之，尊重使用者
的意見及實際使用情形來做決策之圖書館，必可弭平圖
書館與使用者間之間隙 ❸ 。

又漢那巴斯（ Stuart Hannabuss ）曾爲文自資訊提供與資
訊使用兩者的觀點來談使用者研究的重要性 ❹ ：

a. 存在資訊提供者與需求者間的關係是否有效，須藉由使
用者研究方得而知。

b. 資訊提供者很難對知識架構有全盤的認識，故須資訊需
求者的協助，而此亦須藉由使用者研究。

c. 資訊提供者須研究了解需求者之資訊環境與尋求習性，
才能提供有效的服務。

## 三 研究之型態與步驟

### 1. 研究之方法與型態

綜合過去在美國地區進行之圖書館使用者／使用研究，其方
法有：問卷法、訪談法（含面對面及電話訪談）、觀察法（又有
介入或不介入觀察法之別）、實驗法、模擬法、分析統計記錄法
等 ❺ ，而研究型態約略又可分爲 ❻ ：

a. 「誰、做什麼、何時做、在那裡」（ who, what,
when, where ）

該類型研究可清楚得知使用者的一般背景資料，研究結果可直接供做決策的依據。

b. 「圖書館如何被使用，成功率又如何」

該類型研究強調 " how " 這個字，此類研究既複雜又耗時，較少被採行。

c. 「評鑑式研究」

該類型研究強調 " why " 這個字，研究圖書館為何由被使用，及在使用圖書館之後對使用者產生什麼影響。因為它牽涉至一些實驗的研究方法，故更少有圖書館進行此類研究。

## 2. 研究步驟 ❼

在規劃一個研究過程，主要應含有三個階段：規範的階段、操作的階段，及評鑑的階段。

a. 規範的（ normative ）階段

應進行釐清問題、確定研究需求、定出研究目標等工作。

b. 操作的（ operational ）階段

該階段要發展出最佳利用資源的研究策略，決定進行研究的方法，及蒐集分析資料。在該階段要考慮下列事項：人員、時間、金錢上的限制，大衆及館員之感受，可請教的專家，可獲得的資源，及政治上的考量因素。而在該階段應進行的工作有：

(1) 決定預算

可分為直接成本（例如：紙張、郵件費、工讀生經費等），與間接成本（例如：館員時間成本、工作場所之經常開支等）。成本預算的多寡直接受到研究進行之方式及規模影響，故須小心估算，以免反受其影響限制。

(2) 成立工作小組

進行複雜且規模較大的圖書館使用者／使用研究，應成立一工作小組來進行。工作小組的成員應考慮他們在研究主題上的興趣、專業知識與廣備性（professinal compatibility），及過去成功達成任務的聲譽。領導者則更須考慮他的領導術、溝通及群研工作的（group-dynamic）專長。更重要的是工作小組成員在強調以「產品」導向（"product" oriented）與強調以「過程」導向（"process" oriented）上應有所平衡。

(3) 界定研究範圍及目標

工作小組應精確地說明：藉該研究欲獲得什麼資訊？在該研究限制下它能確實獲得什麼資訊？獲得了這些資訊又將做何用途？這些問題都是在設計研究方法之前就該計畫好的。上述問題再加上工作小組確實掌握的已知資料，就可定出研究的規模、使用的研究方法、問題的型態，及記錄資訊的型態。一旦工作小組已擬出問題與假設，則便可以定出研究的目的。

而在研究進行之初，當研究範圍及目標訂定好之後，工作小組應進行：

(a)確定那些有關該圖書館和它所提供服務的資料可先獲得，從事這項工作時，和館員們的溝通是相當重要的。

(b)查閱相關文獻及他館過去曾從事的類似研究計畫。工

作小組中應至少有一人閱讀過所有蒐集到的資料，而
重要的文獻應人人皆須閱讀。

(c)將圖書館所屬母機構的任務、目標蒐集齊全，並列出
重要性的層次，以做為該研究發展、評鑑的依據。

(4) 研擬工作流程圖

確定各項工作之進行期限、負責人，並隨時記錄工作的
進展情形，以控制整個研究的進度，例如圖一。且研究
過程中產生的任何暫時性的決定或產品（例如：問卷草
稿），全體工作人員都應該知道，目的在凝聚工作群的
共識，並確保沒有遺漏重要的問題及觀點。

(5) 選定及設計研究方法

選定研究方法應先衡量各研究法之優缺點，及工作小組
的人力、財力、所掌握資源的限制，以決定最適切之研
究法。

(6) 實地進行研究

完善的研究計畫是須要有篤實的研究進行來配合，才算
成功。縱使再縝密的計畫，在實地進行中仍常有突發狀
況的產生，這須要工作小組或領導者立即做出最適當的
判斷。

c. 評鑑（evaluative）階段

(1) 分析資料，報告研究結果

可利用電腦輔助的統計工具分析資料，賦予每一筆資料
成為有意義的資訊，即研究結果。研究結果應予以正式
出版發佈，原因乃：

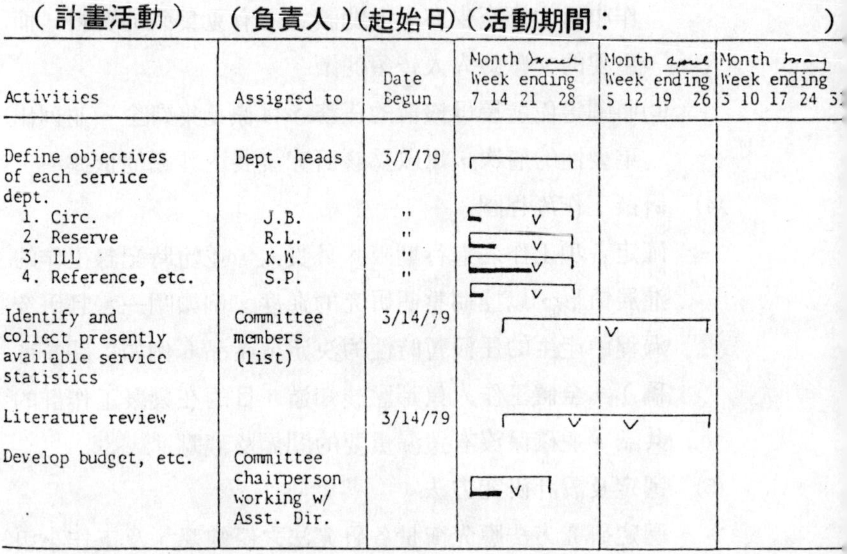

（計畫活動）　　（負責人）（起始日）（活動期間：　　　　　　　　　）

| Activities | Assigned to | Date Begun | Month ~~march~~ Week ending 7 14 21 28 | Month april Week ending 5 12 19 26 | Month ~~may~~ Week ending 3 10 17 24 3 |
|---|---|---|---|---|---|
| Define objectives of each service dept. | Dept. heads | 3/7/79 | ┌─────┐ | | |
| 1. Circ. | J.B. | " | ┌──V──┐ | | |
| 2. Reserve | R.L. | " | ┌─V──┐ | | |
| 3. ILL | K.W. | " | ┌───V┐ | | |
| 4. Reference, etc. | S.P. | " | ┌──V─┐ | | |
| Identify and collect presently available service statistics | Committee members (list) | 3/14/79 | | ┌───V──────┐ | |
| Literature review | | 3/14/79 | | V ┌ V ┐ | |
| Develop budget, etc. | Committee chairperson working w/ Asst. Dir. | | ┌──V─┐ | | |

Some standard symbols used in a planning chart:

┌　= entered under the date when a project is planned to start（計畫起始日期）

┐　= entered under the date when a project is planned to finish（計畫終止日期）

──　= time span during which the project is active（計畫進行時間）

━━　= state of progress, as shown by the length of heavy line
　　　compared to the planned（目前進度）

V　= used to identify date of progress report（預定報告日期）

Source: Carl Heyel, ed., *The Encyclopedia of Management* (New York: Van Nostrand, 1973), p.281.

圖一　　Suny 學院 Brockpork 校區圖書館使用者研究工作流程圖

資料來源：Meredith Butler, & Bonnie Gratch,
　　　　　　"Planning a User Study：the Process
　　　　　　Defined," College & Research Libraries
　　　　　　v. 43 n. 4（July 1982）：325.

(a)全館工作同仁有被告知研究結果的必要，且如此才好建立同仁們對館的進一步認識及向心力。

(b)維持良好的公共關係（不管是對館內同仁，對直屬上級機關，對他館，或是對讀者）。

(c)得到來自同仁及讀者的回饋，以持續計畫及改進圖書館的服務。

(2) 評鑑整個研究

比較成本和研究所得的利益，並比較研究結果和計畫目標，以決定該研究成功與否。

最後須注意的是，一項研究計畫的完成並非是計畫的結束，應該在研究結果的基礎之上，再發展更進一層之使用者／使用研究，以整合並持續圖書館對讀者及所提供服務的各層面的了解。

## 四　圖書館使用者研究

使用者使圖書館的存在具有意義，故圖書館使用者研究是一項重要的活動。任何有關使用者的問題，圖書館都可以最恰當的研究方法來進行調查了解。惟在研究問題的設計上應含括有圖書館欲行測試的所有假設，且應自問題的不同角度蒐集使用者的意見及資料，此外亦須顧及分析蒐集到的資料時的方便性，及各問題間的關連性❽。下列是圖書館使用者研究想了解的問題項目之一部分❾：

1.　爲什麼人們使用或不使用某類型圖書館？

2. 圖書館及館員對使用者之閱讀習慣及興趣有何影響？

3. 使用者對圖書館的資料、服務、人員、硬體設施的滿意程度是怎樣的一個情形？

4. 那一類型使用者借用那種資料？

5. 那一類型使用者使用圖書館那種服務？

6. 不同型態的讀者群其使用與不使用圖書館的主要原因？

7. 對於刺激前來使用或參與休閒性、資訊性、與勵志性資料及活動，那種方式最有效？

8. 使用者最喜用何種媒體的資料？又原因為何？

9. 城市、鄉村的讀者使用圖書館的型態有否不同？

10. 長期接觸何種大衆傳播媒體對圖書館的使用有影響？

……等等。

有關圖書館使用者研究，有以下兩點要提出來做特別說明的，一是使用者區隔，一是使用者資訊需求及行為研究：

1. 使用者區隔 ❿ ⓫

進行圖書館使用者研究最基本的要求便是希能有系統地分析研究讀者群，而管理學上的「市場區隔」（ market segmentation ）的概念即被引用在圖書館的使用者研究。

區隔可表現出特定讀者群對圖書館服務的需求，及指示服務須被做多少合理且精確的調整才能滿足這些需要。區隔的方式相當多，一般較常採用的方式有：

a. 地理區隔（ geographic segmentation ）

典型地理區隔乃地理界線，例如：縣（市）界、山川、高速公路等，可用來作圖書巡迴車路線設計參考。

b. 人口統計變數（demographic variables）

計有年齡、收入、職業、性別、種族、宗教等。

c. 「使用量」（volume）區隔

圖書館界有一現象，使用量高的讀者佔參與圖書館活動者的絕大多數，但卻是圖書館讀者群的小部分。

d. 「利益」（benefit）區隔

乃依讀者使用圖書館所為尋求達成的「利益」來做區隔，亦即使用圖書館的原因。

e. 心理變數區隔

所謂心理區隔是以社會階層、生活型態或人格特徵等心理變數為基礎，將使用者畫分成不同群體。而在同一種人口區隔中的群體，卻可能表現出極不同的心理圖像。

f. 行為變數區隔

乃以使用者對圖書館某一項服務的知識、態度、使用、或反應為基礎，再將其分為數個群體，例如：使用者之需求、使用某一服務之時機、追求之利益、使用情況及頻率、準備使用之階段及態度等。

## 2. 使用者資訊需求及行為研究

圖書館為資訊系統中的一環，故在研究圖書館使用者之際，亦應了解使用者的資訊需求及行為，如此才算是全貌地了解圖書館的讀者群。

傳統的資訊需求及行為研究已有四十年的歷史，幾乎所有的

研究都在強調行為解釋或說明，綜言之影響資訊尋求行為有如下
變數 ❷：

    a．個人特質（ individual attributes），例如：人口統計
        變數、專業學識背景、在大環境下的角色扮演、工作態
        度、對資訊價值的態度等；

    b．工作環境的特質（ work environment ），例如：組織
        的基本統計變數、工作小組的任務、溝通網等；

    c．任務的特質（ task ），例如：基礎或應用性質的任務、
        任務的擴散性（ diffuseness of task ）、資訊的汰舊率、
        計畫進行的階段、達成任務的嚴謹性等。

    在研究資訊行為上須能了解使用者的資訊尋求行為，並建立
模型說明（圖二），以方便分析研究。但是研究個別使用者之資
訊行為是較無意義的，應該是能分析歸納出一組組具共同特質的
使用者，他們的資訊行為有何共同點，各組使用者間又有何差異，
而且分組上最好能反映出層次的連續延伸（圖三），如此方能提
供資訊或圖書館管理者做決策時有意義的依據；而且反過來說，
進行研究時亦較容易控制變因。

    在此須注意，前兩個模型皆未說明一連串資訊行為中某一行
動產生的前因後果，圖四的資訊尋求概念模型便可做此說明：
「環境」及「態度」的影響下產生了「形勢」，「形勢」生成了
「刺激」，「刺激」造成了「需求」，「需求」引發了「行動」，
而人類是有智慧會思考反省的動物，再「評估行動」結果後又引
發新的「態度」，配合新的環境氣氛，一連串反覆不停的行為就
此生成。過去幾乎所有的資訊行為研究都強調「個人」及「資訊

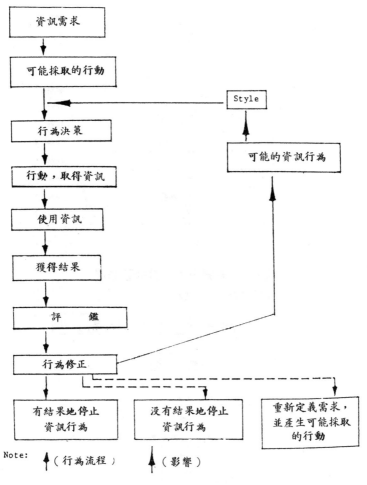

圖二　一般資訊尋求行為流程

資料來源：Colin K. Mick, George N. Lindsey, & Daniel
　　　　　Callahan, "Toward Usable User Studies,"
　　　　　Jasis v. 31 n. 5 ( Sept. 1980): 347-356.

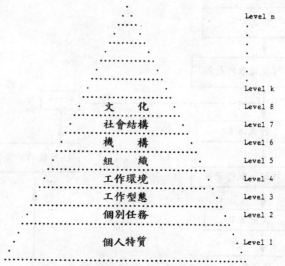

**圖三　影響資訊行爲的因素層**

資料來源：同圖二，P.351。

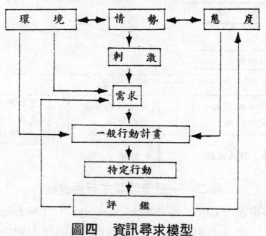

**圖四　資訊尋求模型**

資料來源：同圖二，P.352。

尋求者」，麥克（ Colin K. Mick ）等人利用上述模型所做的資訊行爲研究做了二點創新的發現：(1)環境及情勢變數較個人因素對資訊行爲的影響來得大；(2)資訊產生及尋求行爲是一體兩面的，許多資訊系統不被廣爲接受，就在忽略連結這兩項行爲。

# 五　圖書館使用研究

圖書館要提昇及更改服務，一定要進行圖書館使用研究來做爲決策的依據。使用研究可依圖書館的需要自行設計研究及蒐集資料的方法，以下要介紹的是圖書館使用研究有不少是來自圖書館作業評鑑前的資料蒐集法，皆是發展較爲完全，已具有體系，且較複雜的使用研究。

## 1.　館藏使用研究 ⑬

該研究的兩個主要目的：a. 自現有資料使用的情形來推知館藏的強弱；b. 界定出較不常使用的資料，以決定淘汰方式。

過去館藏使用研究的兩個現象，幾乎已成爲圖書館館藏使用的定律：a.過去的使用記錄是目前使用情況的指標；b.百分之十的館藏可滿足百分之六十的使用情形，而百分之二十的館藏可滿足百分之八十的使用情形。

館藏使用研究已發展出一些研究方法：

a.　相關使用法（ relative use ）

利用流通記錄及館藏記錄來分析某類資料所佔全館流通率及館藏率是否吻合，以決定該類資料過度被使用，則

　　　　須加強館藏；或未達使用期望，應予以抑制館藏成長或
　　　　進行該類資料的推廣工作。例如：物理類資料佔自然科
　　　　學類館藏之百分之十二，而其流通記錄佔百分之十三，
　　　　我們可說物理類資料的流通情形在自然類資料中是合度
　　　　的。

b.　最後流通日期法（last circulation date）

　　　　對每筆有效資料蒐集兩個日期，一為最近被借出的日期，
　　　　一為最近這次除外的上一趟借出日期。然後兩者相減，
　　　　算出最近的借閱時間差。資料蒐集一段時日後，便可藉
　　　　由借閱時差算出較常被使用的館藏。

c.　館際互借資料統計

　　　　某主題向外申請館際互借量大時，表示該主題的館藏無
　　　　法滿足使用者的需求，該類館藏勢必被加強。

d.　文獻分析法

　　　　將圖書館使用者發表的研究報告的參考書目與館藏核對，
　　　　以了解圖書館供給使用者做研究的能力是否須作加強。

## 2. 館內使用研究⑭

　　館內使用資料的情形亦是一種圖書館使用行為，不可因為它
未經正式的流通記錄留下使用量的數據，就可予以忽視。它是圖
書館服務成效之一，故亦值得發展出方法來研究該項使用情形。
而最常使用的方法是：使用後不歸架（table-count method）。
此法之優點乃：a.研究者無須和使用者接觸；b.無須仰賴使用者
的記憶及誠信；c.資料蒐集無須經過特殊訓練；d.是很客觀的衡

量方法；e.「使用」的定義很明確；f.可得知某份資料曾被使用。而其缺點乃：a.使用後誤被上架的資料不得而知；b.資料在最短時間（即未被館員上架前）內被多位使用者使用，卻僅計數一次的使用量；c.有些參考工具書本身即置於桌面；d.使用的程度不得而知。

### 3. 目錄使用研究

該研究的重點主要為❶ ：

a. 那些人使用目錄；

b. 區別目錄使用者與非使用者間的特性；

c. 了解使用者如何使用目錄，最常查找那些目錄，使用目錄的目的、能力，及滿意程度；

d. 了解非使用者不使用目錄的原因；

e. 使用目錄失敗後所採取的行動；

f. 目錄上項目被使用的情形。

在「已知款目查尋」（known item search）研究上，影響查尋的因素有❶ ：

a. 過去使用圖書館目錄的因素；

b. 使用者的智慧及耐性；

c. 使用者對已知款目能掌握訊息的質與量，例如：僅知書名不知作者名，作者名拼音錯誤等；

d. 使用者查檢目錄的途徑；

e. 目錄所能提供的檢索點；

f. 目錄的排檢方式；

g. 目錄本身的缺失，例如：排片錯誤、指標不清等。

線上目錄使用研究的項目及影響使用的因素和人工查尋目錄之研究類似，較大的差別在使用線上目錄，因電腦會將使用過程留下記錄，館員較易了解使用者使用目錄的情形。

### 4. 資料架上獲得率研究 ⑰

進行該研究應蒐集的資料有：

a. 使用者欲查找的資料筆數；

b. 其中館內擁有的資料筆數；

c. 已被製作有目錄卡片之資料筆數；

d. 在架上取得資料的筆數。

然後再看 b、c、d 三項分別與 a 項的百分比各是多少，以了解使用者在架上獲得資料成功率的情形。

此外尚須分析無法在架上取得資料的因素：

a. 該資料正被外借出館或訂購中；

b. 該書正待上架；

c. 該書排架錯誤；

d. 該書裝訂中；

e. 該書正在館內使用中；

f. 其他無法解釋的理由，例如：失竊。

### 5. 文獻提供研究 ⑱

該項研究主要為了解使用者在使用圖書館時，能順利取得資料的情況如何，而造成失敗的因素又是那些，該如何改進。

影響文獻提供成敗與否的因素有：

a. 使用者可否找到資料？

　(1)圖書館擁有該資料；

　(2)該資料已編有目錄卡片。

b. 使用者可在目錄上找到資料嗎？

　(1)使用者對目錄的熟悉程度；

　(2)使用者的智慧及耐性；

　(3)編目的品質；

　(4)檢索點的多寡；

　(5)使用者對查找資料能掌握訊息的質與量；

　(6)排片的正確性；

　(7)目錄的大小及複雜性。

c. 使用者有複本提供的機會嗎？

　(1)該資料的熱門程度；

　(2)該資料的複本數；

　(3)該資料的借期；

　(4)機密保護因素（ security factors ）；

d. 使用者可在架上找到資料嗎？

　(1)使用者記得全索書號；

　(2)書架數；

　(3)指引的品質；

　(4)排架的準確性。

6. 期刊使用研究

　　因為期刊訂價日益飛漲，而圖書館經費的增加永遠趕不上它漲價的脚步，形成變象的經費緊縮。在經費不足的情況下，勢必得删除期刊訂購的種數，這其中考慮的因素有很多，但使用情形是重要的因素之一。使用狀況之資料蒐集法有：

a. 期刊封面貼使用記錄單；

b. 分析圖書館使用者之引用文獻情形；

c. 統計期刊文章複印記錄；

d. 分發問卷請使用者說明曾使用，或最常使用，或認爲重要的期刊。

### 7. 參考服務使用研究

　　參考服務使用研究可藉助參考問題登記計單留下記錄，供日後研究用。而其可得的資料項目有：參考問題的總數、各型參考問題的數目、曾聯繫的單位、館藏資料可獲解答的問題比例、獲得解答的問題有多少、正確回答的比例、滿意回答的比例、其他的建議事項。

### 8. 線上資訊檢索研究⑲

　　該類圖書館使用研究可蒐集的資料有：那些人使用線上資訊檢索、平均每月的檢索次數及鐘點、檢索之目的及用途、各資料庫的使用情形、檢索的習性、檢索結果是否有具體幫助、檢索結果與所作研究有關的文獻比例、檢索結果中有多少比例的資料足以提供所需之資訊、檢索結果中新資料的比例佔多少、所付的檢索費是否合理、平均每次檢索的費用、使用者對檢索的建議……

等等。

# 六 圖書館使用者/使用研究之問題及建議

## 1. 問 題 ⑳

綜合過去數十年這方面的研究，有如下的問題尚待克服：

a. 研究方法及問題經常缺乏科學的設計；

b. 過去很多研究的抽樣不具代表性；

c. 調查時經常忽略很多亦該了解的問題；

d. 在表明及未表明的需求間沒有明顯的分別；

e. 對不同的調查結果缺乏有效之引用及比較方法；

f. 各研究間的比較不多；

g. 各使用者研究間的比較不夠仔細；

h. 很多研究間都是模糊且分歧的度量方法；

i. 調查的回覆率經常很低，而且研究結果多僅具區域色彩，不易推論至一般的情形；

j. 在研究報告中缺乏足夠的訊息。

## 2. 建 議

a. 資訊尋求行爲與文獻尋求行爲極類似，應對此二者的異同做比較；

b. 對從事圖書館使用者／使用研究應擬訂館內工作手冊，適時修訂，以做爲日後持續研究的指南；

　　c．每一調查法皆應正視經記錄與未經記錄的資料；

　　d．發展及運用完善可自行分析統計的套裝軟體；

　　e．全國設立一專門蒐集使用者／使用研究結果的中心單位，
　　　　每年定期做比較研究報告，並彙集各種研究的問題項目
　　　　及方法；

　　f．研究爲何許多使用者／使用研究結果後的建議很少被採
　　　　行；

　　g．對現有的圖書館使用模型做適當的修正；

　　h．結合（ linkage ）多項的圖書館使用者研究，再進一步
　　　　分析研究。例如：結合參考問題和借書情形，結合借書
　　　　和參加圖書館活動的情形等 ㉑ ；

　　i．分析研究的單位定義須前後一致，最好是能全世界一致。
　　　　例如：何謂圖書館使用？到圖書館打電話可算是使用圖
　　　　書館嗎？

# 七　結　語

　　國內的圖書館使用者／使用研究的文獻不多，並非是做得少，
而是向來的觀念都將其視作公務資料，不做發表；否則便是資料
蒐集得不完善，研究方法進行得不夠週嚴，不具學術權威，不值
得發表。爲了國內圖書館業的進步，上述兩項困難應儘早克服，
譬如在資料解密後以單位爲作者名加以發表，鼓勵出版這方面的
研究，如此才好集思廣益，圖書館更清楚認識使用者，知己知彼，
提供更上一層的圖書館專業服務。

# 註 釋

❶ Encyclopedia of Library and Information Science, 1990 ed., s. v. "User Surveys, " pp. 373-399.

❷ Nick Moore, "Measuring the Performance of Public Libraries, " IFLA Journal v. 15 n. 1 (1989) : 18.

❸ Lowell A. Martin, "User Studies and Library Planning, " Library Trends v. 24 n. 3 ( January 1976 ) : 483-496.

❹ Stuart Hannabuss, "The Importance of User Studies, " Library Review v. 36 ( Summer 1987 ) : 122-123.

❺ Nancy Freeman Rohde, " Information Needs, " In Advances in Librarianship v. 14 (N.Y.: Academic Press, 1986 ) : 49-73.

❻ Martin, op. cit., pp.484-485.

❼ Meredith Butler, & Bonnie Gratch, " Planning a User Study: the Process Defined, " College & Research Libraries v.43 n.4 ( July 1982 ) : 320-330.

❽ Ibid., p.327.

❾ Charles H. Bushe, & Stephen P. Harter, Research Methods in Librarianship ( New York: Academic Press, 1980 ) : 156.

❿ Morris E. Massey, "Market Analysis Audience Research for Libraries, " Library Trends v. 24 ( January 1976 ) : 473-474.

⓫ 曾淑賢，公共圖書館讀者與非讀者特質之分析—臺北市立民生社區抽

　　 樣調查　（臺北：臺大圖書館學研究所，民76年)，頁10-11。

⑫　Colin K. Mick, George N. Lindsey & Callahan, " Toward
　　 Usable User Studies, " JASIS v.31 n.5 ( September
　　 1980 ): 347-356.

⑬　F. W. Lancaster, If You Want to Evaluate Your Library
　　 ( Champaign ( Ill.): Univ. of Illinois, 1988 ): 34-51.

⑭　Richard Rubin, " Measuring the In-House Use of Materials
　　 in Public Libraries, " Public Libraries v.25 n.4 (Winter
　　 1986 ): 137-138.

⑮　吳明德老師教授「圖書館作業評估」筆記。

⑯　Lancaster, op. cit., p.86.

⑰　Ibid., pp.90-103.

⑱　Ibid., pp.104-107.

⑲　Richard W. Blood, " Evaluation of Online Searches, " RQ
　　 v.22 n.3 ( Spring 1982 ): 266-277.

⑳　F. W. Lancaster, The Measurement and Evaluation of Li -
　　 brary Services ( Champaign ( Ill.): Univ. of Illinois.
　　 1977 ): 306-308.

# 參 考 書 目

## 一、中文部份

沈寶環。西文參考資料。臺北：學生，民74年。

吳明德。 圖書館使用者與非使用者的生活型態。書府2期（民
69年），頁46-51。

陳雅文。國立臺灣大學工學院與文學院教師資訊尋求行爲之調查
研究。臺北：臺大圖書館學研究所，民79年。

曾淑賢。公共圖書館讀者與非讀者特質之分析——臺北市立民生
社區抽樣調查。臺北：臺大圖書館學研究所，民76年。

## 二、英文部份

Blood, Richard W. "Evaluation of Online Searches. "
RQ v.22 n.3 ( Spring 1982 ) : 266-277.

Broadus, Robert N. "Use Studies of Library Collect-
ions. " Library Resources & Technical Services v.24
n.4 ( Fall 1980 ) : 317-324.

Busha, Charles H. & Harter, Stephen P. Research Me-
thods in Librarianship. New York : Academic Press,
1980.

Burns, Jr. Robert W. "Library Use as a Performance Measure: Its Background and Rationale." Journal of Academic Librarianship v.4 n.1 (March 1978): 4-11.

Butler, Meredith and Gratch, Boonie. "Planning a User Study: the Process Defined." College & Research Libraries v.43 n.4 (July 1982): 320-330.

Clark Philip M. and Benson, James. "Lindages Between Library Uses Through the Study of Individual Patron Behavior." RQ v.24 n.4 (Summer 1985): 417-426.

Dervin, Brenda and Nilan, Michael. "Information Needs and Uses." Annual Review of Information Science and Technology v.21 (1986): 3-33.

Encyclopedia of Library and Information Science, 1990 ed., s.v. "Information User Studies.", pp.144-164.

Encyclopedia of Library and Information Science, 1990 ed., s.v. "User Surveys.," pp. 373-399.

Frick, Elizabeth. "Survey or Standard: Teaching User Services as a Policy Issue." The Reference Librarian v.25/26 (1989): 507-519.

Hannabuss, Stuart. "The Importance of User Studies." Library Review v.36 (Summer 1987): 122-126.

Harris, Michael H. and Sodt, James. "Libraries, Users, and Librarians: Continuing Efforts to Define the Nature and Extent of Public Library Use. " In Advances in Librarianship v.11(N.Y.: Academic Press, 1981 ) : 109-133.

Horse, Hancy A. Van. "Output Measures in Libraries." Library Trends v.38 n.2 ( Fall 1989 ) : 268-279.

Katz, Bill. "The User Study, Conversation, and Reading the Newspaper. " Collection Building v.8 n.3 (1987):31-33.

Lancaster, F. W. The Measurement and Evaluation of Library Services. Champaign, ( Ill. ) : Univ. of Illinois, 1977.

Laancaster, F. W. If You Want to Evaluate Your Library. Champaign ( Ill. ) : Univ. of Illinois, 1988.

Martin, Lowell A. "User Studies and Library Planning." Library Trends v.24 n.3 ( January 1976 ) : 483-496.

Massey, Morris E. "Market Analysis Audience Research for Libraries. " Library Trends v.24 ( January 1976 ) : 473-481.

Mick, Colin K., Lindsey, Georg N. and Callahan. " Toward Usable User Studies. " JASIS v.31 n.5 ( September 1980 ) : 347-356.

Roberts, N. and Wilson, T. D. "The Development of User Studies at Sheffield University, 1963-88. " Journal of Librarianship v.20 n.4 ( October 1988): 270-290.

Rodger, Eleanor Jo. "The Right Study of the Right Issues at the Right Time: Conducting In-House Studies in Public Libraries. " Library Trends v.38 n.2 ( Fall 1989 ) : 313-322.

Rohde, Nancy Freeman. "Information Needs. " In Advances in Librarianship v.14 (N.Y.: Academic Press, 1986 ) : 49-73.

Rubin, Richard. "Measuring the In-House Use of Materials in Public Libraries. " Public Libraries v.25 n.4 ( Winter 1986 ) : 137-138.

Seggern, Marilyn Von. "Evaluating the Interview. " RQ v.29 n.2 ( Winter 1989 ) : 26-265.

White, Herbert S. "The Use and Misuse of Library User Studies. " Library Journal v.110 n.20 ( December 1985 ) : 70-71.

Wilson, T. D. "On User Studies and Information Needs." The Journal of Documentation v.37 n.1 ( March 1981 ) : 3-15.

Zweizig, Douglas and Dervin, Brenda. "Public Library Use, Users, Uses: Advances in Knowledge of the

Characteristics  nand  Needs  of  the  Adult  Clientele
of  American  Public  Libraries." In  Advances   in  Li-
brarianship v.7 (N.Y.: Academic  Press,  1977 ): 231
-255.

# 讀者利用指導的設計

林巧敏

## 一 前 言

任何一所近代的圖書館，無不以提高工作效能、圓滿達成讀者服務爲其經營的目標，圖書館的任務在服務讀者，讀者不接受，可能有兩個原因：一是我們圖書館員提供的服務不是讀者所需要的，再者，是我們服務的方式不是讀者所熟習的，蘭開斯特（F. W. Lancaster）也曾就使用者滿意的角度來判斷，分析影響圖書館服務成效的因素，發現使用者有系統的查檢能力、使用圖書館的經驗、是否接受圖書館利用指導等個人因素，都會影響到圖書館查詢活動的成敗 ❶。

事實上，讓讀者熟悉我們服務的方式，也是圖書館與讀者之間溝通的唯一管道，便是對讀者實施圖書館的利用指導（library instruction），但是，利用指導本身有其獨特的方法與技術，若缺乏完善周詳的計劃，將使指導的敎育功能無法完全發揮，讀者也無法有效率地獲得所需的資訊。

因此，本文將介紹讀者利用指導的設計，探討讀者利用指導設計應進行的步驟，進而試擬指導設計過程的流程圖，以供指導

設計完成之後的自我檢查。主要的目的在使圖書館能更有效地設
計完善的圖書館利用指導活動，以圓滿達成服務讀者的目標。

## 二 讀者利用指導的內涵

### 1. 利用指導的意義

「參觀圖書館」是圖書館利用教育的起點，也一直是館員用
以歡迎讀者、展示館藏的捷徑，其主要作用並非是讀者的自我教
育，而是以此建立圖書館的公共關係，開始利用零零散散的書籍
和使用技巧的講解活動，可以遠溯到十九世紀初；而它的發展過
程却相當緩慢❷，一直到一九六○年代，由於圖書館員工作經驗
的累積，加上有關這方面研究報告的增加，才使得利用指導的工
作有較顯著的進展❸，人們開始由各個角度來正視這項服務，並
不斷地研究改進，加上現代科技的發展，使得幻燈片、影片、電
腦等新媒體，更助長了利用指導的效用和吸引力。

事實上，所謂的「圖書館利用指導」係指「教導讀者認識圖
書館服務、人員、館藏所在，以及了解利用參考工具書完成有效
圖書館查尋（ library search ）的一項活動」❹。 其目的在於
教導讀者能夠正確地利用圖書館的圖書資源及人力資源以滿足他
們的資訊需求。因此，凡個別協助讀者查尋資料或藉機會指導利
用圖書館的方法，均屬每一位參考服務人員的日常工作，也是圖
書館參考服務工作中重要的一環。

## 2. 利用指導的內容

讀者利用指導是指導讀者利用圖書館的各項教育活動，從認識圖書館環境到書目指導，都是利用指導的內容。萊思（James Rice） 把圖書館利用指導就實施的程度，分為三個層次：認識圖書館環境（ library orientation ）、圖書館利用指導（library instruction ）、及書目指導（ bibliographic instruction ）❺ 。

第一層次的認識圖書館環境活動以介紹館舍及部分基本的參考資料為主，其目的為：

a． 介紹本館的建築與設備。

b． 介紹館內各部門的位置、諮詢服務臺及有關之服務人員。

c． 介紹特別的服務項目，如：電腦查詢、館際互借……等。

d． 宣知圖書館規章，如：開放時間、借閱規則、借書逾期罰款等。

e． 明示各類資料之存放處所及排架情形。

f． 刺激使用者來館利用館內資源。

g． 以友善的氣氛與讀者進行溝通。

第二層次的圖書館利用指導則進一步介紹圖書館的參考工具，如：索引、卡片目錄、書目工具書等。施教內容往往是限於某一特定主題，使研究者有機會熟識圖書館內有關自己研究範疇的資料。具體目標為：

a． 利用卡片目錄查出所需要的資料。

b． 利用非書資料，如：影片、縮影資料……等。

    c. 使用百科全書等其它參考工具。

    d. 熟悉館藏資源，善用館際互借。

    e. 使用期刊索引與摘要。

第三層次的書目指導是提供有關書目（ bibliography ）方面的正式課程，通常適用於大專院校，主要目的在指導學生利用圖書館資料從事研究，培養查尋資料的能力，及訓練撰述論文的方法 ❻ 。

# 三　讀者利用指導與指導設計的關係

許多讀者都認為圖書館的館藏是非常不容易了解與利用的，數量龐大的蒐藏，五花八門的資料類型，以及複雜瑣碎的規章，都使得讀者在使用圖書館時產生挫折感。此外，參考館員發現讀者不能正確地把他們的問題表達出來，亦導致館員無法有效地協助他們 ❼ 。有鑑於此，「讀者利用指導」乃成為圖書館一項必須而且重要的工作，其有助於讀者了解圖書館的特性，並進而可善用圖書館的資源。

一般人在圖書館查尋資料碰到困難時，往往不肯不恥下問，一方面是不好意思，不願麻煩他人；一方面是唯恐題目太簡單，顯出自己太淺薄無知，惹人笑話。由於種種顧慮，讀者寧可自己摸索或自行學習。基於這些考慮，圖書館中的指標、手冊、重點指導、練習法等利用指導方式，就是為符合這樣讀者心理而設計的自學法。自學法的資料形式、內容設計、學習步驟、學習評估等皆有賴參考館員事前的準備，猶如學校教師之準備教材。此外，引導參觀或是舉辦研習會指導讀者利用圖書館的活動，亦將使館員由幕後走向幕前，館員不再默默地從事資料準備的工作，他們挺身扮演教師的角色，親自詮釋所準備資料的涵義，教導更多人具備利用圖書館的知能。

　　由上述的說明中，無論是消極地準備教材或是積極地推銷服務，每一項指導過程都牽涉到許多相關的步驟，過程中的各項變因，必須加以有效地組織與設計，指導方能見效❽。由此觀之，利用指導與指導的設計，具有直接而密切的關係，根據傑薩姆（ M. E. Chisholm ）與艾里（ D. P. Ely ）兩人綜合多位學者的意見認為「指導設計（ instructional design ）是根據指導的目標而進行一連串選擇、規劃和使用指導策略及應用指導媒體的一項活動」❾。

　　總之，指導設計是指導過程中的重要工具，其有助於圖書館根據既定的目標完成有系統的作業，而獲致可預期的成效。

# 四　指導設計的步驟

　　理論上，每一個指導情況應該是單一的（ unique ），都具有自己獨特的情境，鮮少有同樣的讀者和指導者在同一情況，但是，由另一個角度觀之，各種情況的指導和學習原則應具有共通性，而使之能廣泛應用於各種不同層次的學習❿，一套具有通用性的指導設計過程，應能解答下列三個問題⓫：

　　a. 考慮有那些項目是必須被學習的。

　　b. 需要那些程序或資源以達成我們所希望的目標？

  c．如何判斷已完成的學習項目？

  像這樣的一套指導設計過程，通常會依步驟分成八個階段
❷：

  a．設定目的（ goals ）並掌握每一個指導主題的目的。

  b．了解設計對象的讀者特質。

  c．由學習者行爲表現（ behavioral outcomes ） 指定學
   習的目標（ objectives ）。

  d．條列支援每一項目標所需要的主題內容。

  e．發展初步評量（ pre-assessments ），以釐清學習者的
   背景及學習者對該主題目前的知識程度。

  f．擇定適合主題及學習者能力的教法和學習活動。

  g．尋求各種支援的配合，包括：預算、人員、設備……等
   條件。

  h．根據既定的學習目標評鑑學習成果，以做爲修正和改進
   的參考。

  各階段的關係，可以以圖示如圖一。

  雖然，各個步驟具有前後關聯的順序，但仍然允許有部分的
彈性，依各館自己的特殊狀況，做小部分的順序更動，但主要的
目的只是提供設計讀者指導的館員一份「清單（ checklist ）」
❸，以落實設計的程序，以下擬就圖書館在設計圖書館讀者指導
活動時，如何進行這八個步驟加以扼要的說明。

## 1.　設定目的

  在設定目的之前，首先需要了解：何謂目的（ goals ）？通

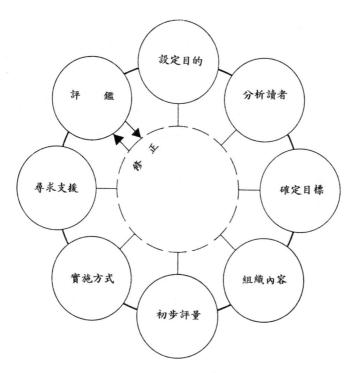

**圖一　指導設計進行的步驟**

資料來源：J. E. Kemp, *Instructional Design* ( Bel-
　　　　mont, Calif.: Fearon-Pitman Publishers,
　　　　Inc., 1977 ), P.9.

常目的是指較長遠的計劃，它完全接受個人道德價值觀的影響，
例如：說明學生接受教育的目的，可能會包括:未來就業的準備、
培養解決問題的能力，或是能充分利用休閒時間……等項，目的
也通常會受整個大環境的影響爲前提，以圖書館利用指導活動而

言，主要目的將與圖書館服務的目的息息相關，基本上以滿足讀者的資訊需求為主要目的，然後，因應指導的進行訂定個別主題的目的，像這些個別主題的敍述通常會採用固定的語句做為開頭⑭，例如：

去獲得有關……的技能（ to acquire a skill about …… ）

去了解……（ to become aware of …… ）

去介紹……（ to be introduced to …… ）

去熟習……（ to become familiar with …… ）

去精通……（ to master …… ）

去使用……（ to use …… ）

去理解……（ to comprehend …… ）

通常我們會寫下幾個目的，然後再根據每一項目的去分別設定短程的目標（ objectives ）， 藉由目標的實踐去完成整個指導活動的目的。

## 2. 分析讀者

圖書館的讀者形形色色，錯綜複雜，從學前的幼兒到退休的老人，從各級學校的學生到各行業的社會人士，無一不是圖書館服務的對象，他們到館閱讀或使用館藏動機不一，要求也互異，分析讀者們的特質，通常會包括分析讀者們的能力、需要及興趣的各種相關資訊。

我們常把實施利用指導的對象分為兩大部分：學生與成人，學生通常在學校的圖書館中有機會接受較完整的課程式指導活動，但在使用社區的公共圖書館時，仍需要接受指導，以適應不同的環境，而成人讀者是公共圖書館服務的主要對象，他們到館閱讀或使用館藏的動機往往休閒性高於教育性，加上成人讀者個人生活背景、教育程度、職業等的分歧，推行指導時需要較多的考慮。

我們可以略分學校（或學術）圖書館及公共圖書館兩大類型，分別探討在進行利用指導時應蒐集的讀者資料❶：

a. 學校圖書館：包括分析學生人數、學術背景、學生平均能力、閱讀水準、平均分數、研究興趣、課程的要求、假期與學期考試時間……等資料。

b. 公共圖書館：包括分析讀者年齡、社區人數、興趣、學歷、職業、社會地位、經濟情況，及其與學校圖書館的關係……等資料。

## 3. 確定目標

在設計圖書館利用指導時，館員往往忽略訂定目標這個步驟，在目標不確定的情況下，教材不是過於浮淺就是過於深奧，與讀者的需求不能符合；同時，館員對於應該教授那些內容也僅有模糊的概念，有了明確的目標，等於將預期讀者在學習之後能做的事情一一列舉出來，館員即可據以設計教學內容，除此之外，目標同樣可做為評鑑學習成果的依據。

美國圖書館協會出版的《書目指導手册（ Bibliographic Instruction Handbook ）》一書列舉了大學圖書館利用指導的目標❶，它很廣泛地包含了利用指導活動的各個層面，足供圖書館在設計利用指導時的參考。

該手册中，將目標分為三個層次：總體目標（ general ob-

jective）、終結目標（terminal objective），以及行爲目標（enab-
ling objective ）。所謂總體目標較爲空泛，是一種理想或概念
性的敍述，無法用來準確地評估學習者是否達成該目標。終結目
標較爲明確，通常是指在接受一個教學單元之後，學習者所要達
成的目標。行爲目標則界定欲達成終結目標所需具備的知識和技
能。總體目標雖然重要，但眞正對於教材和教學方法的設計及評
鑑有關係的却是終結目標和行爲目標❶。

　　由於各個圖書館的環境不同，學習的目標也不可能完全相同，
但是學習目標的訂定却有一些共通的原則，麥格（Robert mager）
認爲目標的陳述應該包含❶：

　　a．行爲（學習後能做的事情）。

　　b．情況（在何種情況下能有前述的行爲）。

　　c．程度（行爲達到何種程度才能被接受）。

　　在撰寫學習目標時，「行爲」這個項目較不易明確地表示，
例如：「知道如何讀法文」、「瞭解攝影機的操作」，其中「知
道」與「瞭解」即過於籠統，在陳述行爲時，最好使用較具體而
可觀察到的動作字彙，例如：「寫出」、「辨別」、「區分」……
等，使訂定的目標可供指導完成之後進行評鑑。

### 4. 組織內容

　　爲了能將指導的內容有系統地傳達給讀者，圖書館往往需要
先將欲教授的內容先進行組織和選擇的工作，至於需要那些內容，
則可根據下列的提示分別考慮：

　　a．在該主題之下那些技能需要被教或經由學習始能得知？

　　b．在該主題下那些事實、觀念或原則是必須要知道的？

　　c．有那些步驟或程序是有關這個主題的？

　　d．在使用過程中，那些技巧是非常重要的？

　　這些問題的答案，實際上就是我們必須選擇的指導內容；此外，指導的內容與目標之間具有密切的關聯，內容的裁取應足以支援學習者完成既定的學習目標，但陳列的內容却不宜過於龐雜，致使學習者在過多的學習內容中，不知如何取決。所以，魏柏（ Marion Wilburn ） 建議：指導的資料應該被削減到極重要的最少量 ⓳ 。

### 5.　初步評量

　　在我們完成學習目標和組織相關內容之後，為了瞭解學習者是否具有學習的準備或是能夠勝任我們所擬定的目標，就必須從事初步的評量（ pre-assessment ），其目的通常是為了測試學習者是否有足夠的背景合適該項指導設計，例如：要指導《讀者期刊文獻指南（ Readers' Guide to Periodical Literature ）》一書的用法前，學習者必須先具有足以辨識英文文獻的能力，館方通常可由讀者分析而尋求這項能力的解答。

　　有了初步的評量才能事先掌握我們決定的目標，在利用指導完成後能夠被讀者達到的程度。

### 6.　實施方式

　　圖書館利用指導進行的方式很多，由於各館有人員、經費、設備、空間及行政配合上的差異，而有各種不同的實施方式，在實際應用時不要只局限於一種方式，任何一種方式都無法單獨完成所有的功能，而應以各種方式彈性運用或合併使用，目前較爲圖書館採用的進行方式，分別說明如下 ❷：

　　a. 指　標

　　館內各種指示標誌是一種無形而有效地圖書館利用指導，也是最基本的指導方式，指標以清楚、明確、易認及一致爲原則，放置位置宜明顯而適當。

　　b. 印刷式資料

　　包括：圖書館手冊、讀者通訊、館訊專欄……等印刷式簡介資料，是指導讀者利用圖書館必備的工具，其內容不外是介紹圖書館內部的配置，資料存放的位置、目錄的使用方法、館內服務項目及各種規章等。

　　c. 參　觀

　　這是最常見的利用指導方式，多半由館員以口頭講解方式進行，由於聽衆人數不受限制，館員可節省個別指導的時間，但只能概括地介紹圖書館環境，至於館藏資源的深入探討則談不上。

　　d. 適時指導

　　館員除了回答參考問題外，還要適時地教導讀者使用參考工具書，由於讀者當時面臨問題，學習動機較強，乘機指導易被接受，效果亦佳。

　　e. 使用視聽資料

　　圖書館除了製作簡介外，還應製作以本館爲主的「如何利用圖書館」的視聽資料，可供集體觀看，亦可供個別學習之用。

　　f. 實地提供的重點指導

把說明資料分別放在教學目的物之旁，以便有效的指導，例如：卡片目錄旁有各種目錄查檢方法的說明，期刊索引旁邊有使用說明……等。

g. 作業練習簿（ work books ）

用測驗或練習的方式，分段編列圖書館利用指導的內容項目，供學生練習、作答，一段演練完畢，交給館員評閱，或自行核對標準答案，訂正後進入另一段練習。此法根據編序教學原則編列習題，符合教學原理，是理想的自學式（ self-instructed ）學習方法，但是編製作業花費館員時間且題目必須經常修訂，以保時效。

h. 舉辦研習會或演講

圖書館可針對不同主題舉辦各種短期的研習會，所選的主題應以讀者的需要及熟悉者為優先，例如：卡片目錄的使用、書目索引的利用、線上公用目錄介紹……等，都可以做為研習的單元。

i. 電腦輔助教學（ Computer-Assisted Instruction,
　 CAI ）

把教學內容以機讀方式存入電腦中，學生經由終端機與電腦交談，從事學習活動，雖具有活潑生動而易學的優點，但由於價昂及僅著重於事實性的學習，是以目前仍不普遍[21]。

j. 提供正式課程

此法適用於大專院校，即開設有關指導利用圖書館的課程提供學生修習，經過有系統的課程設計指導學生如何有效地利用圖書館資源。

### 7. 尋求支援

在指導過程中，最重要的支援包括：經費、人員及設備等三項。經費的供應是指導工作的能源，主要供給一切活動費用及策劃活動人員薪資所需，三者之中，尤以人員的支援最為重要。

所謂的「人員」主要是指直接參與其事的參考館員，由於圖書館利用指導本身有獨特的理論、方針、形式和技術，對於多數館員而言，是一項陌生的活動，如果沒有能力與態度方面的教育訓練，是無法有效完成指導的使命 ㉒。

除了要求館員能力之外，麥克（ D. L. Mc Cool ）認為為了因應日益膨脹的書目問題，圖書館行政者應有開明的作風，與從事指導工作的館員一致配合，將館內有限的人力資源充分的應用 ㉓，使指導的工作將不僅僅只是參考館員的日常工作職責，館內其它人員亦應隨時隨地的提供讀者適時的指導。

### 8. 評 鑑

在上述七個步驟完成之後，始能進行評鑑工作，評鑑的目的在於「蒐集及分析一些資料，並以其結果做為教學決策的依據」㉔。評鑑也具有回饋的功能，它提出教學過程中所遭遇的問題及困難，並能加以診斷，獲得的結果則可用以改進指導方式以達成既定的目標。

評鑑利用指導的方法很多，下列是幾種較常用的方法㉕：

a. 觀察法

這是一種較不容易做到系統化的評鑑方法，它藉著觀察學習者的行爲來評鑑利用指導的效果。例如：觀察讀者在接受利用指導後借書量是否增加，所詢問的參考問題型態是否有所改變，是否較爲主動向館員尋求協助⋯⋯等。

這種觀察法對館員而言，較爲簡易可行，但觀察的結果却也不容易解釋，例如：借書量增加並不一定完全是因爲利用指導的影響，其它因素(如：繳交學期報告、考試)也可能產生同樣的結果。

b. 問卷調查法

讀者態度的改變是圖書館利用指導的主要目的之一，這種態度的改變可藉著問卷調查的方式得到答案，另外，讀者對於圖書館利用指導的內容、教學方法、教學效果的意見，也可藉此加以蒐集。

當然，除了做爲態度的評鑑外，問卷調查也可用來評鑑讀者接受利用指導之後，對於圖書館利用了解的程度。

c. 測驗法

測驗法常常利用來了解讀者在接受圖書館利用指導後，使用圖書館的能力是否有所改進，在接受利用指導前，可以先舉行學前測驗，在完成利用指導後，再舉行學後測驗，將兩個測驗的結果做一比較與分析，即可了解圖書館指導所產生的教學效果。

除了上述的評鑑方法外，館員也可以擬定一些模擬的題目，要求讀者實地到圖書館去查尋，並記載下讀者所使用的工具書及查尋的過程，從而了解讀者實際使用圖書館的能力❷。

## 五　指導設計的檢查

在上述各個步驟設計完成之後，我們最好擬製一份工作流程圖，提供有系統的發展方向，以協助確定指導工作進行的正確性。

流程圖的繪製需要依據下列的進行步驟㉗：

## 1. 初步的分析（introductory analysis）

滙集所有足以影響系統進行的因素，並充分考驗其重要性與影響力。

## 2. 工作分析與行為目標（task analysis / behavioral objectives）

將各項因素予以分別先後順序，亦即根據目標釐清作業的先後次序。

## 3. 初步架構（test construction）

將排定次序之後的各項作業，依性質賦予正確的流程圖號，完成初步的架構。

## 4. 測試和修正（testing & revision）

將初步架構再次瀏覽確定該建立的廻圈關係，必要時再予以修正。

## 5. 確認與評鑑（validation and evaluation）

此一步驟是再進行最後的確認，以確定修正過的流程圖完全無誤。

根據繪製的原則，我們可以將上述指導設計的步驟試擬工作流程圖（如圖二）❷，以提供指導設計進行後，可逐項檢查的工作「清單」，做為利用指導設計時的準則。

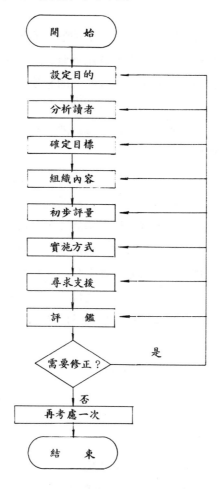

**圖二　指導設計的流程圖**

# 六　結　論

　　圖書館利用指導是一種不拘形式的教育活動，亦早已成爲參考服務的一環，面對未來資訊社會的圖書館，勢必提高參考資訊服務的品質，加上線上文獻檢索的有效服務，將使圖書館呈現一幅新面貌，讀者必須重新學習利用圖書館的方法與技能，館員同樣也要花更多的時間與精力協助讀者查尋資料，指導讀者利用圖書館及其資源。

　　因此，利用指導將越來越受到圖書館的重視，有效地圖書館利用指導除了需要熱心的館員參與之外，事前更需要有系統化的設計，利用指導本是一種教學活動，圖書館最好能夠藉助有系統的設計模式來設計圖書館利用指導的活動，這項設計的工作牽涉到設定目的、分析讀者、確定目標、組織內容、初步評量、選擇實施方式、尋求其它支援以及最後評鑑等步驟。

　　這些工作絕非單獨一個館員所能勝任，圖書館應視實際情況與需要，結合所有可供運用的資源，完成完善周詳的計劃，方能使利用指導的功能達到極致。

## 附　　　註

❶　F. W. Lancaster and M. J. Joncich, *The Measurement and Evaluation of Library Services*, ( Washington, D. C.: Information Resources, 1977 ), pp. 376-385.

❷ 胡懿琴，「美國圖書館利用教育與指導工作之發展」，《教育資料與圖書館學》22卷4期（民74年），頁368。

❸ James Rice, *Teaching Library Use: A Guide For Library Instruction*, ( Westport, Con.: Greenwood Press, 1981 ), p.8.

❹ 吳明德，〈淺談大學圖書館的利用教育〉，《中國圖書館學會會報》36期（民73年12月），頁117。

❺ Rice, op. cit., pp.5-7.

❻ 吳琉璃，〈從圖書館利用指導談參考服務的教育功能〉，《社教學刊》13期（民73年6月），頁58-59。

❼ H. B. Rader, " Bibliographic Instruction: Is It a Disci - pline? " *Reference Services Review* 10 (4) (1982), p.75.

❽ Margaret E. Chisholm and D. P. Ely, *Instructional Design and The Library Media Specialist*, ( Chicago: ALA, 1979 ), p.4.

❾ Ibid., p.3.

❿ K. M. Cottam, " Avoiding Failure: Planning User Edu - cation ," *RQ* 21 ( Summer 1982 ), p.331.

⓫ J. E. Kemp, *Instructional Design*, ( Belmont, Calif.: Fearon-Pitman Publishers, Inc., 1977 ), p.8.

⓬ Ibid., pp.8-9.

⓭ M. I. Miller and B. D. Bratton, " Instructional Design: Increasing the Effectiveness of Bibliographic Instruction," *College and Research Libraries* 49 ( Nov. 1988 ), p.548.

⓮ Kemp, op. cit., p.16.

⑮ Ibid., p.19.

⑯ *Bibliographic Instruction Handbook*, ( Chicago：ALA, 1979 )，pp.35-45.

⑰ 吳明德，〈大學圖書館利用指導的設計：界定問題、訂定目標、評鑑」，《國立中央圖書館館刊》18 卷 1 期（民 74 年 6 月），頁62。

⑱ 同⑰。

⑲ Miller, op. cit., p.546.

⑳ 參閱吳琍璃，〈大學圖書館利用指導的實施方式〉，《國立中央圖書館館刊》18 卷 1 期（民 74 年 6 月），頁 71-74 ；〈淺談公共圖書館的利用指導〉，《中等教育》39 卷 1 期（民 77 年 3 月），頁65。

㉑ 沈寶環，〈圖書館運用電腦輔導讀者有關問題的研究〉，《書府》7 期（民 75 年 6 月），頁14。

㉒ 徐金芬，〈培養圖書館員利用指導的能力與態度〉，《社教雙月刊》24 期（民 77 年 3 月），頁65。

㉓ D. L. McCool, " Staffing for Bibliographic Instruction: Issues and Strategies for New and Expanding Programs , " *The Reference Librarian* 24 ( 1989 ), p.19.

㉔ Nancy Fjallbrant, " Evaluation in a User Education Programme , " *Journal of Librarianship* 9 ( April 1977 ), p.84.

㉕ 同⑰，頁 63-64 。

㉖ M. S. Adams, *Evaluating Bibliographic Instruction: A Handbook*, ( Chicago: ALA , 1983 ), pp. 68-70.

㉗ E. J. Kazlauskas, " The Application of the Instructional Development Process to Module on Flowcharting, " *Journal of Library Automation* 9 ( Sep. 1976 ), p.242.

㉘　Ibid., pp. 235-241.

㉙　參閱Rice，op. cit., p.26.

# 參 考 書 目

## 一、圖 書

### 中文部分

吳哲夫，鄭恒雄，雷叔雲。《圖書與圖書館利用法》。臺北：行
　政院文建會，民73年。

### 英文部分

Adams, M. S. *Evaluating Bibliographic Instruction*：*A Handbook*. Chicago: ALA, 1983.

Beaubien, A. K.; S. A. Hogan and M. W. George. *Learning the Library*：*Concepts and Methods for Effective Bibliographic Instruction*. New York: R. R. Bowker, 1982.

Breivik, P. S. *Planning the Library Instruction Program*. Chicago: ALA, 1982.

Briggs, L. J. *Instructional design*: *Principles and Applications*. Englewood Cliffs, N. J.: Educational Technology Publications, 1977.

—— and W. W. Wager. *Handbook of Procedures for the*

*Design of Instruction.* Englewood Cliffs, N. J.:
Educational Technology Publications, 1981.

Chisholm, M. E. and D. P. Ely. *Instructional Design and the Library Media Specialist. Chicago* : ALA, 1979.

Clark, Alice A. and K. F. Jones. *Teaching Librarians to Teach*: *On-the-job Training for Bibliographic Instruction Librarians.* Metuchen, N. J.: Scarecrow, 1986.

Fjallbrant, N. J. and Ian Malley. *User Education in Libraries.* London: Clive Bingley, 1984.

Fox, Peter ed. *Second International Conference on Library User Education.* Loughborough: Infuse Publications, 1982.

Gagne, R. M. and L. J. Briggs. *Principles of Instructional Design.* New York: Holt, Rinehart and Winston, Inc., 1974.

Kemp, J. E. *Instructional Design.* Belmont, Calif. : Fearon-Pitman Publishers, Inc., 1977.

Lancaster, F. W. and M. J. Joncich, *The Measurement and Evaluation of Library Services.* Washington, D. C. : Information Resources, 1977.

Lubans, J. *Progress in Educating the Library User.* New York: R. R. Bowker, 1978.

Rice, James. *Teaching Library Use: a Guide For Library Instruction*. Westport, Conn.: Greenwood Press, 1981.

Svinicki, M. D. and Barbara A. Schwartz. *Designing Instruction for Library Users: A Practical Guide*. New York: M. Dekker, 1988.

Wong, Martin R. and John D. Raulerson. *A Guide to Systematic Instructional Design*. Englewood Cliffs, N. J.: Educational Technology Publications, 1974.

## 二、論 文

### ㈠ 中文部分

沈寶環。〈圖書館運用電腦輔導讀者有關問題的研究〉。《書府》7期（民75年6月），頁13-14。

吳明德。〈大學圖書館利用指導的設計：界定問題、訂定目標、評鑑〉。《國立中央圖書館館刊》18卷1期（民74年6月），頁59-69。

———。〈視聽資料與公共圖書館的利用指導〉。《臺北市立圖書館館訊》3卷4期（民75年6月），頁2-4。

———。〈淺談大學圖書館的利用指導〉。《中國圖書館學會會報》36期（民73年12月），頁117-126。

吳琇璃。〈大學圖書館利用指導的實施方式〉。《國立中央圖書館館刊》18 卷 1 期（民 74 年 6 月），頁 70-77。

———。〈從圖書館利用指導談參考服務的教育功能〉。《社教學刊》13 期（民 73 年 6 月），頁 58-60。

———。〈淺談公共圖書館的圖書館利用指導〉。《中等教育》39 卷 1 期（民 77 年 2 月），頁 64-66。

胡懿琴。〈美國圖書館利用教育與指導工作之發展〉。《教育資料與圖書館學》22 卷 4 期（民 74 年 7 月），頁 367-373。

徐金芬。〈培養圖書館員利用教育能力與態度之探討〉。《社教雙月刊》24 期（民 77 年 3 月），頁 70-71。

———。〈我國高中（職）圖書館利用指導實施狀況調查研究〉。《社會教育學刊》18 期（民 78 年 6 月），頁 109-131。

張錦郎。〈談大學及公共圖書館利用教育〉。《臺北市立圖書館館訊》2 卷 2 期（民 73 年 12 月），頁 2-6。

傅寶真。〈發展圖書館利用教育因素分析〉。《中國圖書館學會會報》44 期（民 78 年 6 月），頁 151-159。

———。〈我國圖書館利用指導所面臨的問題與應採取之途徑〉。《中國圖書館學會會報》40 期（民 76 年 6 月），頁 53-65。

盧荷生。〈漫談圖書館利用指導〉。《臺北市立圖書館館訊》2 卷 2 期（民 73 年 12 月），頁 7-11。

㈡ **英文部分**

Arp, L. and L. A. Wilson. " Structures of Bibliographic Instruction Programs: a Continuum for Planning. " *The Reference Librarian* 24(1989): pp.25-

34.

Biggs, M. M. " Forward to Basic in Library Instruction. " *School Library Journal* 25 ( May 1979 ) : p. 44.

Bodi, Sonia. " Relevance in Library Instruction: The Pursuit. " *College and Research Libraries* 45( Jan. 1984 ) : pp. 59-65.

Cliffe, G. R. " Education and Training: for Staff and User. " *Aslib Proceeding* 25 (10 ) ( Oct. 1973): pp. 381-384.

Cooper, N. P. " Library Instruction at a University - Based Information Center: the Informative Interview. " *RQ* 15 (3) ( Spring 1976 ) : pp. 233-240.

Cottam, K. " An Instructional Development Model for Building Bibliographic Instruction Programs." *Proceedings from Southeastern Conference on Approaches to Bibliographic Instruction* ( March 1978 ) : pp. 33-40.

Cottam, K. M. " Avoiding Failure: Planning User Education. " *RQ* 21 (4) ( summer 1982 ) : pp. 331 - 333.

——— and Connie V. Dowell. " A Conceptual Planning Method for Developing Bibliographic Instruction Programs. " *The Journal of Academic Librarianship*

7(4) ( Sept. 1981 ) : pp. 223-228.

Fjallbrant, Nancy. " Planning a Programme of Library User Education. " *Journal of Librarianship* 9 ( July 1977 ) : pp.199-211.

Hannabuss, S. " Applications of Instructional Design Theory to the Teaching of Librarianship." *Education Libraries Bulletin* 28(3) ( Autumn 1985 ) : pp.42 -55.

———. " The Role of Instructional Objectives in Curriculum Design. " *Education Libraries Bulletin* 27 ( Autumn 1984 ) : pp.12-21.

Harris, R. M. " Bibliographic Instruction in Public Li - braries : a Question of Philosphy. " *RQ* 29(1) (1989) : p.92-98.

Hilton, Anne. " A New Note : a Fresh Approach to User Education. " *Education Libraries Bulletin* 27 (3) ( Autumn 1984 ) : pp.1-11.

Hodges, G. G. " Library-Use Instruction : the Librarian's Challenges and Responsibility. " *Catholic Library World* 53 ( nov. 1981 ) : pp. 176-179.

Irving, A. " Educating Users — is There Relly a New Approach? " *RQ* 20 ( Fall 1980 ) : p.11-14.

Kazlauskas, E. J. " The Application of the Instructional Development Process to a Module on Flow Charting."

*Journal of Library Automation* 9(3) ( Sept. 1976):
pp. 234-244.

Kinney, E. M. "Thirty Minutes and Counting: a Bibliographic Instruction Program." Illinois Libraries 70(1) ( 1988 ) : pp. 36-37.

Kirkendall, C. A. "Library Use Education: Current Practices and Trends. "*Library Trends* 29(1) ( Summer 1980 ) : pp. 9-27.

Kohl, D. F. "Large-Scale Bibliographic Instruction— the Illinois Experience. "*Research Strategies* 2(1) ( Winter 1984 ) : pp. 6-11.

Laburn, C. "User Guidance and Training." *South African Journal of Library and Information Science* 52(3)( 1984 ): pp. 93-98.

Lynch, B. P. and K. S. Seibert. "The Involvement of the Librarian in the Total Educational Process. " *Library Trends* 29(1) ( Summer 1980 ) : pp. 127 -138.

McCool, D. L. "Staffing for Bibliographic Instruction: Issues and Strategies for New and Expanding Programs." *The Reference Librarians* 24(1989): pp. 17-24.

Miller, M. I. and B. D. Bratton. "Instructional Design: Increasing the Effectiveness of Bibliographic Instruction." *College and Research Libraries* 49(6)(Nov. 1988): pp.545-549.

Rader, H. B. " Library Orientation and Instruction. " *Reference Service Review* 12(2)(1984): pp.59-71.

────. " Bibliographic Instruction: Is It a Disciple?" *Reference Services Review* 10(4)(1982): pp. 74-77.

Reigeluth, C. M. and J. M. Garfield. " Using Videodiscs in Instruction: Realizing Their Potential Through Instructional Design." *Videodisc and Optical Disk* 4(3)( May 1984 ): pp. 199-215.

Shill, H. B. " Bibliographic Instruction: Planning for the Electronic Information Environment. " *College and Research Libraries* 48(5) ( Sept. 1987 ): pp. 433-453.

Smith, B. J. " The State of Library User Instruction in Colleges and Universities in the United States." *Peabody Journal of Education* 58(1)( Oct. 1980): pp.15-21.

Tessmer, M. " Applications of Instructional Design to Library Instruction. " *Colorado Libraries* 11 ( Dec. 1985 ): pp.28-31.

Turner, P. M. " Instructional Design Competencies Taught at Library Schools." *Journal of Education for Libra-*

*rianship* 22(4)(Spring 1982): pp. 275-282.

Vuturo, R. "Beyond the Library Tour: Those Who Can, Must Teach." Wilson Library Bulletin 51(9)( May 1977): pp. 736-740.

Wen-Ruey-Lee, Bosco et al. "The Application of Instructional Design in the National Open University of the Republic of China." *Journal of Educational Media and Library Sciences* 25(3)(Spring 1988): pp. 273-288.

Wiggins, Marvin E. "The Development of Library Use Instructional Programs." *College and Research Libraries* 33(Nov. 1972): pp. 473-479.

# 參考館員的繼續教育

鄭景文

## 一 前 言

在圖書館三大要素：館舍、館藏和館員中，前二者屬物質層面，以供利用為已足；而館員為圖書館與其服務對象——讀者——之間的媒介，屬精神上層次的，其工作成效攸關全館經營的成敗。所以館員在工作上隨著時代進步，若仍因襲舊學，不圖革新應變，則常流於事倍功半，服務效率低落。

尤其是常負責「解答」及「協助提供資料」的參考館員，可說是緊緊掌握知識脈動的人，其各方學識之具備與新知之充實，恰為服務讀者之「資本」。所以「參考館員的繼續教育」乃為一重要課題。且不獨對館員本身，館方也需提供種種的配合，甚至主動籌辦此一事業。畢竟館員的素質與服務水準維持精進，是讀者，亦是圖書館之福。

以下就基於繼續教育之意義、目的、有關之實施規劃內容，及當前在繼續教育過程中所產生之問題，逐項作一探討。並藉讀者服務的觀點，略對今日「參考館員繼續教育」之環境提出一些建議。

## 二　繼續教育之意義

　　事實上，各種行業都有在職時繼續教育之必要。名教育家侯勒（ Cyril O. Houle ） 對繼續教育一詞即有如下的說法：「在相同的知識領域內，對已有經驗的擴展或重建的一種學習。但其目的並非在於對此知識領域中的所有學識做一學習的完結，而是意指學習者對以前的所修內容做繼續性的努力鑽研。」❶此一說法界定了繼續教育中「溫故知新」的精神，而指出其並不是求取一門知識的全部內容範疇。

　　著有《圖書館人員發展與繼續教育（ Library Staff Development and Continuing Education ）》一書的康蘿依（ Barbara Conroy ） 則在該書中將繼續教育一詞解釋爲：「經過預備教育與工作經驗之後的個人，所得以利用來達成其學習與成長需要的學習機會。」❷強調了繼續教育滿足工作與個人需求的功能面。

　　另外，美國圖書館暨資訊科學委員會（ National Commission on Libraries and Infomation Science，NCLIS ） 對繼續教育的定義則可分爲下列五個重點來絞述❸：

1.　終生學習的觀念；是一種保持個人跟進新知，避免退化的方法。

2.　個人教育的更新。

3.　在一領域內允許多樣化。

4.　個人對於其自我發展基本責任的執行。

5.　超越進入此專業領域所必具的基本條件的教育活動。

　　觀諸此一定義，則可看出個人在接受繼續教育的過程中，可能擁有多樣的教材與接觸到更多的相關課程，且整個過程是立在一種個人基本責任之上的。

　　如果將上述定義運用在圖書館參考館員的繼續教育上，則可簡單地說：參考館員在面對工作性質中不斷產生的新問題（包括讀者提出者及館員自身發現者），透過已知的知識與技術解決之，獲取經驗；並時時經由各種進修管道，補充一己面對問題的能力。此即是參考館員的繼續教育。但是在範圍上，前述人員發展，與在職進修等字眼，雖似以與各定義中所言者相關，實際上並不同於繼續教育；所以在此需將三者之界限釐清❹：

1.　繼續教育（Continuing Education），包括所有正式和非正式的學習活動，以加強館員的知識、態度、能力和專長，俾提供良好品質的服務，並使圖書館工作生涯更豐富。

2.　在職訓練（In-Service Training），係由在職機構就個人在特定職務上必須具備的能力所提供的訓練或教育課程；目的在增加個人於特定職位上的能力。如圖書館所提供的，結合館方經營目的，予以館員進修課程是。

3.　人員發展（Staff Development），則在鼓勵組織內人力資源的成長，增加並強化組織的能力（capability），以期更有效率地達成圖書館的目標。其內容多與現在職務或未來職責相關；其規劃與實施乃行政主管的職責；方法包括對新進人員的指導、工作擴充（job enrich-

ment )、短期管理技巧課程、視聽器材的使用及在職
訓練等。

以上三者雖然在內容及方法上不盡相同，但基於圖書館行政
的立場，應讓館員經由繼續教育的過程，收到在職訓練的效果，
進而達成人員發展的目的和圖書館組織全面的成長。由此亦可得
知，著重館員個人成長與發展的繼續教育，在這樣的環節中實是
扮演著紮根的重要角色。

# 三　參考館員實施繼續教育之目的

### 1.　參考館員對讀者的服務

既然繼續教育關乎工作業務之性質，則在談論參考館員的繼
續教育目的之前，須先從參考業務的瞭解入手。湯瑪絲（ Diana
M. Thomas ）等所認為的九項參考服務功能，不妨即可視為參
考館員提供予讀者之服務，當然也就是參考業務❺：

a．答覆詢問。

b．教導讀者有效地利用圖書館。

c．提供特殊諮詢服務：如轉介服務（ Information and
Referral, I & R ）。

d．編製專題書目。

e．建立並維護各種索引或檔案。

f．辦理館際互借。

g．扮演幕後支援角色：如協助選擇圖書資料。

h. 扮演讀者與館方的仲裁者角色（ Troubleshooter ）。

i. 建立公共關係。

所以參考館員面臨諸多業務，又均為面對讀者的圖書館第一線陣營，其適任與否實難隱藏，可立即由讀者觀感判知；在這種情況下，其繼續教育之重要性不問可知。

## 2. 繼續教育之目的

總體言之，圖書館工作人員接受繼續教育的目的應包括以下六項❻：

a. 增加對工作的信心，保持廣而新的專業知識。

b. 幫助提高工作績效。

c. 能助於專業工作的升遷與加級。

d. 增加實力，期能提供讀者較好的服務。

e. 能有助於提升圖書館工作的專業形象與地位。

f. 幫助適應因時代變遷、科技發展等因素，而引起的專業工作目的、知識、方法上的改變。

而就參考館員來說，上述第 d、f 兩點尤為主要，其他四點則是透過良好的繼續教育而更能表現出來。參考館員的業務如前所言，是相當繁複多變的，所以本身實力與適應時代的能力應常常接受磨鍊；藉由繼續教育的實施，則這些能力足以保持，然後能夠從工作績效中得到成就感，也由服務的品質中提高了圖書館業務在讀者心目中的專業形象與地位。

## 四　繼續教育之責任歸屬

關於繼續教育的主事者，所見分歧，但不外乎圖書館領導機構、圖書館學校、圖書館本身，以及館員個人等四者。但其中最基本的還在於個人。以下即就康蘿依的觀點加以說明❼：

1.　個人：個人具有基本自我導引（ self-direction ）、自我發展（ self-development ）的責任。個人能夠確認自己的需求，建立目標，並且依自我調節的能量供需去尋求並協調，獲得學習的成效。而個人也最能由需求去把握各個存在的機會，以配合自己的學習活動，取得眞正想要的知識。

2.　圖書館：圖書館本身即爲融合目的性、計劃性和經營實務的交互活動（ interacting ）場所，是具有整合（ integral ）和有機（ vital function ）雙重因子的最佳學習機構。尤其針對該館館員來說更是如此。館方行政人員清楚地知道個人需求和本機構的需求是甚麼，因此能夠針對其間進行評估及協調而取酌。同時，在圖書館主事繼續敎育之下，能夠更緊密地拉攏館員和館方的感情。

3.　圖書館領導機構：這類機構則應致力於全國或全州（ state-wide ）圖書館員繼續敎育的合作基礎。並且須負擔居間協調及支援的工作。由於這類機構在該國或一區域內通常居於領導地位，所以有關整合性事務和繼續教育的方向引導等，均爲其肩負之責。

4. 圖書館學校：學校的課程可提供已畢業的在職館員一個良好的進修管道。而學校更可針對這類已具實務經驗者設計專門課程，以配合其需求。學校滙聚有各式各樣的圖書館專才，儼然一大資源，對繼續教育課程可供給一理論與實際較爲均衡的環境。並且，學校也能與之合作並大量支援各種學習的機會（ learning opportunity）。

除了個人之外，主事繼續教育的其他三者，原則上都是立於招徠的地位；最主要的取決還在於館員個人的心理意願與動機。但是，意願與動機常常互相影響，意願又容易受到外物的引誘而增減，動機也能直接刺激學習效果的好壞：所以綜而觀之，良善的繼續教育整體規劃，可以直指其成果的豐饒。下一部份即就此項進行探究。

# 五　繼續教育之整體規劃

規劃乃指自大綱至細部內容全面而言。但爲顧及篇幅的勻稱，這裏先論規劃總體及步驟部份，遂冠以「整體」兩字。內容規劃部份則至第六節再敍。

要整體地規劃繼續教育，第一點必須注意的就是整個規劃的動機。要如何地預期，並且準備以各種方式去應對，開展整個規劃的企圖心，是相當重要的。而整體規劃本身也是首先能夠結合規劃機構目標、目的與活動等的機會。康蘿依特將此情勢用圖像列示如下：

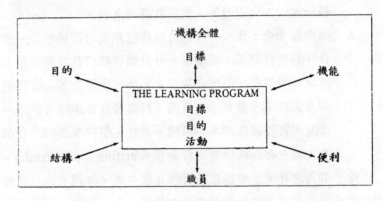

**機構中之學習活動規程**

資料來源：Barbara Conroy, *Library Staff Development and Continuing Education* ( Little, Colorado : Libraries Unlimited, Inc., 1978 ), p.2.

此外，關於繼續教育的整體規劃，尚有一些較爲具體的規則 ❽：

1. 訓練方式和課程的選擇，必須符合有效和實用的原則；並須加以週詳地組織。

2. 訓練內容和時間，必須配合受益人的實際情況。內容並宜有彈性。

3. 應經常有計劃地問卷調查從業人員的興趣和其對繼續教育的期望。

4. 邀請國外專業人員回國參加講習，交換經驗心得。

5. 訓練或講習內容、時間等應廣爲宣佈。收費不可過高，亦不宜限制人數。

6. 訓練績效必須加以定期審核、考評。

7. 專業性課程可編成錄影帶，供他館或機構參考。

所以繼續教育的整體規劃工作不但要注意配合機構目的等的控制，尤須注意與受益者的館員間之協調。在參考館員的繼續教育架構上，則須重視可能問題的預期與應對的課程設計。

而提到規劃架構，就必須提及規劃之步驟。一般言之，繼續教育的規劃步驟約有以下幾項❾：

1. 釐定教育需求的範疇與內涵（ Needs Assessment ）：而要調查此需求，可透過以下幾項方法得之──a. 面談；b. 問卷調查；c. 考試；d. 小組討論；e. 工作項目之分析與工作表現之評估；f. 報告研究。

2. 訂定繼續教育的政策目標（ Objectives ）： 以詳細的政策規定來劃分館員的應享權利與義務；一方面也藉以展現未來該政策發展的藍圖。

3. 進行活動方式的調查與評估：以類似第一項所述之方法來進行活動方式的喜好調查與效果評估，做爲課程設計的參考。

透過這樣順序的規劃步驟，則不難發現其間相當注重繼續教育受益者與施教者的需求平衡；非僅館員在受教之後能夠提高服務效率，主事籌劃的施教機關亦尋求在活動過程中達成某方面的發展目標。舉例來說，一座圖書館爲自身的參考館員舉辦繼續教育活動，則不祇是希望該等館員能夠藉此磨礪一己在工作上之成

效，也同時正提升館員的基本素質，避免大學汰舊換新，達成人
員發展的目標。

# 六　繼續教育之內容

在架構性的規劃完成之後，進一步地必須提到內容細節。當
然，由於參考館員任務相當多，工作變化性大，所以其繼續教育
內容也較爲多樣。在規劃時，除須考慮課程內容的適切性外，亦
應衡酌其可行性與預測實施成效；因此何謂恰當的繼續教育內容，
尚難有確論。以下則說明三項例證來一窺當前參考館員繼續教育
的內容與方式。

1. **C. O. R. E. 計劃（ California Opportunities for
   Reference Excellence Project，C.O.R.E. Project）**
   ⑩：

這一計劃始於 1987 年的美國加州州立圖書館（ California
State Library ）， 實施的期望在改善加州各公共圖書館的參
考服務總體品質。其所安排的繼續教育內容項目主要如次：

a. 基礎引介參考研習會（ Basic introductory reference
   workshop ）：

此研習會長達四小時，源出該計劃之課程委員會（ Curricu-
lum committee ）所排定之參考必備技巧。前三小時探討所謂
「態度（ attitude ）」 在這些技巧中的溝通配合，後一小時則
研討及實際使用六項選列的基礎參考工具書。這種研習會的設計
方式並且重在便於同樣模式的推廣，以求供各單位使用。

b. 參考相應課程（Reference correspondence course）：

這種課程屬於一般參考課程的擴大；起源基礎則是 San Joaquin Library System 已行之有年的參考課程 ⑪ 。

c. 首日郵包（First day packets）：

此類講義函件則是針對未曾有過圖書館工作經驗的參考館員所設計，內容涵蓋有參考問題及讀者信賴感之類的談論主題，是一種初步的參考指導課程。

d. 小型研習會（Mini-workshops）：

小型研習會的設計是為了加強講授在基礎研習會中已經教過的技巧。算是一項進階課程。

e. 一般性參考指南（Generic reference manual）：

這種指南內容包含較細節的參考服務工作。也就是說，其重點乃置於參考工作實務，與理論上的參考問題型式有所不同。

f. 特別研習會（Specialized workshops）：

特別性質的研習會於今有越來越多之趨勢。如此的各種特別研習能夠結合不同領域的人員來探討某一特殊主題，也能夠彌補一般研習會之不足；亦即能按繼續教育課程中之需要而特別召開。

g. 參考行為模範研習會（Model reference behavior workshops）：

此一研習會乃以非強迫式（unobtrusive）的訓練技術為基礎，進行教學者與受教者互相訓練參考行為的種種模式；並且，這樣的研習會可以互換角色進行。

除上述七者外，該計劃尚有對西班牙語文需求所設計的參考服務課程，以培育西語的服務人才。

## 2. 夏爾畢（Louise S. Sherby）所提出的建議案❷：

夏爾畢是美國密蘇里－堪薩斯市立大學（University of Missouri-Kansas City）米勒尼寇圖書館（Miller Nichols Library）公共服務部門的副主任。她針對參考館員所必須的基本課程，列出一份實施期間爲十四週左右的建議案。以下就是所安排的課程（一星期有A.、B.兩門課）：

第 一 週：A. 機 構 事 務 ／ 課 程 期 望（Organizational Matters/Class Expectations）

B. 參考服務簡介（Introduction to Reference Service）

第 二 週：A. 參考館藏（The Reference Collection）

B. 成人、兒童、外國人、主題區分的百科全書（Encyclopedias：Adult, Children's, Foreign, Subject）

第 三 週：A. 參考館藏（續）

B. 字典（Dictionaries）

第一次參考問題作業（Reference Problem Set I Due）

第 四 週：A. 參考服務（Reference Service）

B. 年鑑（Almanacs and Yearbooks）

第二次參考問題作業

第 五 週：A. 參考服務（續）

B. 快速參考資料與名錄（Current Information Sources & Directories )

　　　　第三次參考問題作業

第 六 週：A．參考晤談與檢索策略(Reference Interview

　　　　　　& Search Strategy )

　　　　B．手冊與指南（Handbooks and Manuals )

　　　　第四次參考問題作業

第 七 週：A．參考晤談與檢索策略（續）

　　　　B．書目（Bibliographies )

　　　　第五次參考問題作業

第 八 週：A．電腦輔助參考服務（Computer-Assisted

　　　　　　Reference Service )

　　　　B．書目（續）

第 九 週：A．電腦輔助參考服務（續）

　　　　B．索引與摘要服務（Indexes & Abstracting

　　　　　　Service )

　　　　第六次參考問題作業

第 十 週：A．圖書館指導（Library Instruction )

　　　　B．索引與摘要服務（續）

　　　　先期作業（Pathfinder Assignment Due )

第十一週：A．行政與組織（Administration & Organi-

　　　　　　zation )

　　　　B．傳記資料（Biographical Sources )

　　　　第七次參考問題作業

第十二週：A．個別需求（Personnel Needs )

　　　　　　B．地理資料（Geographical Sources）

　　　　　　學期計劃（Term Project Due）

第十三週：A．參考服務評估（Evaluation of Reference

　　　　　　　　Services）

　　　　　　B．官方文件（Government Documents）

　　　　　　第八次參考問題作業

第十四週：期終考試（Final Exam）

　　經過一學期的學習，整個參考服務的課程等於紮實而匆促地複習了一遍。此建議案應用於繼續教育上時，則爲由複習的過程中增進技術訓練的層次。

### 3. 國內圖書館員的繼續教育方式歸納⑬：

a．選修課程：包括圖書館學系和外系課程的選修。

b．修學位：攻讀研究所或赴海外進修。

c．參加研討會：以短期的研討會提出並推廣各種新觀念及新技術。

d．參觀其他圖書館：可以此道進行技術及經驗交流。

e．與同事討論：參加館務會議或與同事進行非正式討論，均能解決實務上的問題。

f．研讀專業文獻：種種有關期刊均能提供參考領域的新知。

g．從事研究計劃：以研究計劃對學術的貢獻言，可獲得多方的回饋，也就容易得到其他進修的管道。

h．參加學會組織：參加中國圖書館學會等組織所辦的活動，往往能增加工作上的理論知識，也可透過會員之間的研討累積實務的體驗。

　ⅰ. 著述：此爲整理一己心得的良好機會，能夠將經驗藉而
　　　分享他人，亦能在溫習過程中給自己增添新的所得。

　上述九項可說是我國參考館員所採行的種種繼續教育方式；
其間內容也相當繁多，而仍以工作上相關的圖書館學與資訊科學
等佔大部分。雖然我國的參考館員多以個人方式加入繼續教育行
列，如美國般具大規模研習會進行的案例則較少，但管道仍不虞
匱乏。

　繼續教育的內容規劃由於牽涉頗多，因此在從事時尤須經過
精密聯絡與設計。觀諸所舉三個案例，第一、三者屬方式的規劃，
第二者則有詳細項目臚列：整個地體現當今參考館員所受繼續教
育的概況。針對這樣的觀察，將所得匯集思考，再去規劃更好的
內容與實施方式，應較能符合實際的需要了。

　但是，妥善的規劃付諸實行以後，是不是就能明確地顯示繼
續教育的效果？則需先克服種種實施上的問題。

# 七　繼續教育所面臨的問題

　在圖書館事業發達的美國，其參考館員繼續教育都會面臨部
份的問題，何況是我國？但其問題正是將來我們可能碰到，甚或
現在就已經碰上的；爲了不致重蹈覆轍，在此不妨先看看美國目前
所發生在參考館員進修課程上的三項問題 ❹：

　1.　由於大部份圖書館學校均只開一門參考服務課程，而僅
　　　有每週三小時的時間，絕無法涵蓋全部的參考論點。

2. 許多的參考服務課程，其教授立場多站在少數的大型研究或學術圖書館觀點，而忽略了其實居大多數的小型或中型圖書館。

3. 由於參考工作通常是越做越熟，且隨著新的科技、趨勢與話題等特性而有所變遷；而圖書館界基本上也要求教師需時時保持對參考資料的掌握：但是，通常一名教師在參考部門的工作時間並不是相當長久。

這些問題其實是有解決之道，但牽連廣泛，可能因為此處的求全而產生了彼處的缺憾，也就因而成為問題。同樣地，在我國更因國情及生活水準等各種因素，凸顯了其他的問題：

1. 當前客觀環境的問題：我國圖書館事業發展在過去並不迅速，起步維艱，各項規劃與執行難免失調。加上時間、財力、人力的限制，中國圖書館學會的力量亦不易完全發揮，所以參考館員的繼續教育工作只做到點的發展，尚未遍及面的發展 ⓯。當然，師資的集中北部也可以說是點難以拓展至面的因素之一。

2. 工作制度的問題：目前館員工作忙碌，實因人力缺乏所致；而人力缺乏則源於經費制度的缺失。在忙碌的工作之外，除非有過人的精力，否則何能再加入繼續教育的活動？而若受館方指派參加繼續教育課程，相對地館方本身即必須加派人手處理這份未完的工作，也就增加了其他人的工作量。所以無論從時間或工作量來看，忙碌的參考館員都可以說是勉為其難地抽空進行繼續教育；這對參與動機有很大影響。

3. 館員本身的問題：由於當前圖書館參考館員的專業地位一直未被重視，館員間普遍存在著不夠積極的工作心理。加之館員女性居多，年齡、婚姻狀況、工作年限❶等因素均會影響其對繼續教育的看法和參加動機。一如前述，若缺乏動機，則受教的所得便屈指可數了。

4. 新科技的發展問題：此一問題可說是參考館員從事繼續教育的一大關鍵。由於新科技的不斷發明，參考領域就不停地翻新，甚至受到直接的影響。如電子線上檢索、光碟檢索（CD-ROM）等新設備，即逐漸進入參考領域；甚且可能取代簡單的人力。面對此一情勢，館員若不盡速學習、瞭解這些新資訊，只怕不日後將遭替換。唯目前國內圖書館界關於這類的繼續教育課程仍舊零零星星，僅依賴相關領域的支援（如參考館員參加一般的資料庫結構訓練班是）；則若不解決此求才若渴問題，圖書館界將來就難以培育出自身領域的新科技人才，有關繼續教育即更不易推行。

種類不一的各色問題，表面上雖涇渭分明，內裏則環環相扣，牽一髮而動全身。解決之道不是沒有，但須視其切入角度。以下即略就讀者服務的角度，為此作一些建議：

1. 館員加強自身的服務動機，則易由工作中找出樂趣，進而願意藉繼續教育來精進服務技能。

2. 館方透過精細的規劃流程來督促參考館員的繼續教育工作。在能力許可範圍內負起主導繼續教育之責。

3. 社會的客觀環境或許一時難以改變，但制度可以修正。

另外，讀者也需進行自我的「繼續教育」，多利用圖書館及其參考服務；則不但相對激勵了參考館員的繼續教育動機，也可逐漸肯認其專業形象，對圖書館事業的發展有很大的幫助。

# 八　結　語

參考館員是和讀者進行互動的第一線人員，其工作成效足以代表整座圖書館的運作成績。站在讀者服務的立場，參考館員需爲滿足讀者而時刻進行充電；站在館方經營角度，參考館員更應永遠走在時代之前：而如何保持參考業務的精進，就從參考館員的繼續教育著手。

雖然繼續教育的內容豐富，但執行起來困難仍多。動機、規劃與考量是不可缺的；並且須有挑起責任的機構與諸多人力配合，才能致力理想的實現，提供讀者更完美的服務。

## 附　　註

❶　Cyril O. Houle,“What Is Continuing Education？”Discussion Paper quoted in Elizabeth W. Stone, *Continuing Library Education as Viewed in Relation to Other Continuing Education Movements* ( Washington, D.C.: American Society for Information Science, 1974 ), p. 479.；楊美華，《大學圖書館之經營理念》(臺北：學生，民78年)，頁206。

❷ Barbara Conroy, *Library Staff Development and Continuing Education* ( Little, Colorado: Libraries Unlimited, Inc., 1978 ), p.290.

❸ James G. Neal, " Continuing Education: Attitudes and Experiences of the Academic Librarian, " *College and Research Libraries* 41 ( March 1980 ) : 129.

❹ 楊美華,《大學圖書館之經營理念》(臺北:學生,民78年),頁 207-208。

❺ Diana M. Thomas, Ann T. Hinckey, and Elizabeth R. Eisenbach, *The Effective Reference Librarian* ( New York : Academic Press, 1981 ), pp. 7-25.

❻ 陳豫,〈全國圖書館人員繼續教育之規劃與展望〉,《臺北市立圖書館館訊》4卷3期(民76年3月),頁18。

❼ 同❷ , pp. xiii - xiv .

❽ 何光國,〈「做到老,學到老」:也談圖書館員的繼續教育〉,《臺北市立圖書館館訊》4卷3期(民76年3月),頁6-7。

❾ 同❹,頁214-217。

❿ Dottie Hiebing, " Current Trends in the Continuing Education and Training of Reference Staff, " *The Reference Librarian* number 30 ( New York: The Haworth Press, 1990), pp. 9-11 .

⓫ C.O.R.E. 計劃當時由蕾曼(Mary Layman)所主持,而由 San Joaquin Library System 協辦。

⓬ Louise S. Sherby. " Educating Reference Librarians: a Basic Course, " *The Reference Librarian* number 30 ( New York :

The Haworth Press，1990），pp.42-43.

⓭ 傅雅秀，〈資訊社會中圖書館員的繼續教育〉，《臺北市立圖書館館訊》4卷3期（民76年3月），頁29-30。

⓮ 同⓬，頁38。

⓯ 陳敏珍，〈圖書館員繼續教育探討〉，《臺北市立圖書館館訊》4卷3期（民76年3月），頁68。

⓰ 黃麗虹，〈我國大學圖書館館員繼續教育之現況〉，《臺北市立圖書館館訊》4卷3期（民76年3月），頁44。

# 參　考　書　目

## 一、中文部份

### 書　籍

王芳雪。《日本國立國會圖書館研究》。臺北：文史哲，民 77 年。
楊美華。《大學圖書館之經營理念》。臺北：學生，民 78 年。
鄭吉男。《公共圖書館的經營管理》。臺北：文史哲，民 77 年。

### 期　刊

郭展仁。〈圖書館人員在職進修之研究〉。《中國圖書館學會會報》，第 28 期（民 65），頁 61-65。
「圖書館員的繼續教育」專輯。《臺北市立圖書館館訊》4 卷 3 期（民 76 年 3 月），頁 1-65。

## 二、西文部份

### 書　籍

Asp, William G. et al. *Continuing education for the library information professions*. Hamden, Conn.:

Shoestring, 1986.

Conroy, Barbara. *Library Staff Development and Continuing Education*: *Principles and Practices*. Little, Colorado: Libraries Unlimited, 1978.

Katz, Bill, and Ruth A. Fraley, ed. *Personnel Issues in Reference Services*. New York: Haworth Press, 1986.

Katz, Bill, ed. *The Reference Librarian* Number 30. New York: Haworth Press, 1990.

Michaels, Carolyn Leopold. *Library Literacy Means Lifelong Learning*. Scarecrow Press, 1985.

Riechal, R. *Personnel needs and changing reference service*. Library Professional Publishers, 1989.

Stone, Elizabeth W. *Continuing Library Education as Viewed in Relation to Other Continuing Education Movements*. Washington, D. C.: American Society for Information Science, 1974.

Thomas, Diana M., Ann T. Hinckey, and Elizabeth R. Eisenbach. *The Effective Reference Librarian*. New York: Academic Press, 1981.

William, G. Asp, and others. *Continuing Education for the Library Information Professions*. Library Professional Publishers, 1985.

期　刊

Alford, Thomas E. "Microcomputer continuing education training will assist reference librarians." *Reference Librarian* vol. 14 ( Spring/Summer 1986 ): 173-179.

Alley, Brian. "Sharpening old skills and learning new one" ( staff development as a top priority ). *Technicalities* vol. 8 ( November 1988 ) : 1.

Alloway, C. S. "The courteous librarian: helping public service employees to keep smiling." in *The Reference Librarian* vol. 16 ( Winter 1986 ) : 283-296.

Altmann, A. E. "The academic library of tomorrow:who will do what?" *Canadian Library Journal* vol. 45 ( June 1988 ) : 147-152.

Bain, Christine A. "Certification and continuing education for medical librarians: a study focusing on the Medical Library Association's role." *The Bookmark* vol. 44 ( Fall 1985 ) : 4-12.

Bierbaum, Esther Green. "Museum, arts, and humanities librarians: careers, professional development, and continuing education " ( presented at ALISE annual conference, San Antonio, 1988 ). *Journal of Education for Library and Information Science* vol. 29 ( Fall 1988 ) : 127-134.

Cargill, J. S. "Intergrating public and technical services staffs to implement the new mission of libraries. "

*Journal of Library Administration* vol. 10 no. 4
(1989) : 21-31.

Chobot, Mary C. "First world conference on Continuing
Education for the Library and Infomation Science
Professions. " *Public Libraries* vol. 25 (Fall 1986):
105-108.

"Continuing education for information professionals "
( special issue ). *Special Libraries* vol. 78 ( Fall
1987 ) : 247-294.

Creth, Sheila D. "National adult and continuing education
week : changes in academic libraries and the need for
upgrading professional skills. " *College* & *Research
Libraries News* vol. 10 ( November 1986 ) : 657-658.

Devine, Judith W. "Considerations in the management
of a reference department. " *Reference Librarian*
vol. 3 ( Spring 1982 ) : 61-70.

Durrance, Joan C. "Library schools and continuing pro-
fessional education: the de facto role and the factors
that influence it. " *Library Trends* vol. 34 (Spring
1986 ) : 679-696.

Gebhard, Patricia. "Continuing education in the 80s :
thoughts of a service librarian. " *IATUL Proceedings*
vol. 13 (1981) : 71-75.

Greiner, Joy M. "Professional views : career growth and

the public librarian. " *Public Libraries* vol.28 (January/February 1989 ) : 7.

Hegg, judith L. "Continuing education: a profile of the academic librarian participant." *Journal of Library Administration* vol. 6 ( Spring 1985 ) : 45-63.

Hiebing, Dottie. "Current Trends in the Continuing Education and Training of Reference Staff. " in *The Reference Librarian* Number 30. New York : Haworth Press, 1990. pp. 2-12.

Holland, Barron. "Updating library reference services through training for interpersonal competence." *RQ* vol. 17 no.3 (Spring 1978 ) : 207-211.

Intner, S. S. " Ten good reasons why reference librarians would make good catalogers. " *Technicalities* vol. 9 ( January 1989 ) : 14-16.

Kaegbein, Paul. "New directions in continuing education for librarians. " *Education for Information* vol. 7 ( June 1989 ) : 149-156.

LaCroix, Phyllis. " Providing education opportunities for the preparation and renewal of effective library personnel. " *Minnesota Libraries* vol. 28 (Winter 1986-1987 ) : 249-253.

Lindauer, Dinah. " Independent Scholars' Roundtable : a pioneering project at Nassau Library." *Reference*

*Librarian* vol. 16 ( Winter 1986 ) : 97-108.

McCoy, Michael. " Why didn't they teach us that? The credibility gap in library education. " *Reference Librarian* vol. 12 ( Spring/Summer 1985 ) : 171-178.

Mittal, R. L.; University Grants Committee ( India ). "UGC and continuing education programmes for college librarian in India." *Lucknow Librarian* vol.15 ( Mar. 1983 ) : 11-18.

Mortola, Mary Ellen. "Returning to school: a challenging business!" *Community and Junior College Libraries* vol. 2 ( Fall 1983 ) : 39-44.

Muller, Karen. " You never outgrow your need for learning Library. " *Resources* & *Technical Services* vol. 33 ( July 1989 ) : 213-214.

Mupawaenda, O. T. et al. "Current trends in librarianship with special reference to the British situation." *Zimbabwe Librarian* vol.12 no. 3-4 ( July-December 1980 ) : 35, 37-39, 41-42.

Neal, James G. "Continuing Education: Attitudes and Experiences of the Academic Librarian." *College and Research Libraries* vol. 41 ( March 1980 ) : 129.

Nelson, James A. "The Kentucky model for statewide continuing library education. " *Journal of Education for Librarianship* vol. 16 ( Fall 1975 ) : 52-58.

O'Connor, Steohen V. et al. "The professional develop -
ment of the reader educator and reference librarian."
*Australian Academic and Research Libraries* vol. 13
no. 4 ( December 1982 ) : 235-241.

Parrott, J. R. "REFSIM: a bimodal knowledge-based
reference training and consultation system." *Reference
Services Review* vol. 16 no. 1-2 (1988) : 61-68.

Persky, G. "A cautious look at the reference librarian's
role." *The Journal of Academic Librarianship* vol.12
( January 1987 ) : 343-345.

Rolstad, G. "Training adult services librarian." *RQ* vol.
27 ( Summer 1988 ) : 474-477.

Roose, T. "Stress at the reference desk." *Library Jour-
nal* vol. 114(1989) : 166-167.

Rothstein, Samuel. "The making of a reference librarian."
*Library Trends* vol. 31 no.3 ( Winter 1983 ) : 375-
399.

Seavey, Charles A. "Advancing by degrees: the view from
Lake Mendota" ( graduate education for map librari-
ans ). *Information Bulletin* ( Western Association
of map Libraries ) vol. 17 ( March 1986 ) :123-126.

Shapiro, B. J. "On going training and innovative structural
approaches." *The Journal of Academic Librarianship*
vol. 13 ( May 1987 ) : 75-76.

Shaw, Debora J. "Another look at continuing education." *Bulletin of the American Society for Information Science* vol. 12 ( October/November 1985 ) : 22.

Sherby, Louise S. "Educating Reference Librarians: A Basic Course." in *The Reference Librarian* Number 30. New York: Haworth Press, 1990. pp. 38-47.

Sigmond, J. P. "The role of associations of archivists in continuing training." *International Congress on Archives* ( 10 th: 1984 : Bonn, Germany ).Proceedings of the 10 th International Congress on Archives (Saur 1986 ) : 203-206.

Smith, Jane Bandy. "Continuing to learn" (special issue). *School Library Media Quarterly* vol. 16 ( Winter 1988): 83-121.

Stephan, Sandy. "Continuing education in Maryland. " *Public Libraries* vol. 23 ( Spring 1984 ) : 26-27.

Stone, Elizabeth W. "Continuing education for librarians in the United States." in *Advances in Librarianship* 8, ed. Michael Harris. New York: Academic Press., 1978, pp. 241-331.

Stone, Elizabeth W. "Continuing education for librarianship." in *The Bowker Annual of Library & Book Trade Information.* Bowker, 1985, pp. 325-330.

Stone, Elizabeth W. "Continuing education for the library and information profession: an international perspective, 1985." in *IFLA Journal* vol.12 no.3, 1986, pp. 203-217.

Stone, Elizabeth W. "Continuing professional education." in *The ALA Yearbook of Library and Information Services*, vol. 10 (1985). American Lib. Assn., 1985, pp. 106-108.

Stone, Elizabeth W. "Personnel and employment: continuing education and staff development." in *The ALA Yearbook of Library and Information Services*, vol. 15 (1990). American Lib. Assn., 1990, pp. 190-192.

Stone, Elizabeth W. "The growth of continuing education." *Library Trends* vol. 34 (Winter 1986): 489-513.

Surprenant, T. T., and Perry-Holmes, C. "The reference librarian of the future: a scenario." *RQ* vol. 25 (Winter 1985): 234-238; Discussion. vol. 25 (Summer 1986): 517-524.

Turner, P. M. "In-service and the school library media specialist: what works and what doesn't." *School Library Media Quarterly* vol. 16 (Winter 1988): 106-109.

Veaner, Allen B. "1985 to 1995: the next decade in academic librarianship" (with discussion). *College* &

*Research Libraries* vol. 46 ( May 1985 ): 209-229.

Vondran, Raymond F.; Person, Ruth J. "Library education and professional practice: agendas for partnership." *Library Administration & Management* vol. 4 ( Summer 1990 ): 133-137.

Walker, Clare M. "CE and apple pie: a report on the World conference on continuing education for the library and information science professions, 1985." *Wits Journal of Librarianship and Information Science* vol. 4 ( December 1986 ): 113-129.

Wanting, Birgit. "Some results from an investigation in Danish libraries: how do children ask questions about books in children's libraries?" *Scandinavian Public Library Quarterly* vol. 19 no. 3 (1986): 96-99.

Warner, Alice Sizer. "A first for continuing education; a report of the first world conference." *Library Journal* vol. 110 ( October 1985 ): 39-41.

Washington, Nancy. "Focus on the academic librarian: job satisfaction and continuing education needs " ( based on a presentation made at the ACRL convention held April 5-8, 1989 in Cincinnati ). *The Southeastern Librarian* vol. 39 ( Fall 1989 ): 103-105.

Webb, T. "Reference services as a guide in public library organization. " *Reference Services Review* vol. 15

( Fall 1987 ): 89-95.

Whiffin, Jean. "Serials dynamics: proceedings of a workshop." *Serials Librarian* vol. 3 no. 3 (Spring 1979): 219-314.

"World Conference on Continuing Education" (Moraine Valley Community College, August 1985). *IFLA Journal* vol. 12 no. 1, 1986, p. 57.

Young, W. F. "Communicating with the new reference librarian: the teaching process." *The Reference Librarian* vol. 16 (Winter 1986): 223-231.

# 義工制度與公共圖書館

沈寶環

## 一 圖書館義工制度的興起

圖書館義工制度何時開始？專家學者殊無定論。羅嬡（Lo-
riene Roy）在其極爲重要的研究報告：公共圖書館運用義工之
研究（The Use of Volunteers in Public Libraries：A Pi-
lot Study．）一文中祇能含糊的指稱：「圖書館運作時利用義
工已經有很長一段時間了」，「但是有關圖書館義工的研究並不多
見」❶。我們對於這位美國德州大學圖書資訊研究所女學人的意見
前一半可以接受，但是後一半則不敢苟同。這點以後再作交代。

人力資源專家艾里斯與羅伊斯（Ellis and Noyes）則認爲
喜歡從事義務工作是美國民族的傳統特性，因此她們合作的名著
就定名爲：民治：美國人民擔任義工的歷史（By the Peopl A
History of Americans as Volunteers．）❷。我認爲她們將
voluntarism和volunteerism 分開，前者指自動自發的工作精
神和行爲（例如：自動加班），後者則由義工擔任的一切工作及
有關義工的事項，頗有澄清的功能。

## 二　何謂「義工」?

　　根據一般英文字典的解釋：義工是提供服務而沒有金錢報酬的人❸。這點和專爲殘障服務的National Library Service for the Blind and Physically Handicapped在1980年研究報告中所下的定義相同。

　　前述的艾里斯與羅伊斯則認爲這種界說太簡單。他們指出義工的要件有：

1.　感覺有參與的必要。
2.　充滿社會責任感。
3.　不考慮金錢報償。
4.　將個人福利置之於度外❹。

　　這種觀點當然站在義工的立場，根據義工的心態講話的，但爲簡化討論範圍，縮小文字篇幅，我決定採用美國教育協會（National Education Association）所用的界說。

　　「義工是沒有待遇而參與圖書館運作的人」❺。

## 三　有關文獻備遭物議

　　自1960年代開始，圖書館學文獻有關義工制度的文字逐漸增加，據狄嬌勒（Detweiler）統計在1964至1971年間由圖書館學文獻（Library Literature）蒐集的23篇論文中，僅有八篇討論公共圖書館的義工問題，其他篇文字則集中於研討專門及學術圖書館的義工制度，到 1972 年注意力略有轉變，在 60 個研討義工制度的文字中，有 33 篇討論公共圖書館的義工制度 ❻。

克爾與哈迪（ Cull and Hardy ）將 1960 年以來在圖書館文獻款目中出現的論文組編爲三類：

1. 建議組訓義工方法者。

2. 報導義工制度實施情況者。

3. 鼓勵採取義工制度者 ❼。

而 1982 年在圖書館文獻款目中出現的 12 篇則全部爲敍述現狀的文字。羅嬡對這種缺乏理論基礎的文字頗感不滿。她說在這些文字中很少看見評論的文獻，而能夠提出理論以發展一套適合義工制度的哲學基礎更是鳳毛麟角 ❽。我們同意她的看法。

## 四　不能盡愜人意的美國圖書館協會圖書館運用義工指南

1960 年末期美國圖書館界主張運用義工的聲音，此起彼伏，絡繹不絕，孟恩（ Moon ）在圖書館學報（ Library Journal ）的社評中（ 1968 年 2 月號）大聲疾呼「解決人力問題，學習蘇聯的模式」。那時美蘇關係尚未和解，美國的動態一切都看蘇聯的作爲，此公剛從蘇聯訪問歸來，有此主張不足爲怪。但他所謂的蘇聯模式，乃是指義工制度。他說「現狀發生問題，我們要徹底檢討我們的圖書館義工制度」❾。因應外來壓力，美國圖書館協會於 1971 年在美國圖書館（ American Libraries ）學報中發佈「圖書館運用義工指南」（ A. L. A. "Guidelines for Using Volunteers in Libraries "）。此一指南提出 15 點綱要供圖書館行政部門參考。

此一綱要的出現使圖書館義工制度向前邁進一步，但學者專家的評論仍然是瑕瑜互見。卡凡荷（ Carvalho ）認為圖書館義工制度的困擾有三 ❿ ：

1. 領薪現職人員工作保障的顧慮。

2. 專業人員角色的貶值。

3. 義工人員適當職權範圍的劃分。

他更進一步指稱 A．L．A．所訂的指南對前兩項祇有精神的鼓舞，對於實質並無多大幫助，第三項則完全超出指南的範圍之外。

# 五　圖書館義工制度的得失

## 1.　圖書館運用義工的理由

a．節省經費（尤其指人事費用）：

根據羅嬡在伊利諾州對 52 所公共圖書館所作的調查報告，其中 34 所圖書館共僱用義工 411 名。平均每館每週利用義工 29.4 小時。如果最低工資以每小時 $2.3 元計算，則一義工每週可節省薪金 $67.62，或每年人事費用可節省 U．S．$3516.24 ❶ 。

b．節省專業人員人力。

c．增加新的服務項目。

　　b．c．二項有連帶關係。

d．加強公共關係。

e. 提昇服務品質。

f. 帶動單位朝氣。

  e.f.兩項請參見劉德勝著「如何建立義工制度」 **⑫** 。

## 2. 圖書館不用義工的理由

a. 沒有適合義工擔任的工作。

b. 缺乏人力指導義工。

c. 館員反對聘用義工。

d. 過去運用義工有不愉快經驗。

e. 負責人對義工制度缺乏信心。

## 3. 反對運用義工的理由（包括但不限圖書館）

a. 義工流動性大，圖書館訓練義工常有得不償失情況。

b. 圖書館對義工缺乏約束力。

c. 因為義工為無給職，常有遲到、早退或缺席情形。

d. 圖書館付託義工擔任的工作，常為重複的經常工作，或
  次要的工作，對義工缺乏挑戰性，易使義工感覺無意義。

上述各點由彭寄多（ Pungitore ）提出，詳情請參見其所著
「公共圖書館學」（ Public Librarianship ） **⑬** 。

此外更有激進份子組成的社團也參與反對義工的陣營。例
如：

1. 加州有一組織名稱為關心的圖書館員反對非專業化趨勢
  （ Concerned Librarians Opposing Unprofessional
  Trends 〔CLOUT〕)。他們認為義工及非專業館員從事

若干專業有關的工作有降低專業水準的危險❶。此一組
織所關切的是專業人員。但是義工問題也常使非專業工
作人員感受到可能失業的恐懼。

2. 美國婦女組織（The National Organization for Wo-
men〔NOW〕）則根本反對所有的義工制度，他們指控
「義工制度剝削人民，尤其是婦女」，「義工制度是拿不
到工資，家庭奴役的延伸」❶。那鳳英（Levine）除
了報導這項消息外更火上加油的指稱，「義工制度除了
剝削婦女之外也對窮人不公，因為義工大都經濟情況良
好。他們盡義務，卻搶去了窮人就業的機會」。

## 六　結論：我們要積極推動圖書館義工制度

圖書館義工制度是一個熱門討論主題。在本文中作者已經簡
略的提出正反雙方（pros and cons）的意見，仔細衡量得失之
餘，尤其站在一個中國圖書館專業人員的立場，我堅決的、積極
的支持圖書館義工制度。

首先，我要強調中美國情不同。在外國行得通的，在我們的
國家裡不一定通。而在外國行不通的在我們的國家裡不一定也跟
著不通，以公共圖書館（包括文化中心圖書館）而論，公務員任
免有法律保障，更加上考試制度，今天各級圖書館的主要問題是
不容易找到專業館員，而不擔心非專業人員搶了專業館員的飯碗。

其次，我國經濟欣欣向榮，教育文化經費每年增加，和外國
圖書館事業遭受到經濟不景氣的侵襲，捉襟見肘的困境比較，有

天淵之隔，因此經濟因素的考慮並不是我國必需推動圖書館義工制的主要原因。

圖書館事業，無論在國內、國外，所遭遇最嚴重的問題在於很難拓大讀者群，進入圖書館的永遠是那些人。如何增加文化人口，如何使圖書館在社區中生根，是我們今天面對的主要課題，藉著義工一方面可以增加服務，另一方面也可以加強公共關係。

目前若干可喜的現象不斷出現，意味著全國上下都重視圖書館義工制度，使這個重要的運作落實。

1. 行政院文化建設委員會訂定了表揚績優義務工作人員要點，每年由各機構自行評定，於一月底向文建會推荐。

2. 若干圖書館自行訂定義工福利辦法。例如：
   「臺北縣立文化中心徵募志願服務工作人員及服務實施要點簡章」第五條：
   ㈠青少年閱覽室闢區提供數個座位，由志願服務工作人員（以下簡稱志工）優先使用。
   ㈡視聽圖書館可憑志工證進入使用。
   ㈢圖書館圖書每次得享有借閱五冊之優待。
   ㈣本中心開辦之研習班得優先參加。
   ㈤連續服務滿一年以上者，另訂有獎勵辦法。

3. 臺北市立圖書館一切運作，向不後人，館訊 8 卷 1 期（即本期）開風氣之先以義工制度與公共圖書館爲主題。

4. 中國圖書館學會 79 年讀者服務專題研習會在班主任楊崇森館長，及教務組長宋建成教授主持之下，率先開出義工制度課程，由劉德勝教授主講。

　　由於上述，預期我國圖書館義工制度將有良好遠景。本人樂
觀之餘謹提出下列意見：

1. 圖書館義工制度有其必要，利多於弊，但是義工制度並
   不是妙藥仙丹可治圖書館百病。圖書館主力仍然是專業
   館員。由此推論，

2. 專業館員和義工的人際關係必需和諧，二者相輔相成。
   為了到達此一目的，

3. 圖書館必需有一套合理的義工管理辦法。專業館員和義
   工各有不同的工作領域和職責。

# 附　註

❶ Roy Loriene, "The use of Volunteers in Public Libraries."
  Public Library Quarterly, Vol. 8 ( 1／2 ) 1987／88, pp.127.

❷ Ellis Susan J. and Katherine H. Noyes, By the People：A
  History of Americans as Volunteers ( Philadelphia：Michael
  C. Prestegord & Co., 1978 ), p.11.

❸ 論敏現代英語辭典，台北：歐語出版社，民 68 年。

❹ Ellis and Noyes, By the People, p.10.

❺ National Education Association. Research Division and
  American Association of School Librarians. School Library
  Personnel Task Analysis Survey (1969), p.18.

❻ Detweiler Mary Jo, "Volunteers in Public Libraries：The
  Costs and Benefits," Public Libraries 21, no. 3 ( Fall
  1982 )：80.

❼ Ilsely Paul, " Voluntarism: An Action Proposal for Adult Educators, " Northern Illinois University, 1978, 1-21.

❽ Rog, The use of Volunteers in Libraries, p. 35.

❾ Joseph Carvalho, " To Complement or Compete? The Role of Volunteers in Public Libraries, " Public Library Quarterly, Vol. 5(1), Spring 1984.

❿ Moon Eric, " Manpower: A Soviet Solution, " Library Journal, 93 ( 1 February 1968 ) : 493.

⓫ Roy, The use of Volunteers in Libraries, p. 135-6.

⓬ 劉德勝, 如何建立義工制度, 中國圖書館學會民國79年, 讀者服務專題研習班講義。

⓭ Pungitore Verna L., Public Librarianship ( New York: Greenwood Press, 1989 ), p. 71-72.

⓮ Savage Noel, " News Report 1975, " Library Journal 101( 15 February, 1976 ) :

⓯ Ellen Levine, " Volunteerism in Libraries," Baystate Librarian 69 ( Summer 1980 ), p. 585-7.

# 有關當前我國公共圖書館參考工作的幾點建議

沈寶環

## 一 參考工作的重要

在公共圖書館運作之中，參考工作一直是讀者服務的主力。遠在 1924 年，任勒（William S. Learned）在美國的公共圖書館和知識的傳播（The American Public Library and the Diffusion of Knowledge）一書中就大力鼓吹「圖書館應該是社會正確，有益資訊中心」的思想❶。圖書館事業重「變」，由「變」而「動」，這是圖書館學能夠成為一種科學，圖書館事業能夠生存的原因。但是「千變」「萬變」不離其宗，有關圖書館功能的基本哲理，始終屹立不搖。威廉士（Patrick Williams）在 1988 年，也就是在任勒的著作發表之後六十四年，出版了美國公共圖書館的宗旨問題（The American Public Library and Problem of Purpose）。這部書的主旨是討論美國公共圖書館在歷史上的演變，其中第七章即以將資訊供應與人民（Information for the People）為章回名稱❷。威廉士並沒有提到任勒，但是在理論上卻顯露出互相呼應，一脈相傳的水乳關係。

「將資訊供應與人民」是現代化公共圖書館的神聖使命，而這個千斤重擔則背負在參考館員的身上。史帝芬斯（ Rolland E.
Stevens ）指稱：「參考工作是圖書館服務的脊骨，也是判斷公
共圖書館是否提供社會有價值、貢獻的關鍵所在。」❸菲力浦
（ Rose B. Phelps ）的觀點更爲具體。她指出：在「變」的大
環境中，至少有三種情勢是永遠「不變」的：

　　・讀者求知，尋求資訊的心態。

　　・圖書館的豐富資源永遠存在。

　　・圖書館參考館員必需具備的學識和技能❹。

　　菲力浦的三點簡單說明，含義深遠，也爲圖書館的資訊服務
描繪出了一個鮮明的輪廓，同時更解答了下列三大問題：

　　・圖書館爲甚麼要積極推動參考服務？（ Why ）—讀者問題

　　・圖書館憑甚麼來因應參考服務？　（ What ）—資源問題

　　・圖書館怎樣才能有效的執行參考服務？(How)—館員問題

　　在近代社會中，很不幸的現象是個人（絕大多數的個人）沒
有將他的資訊需求和圖書館的資源以及專業能力結合（ Link ）起
來。極具盛名的（美國）公共圖書館調查（ Public Libary In-
quiry ）就很沈痛的指出，由於個人的無知，加上對於圖書館的
功能缺乏認識，公共圖書館參考部門幾乎是門可羅雀，少人問津
的服務單位❺。

## 1.　個人怎樣取得資訊

　　柏特勒（ Pierce Bulter ）提出四個常用方法❻：

A. 自己摸索（ Investigation ）

　　一生不求人只靠自己以取得所有資訊的時代已經過去了。引

用柏特勒的話，他說：「從一無所知開始，強逼自己在有生之年，檢索每一件資訊⋯⋯希望憑藉個人苦學搖身一變成為大學問家是絕不可能的。」❼因此，「懸樑刺股」，「映雪囊螢」在歷史上是美談，在現在卻像神話。寫到此處，我必需聲明我對於先賢並沒有絲毫冒瀆不敬之意，雖然我並不苟同蘇秦、司馬光的Ｋ書方法，他們求知的精神卻是值得欽佩的。但是在資訊時代，想以「愚公移山」的毅力，「事必躬親」的態度從頭做起，以取得資訊，從事研究，我覺得有值得商榷的地方。因為這種做法最好的結果是「事倍功半」。而常見的現象是「大海撈針」、「盲人摸象」，最後埋沒在「汗牛充棟」的圖書資料之中。

### B. 繼續教育（Education）

個人在扮演「千里獨行俠」希望取得資訊碰壁之後，就會想到重回學校選修課程或者在短期專科研習班「充電」，這是一件可喜的現象。多數圖書館學專家都會採取原則讚許，部份保留的態度。大牌圖書館學者薛爾斯（Louis Shores）在參考就是學習（Reference Becomes Learning）一文中指出：「我們每年知識成長率是幾何級數的，想知道所有的事不僅是不可能而且也是不必要的。我們真希望教育能夠培養下一代使他們有能力檢索任何資訊。」❽薛爾斯本人就是名教育家，曾經擔任佛羅里達州立大學圖書館學研究院院長多年，他口中所說的「希望」只是「希望」而已，他的本意在於強調參考服務的功能。因為他緊接著說：「針對這個目標（指檢索任何資訊）參考就是學習，參考確實是學習的重心。」

大教育家何以對自己的本行——教育缺乏信心？這並非教育

之過，因爲資訊的需求隨著時間演變，資訊爆破使得目錄性控制越來越不可能，當然更談不上知識的掌握。學生走出學校大門之日，也就是知識開始落伍之時，教育有它的功能，但不在於迎刃解決資訊檢索的問題。我贊同薛爾斯的觀點，我們的「希望」是一致的，但是這個「希望」可能落空。

C. 交換情報（Communication）

個人取得資訊的另一個方法就是交換情報（按 Information 的譯名頗多，我國過去用「消息」字樣，現在譯名爲「資訊」，大陸圖書館界則譯爲「情報」。Communication 一字的譯名爲「通訊」）。國人的習慣在需求資訊時詢問親友、同事、師長，而不去利用圖書館。國外也有類似現象。羅斯庭（Samuel Rothstein）聲稱：「很少人會想到利用圖書館以取得資訊，在一般市民眼光之中圖書館不過是一棟文化建築（Cultural Monument）罷了，它的功能只是擺擺樣子而已。」❾ 個人對於圖書館陌生，而學校課程設計只能應付他們資訊所需的極小部份❿，他們只好互相交換情報。加之社會大衆媒體的盛行，人們仰賴報紙、電視、廣播、廣告文件的情形日漸加深，但是這些資訊雖然快速，卻有正確性的問題。史帝芬斯對於這一點極爲堅持，他指出「快速必需要與正確連在一起」⓫。快速與正確誠然重要，但是個人最關心的乃是這種資訊是否就是他所需要的資訊。

D. 請教專家（Consultation）

個人取得資訊的第四個方法是請教專家，這也是四種方法中比較合理的一種。例如健康問題請教醫生，建築居屋請教建築師，法律問題請教律師，都是極爲普遍的做法。除此以外，個人碰到其他問題則無從處理，因為：

- 個人接觸面有限，不知道若干行業有那些專家。
  （圖書館有資料。）
- 詢問專家多半需要費用。
  （圖書館可以免費提供資訊。）
- 若干熱門，或容易引起爭論的問題(controversial issues)
  不便請教，例如政爭、財經等問題。
  （圖書可以公正的提出不同意見。）
- 若干諮詢對象，不能提供正確而完整的資訊。
  例如旅行社只能提供最基本的旅遊資料。
  （圖書館可以提供完整、正確的資料。）

## 2. 圖書館怎樣幫助讀者取得資訊

個人為了取得資訊在運用上述四種方法時，大多沒有一定的軌跡可循。他可能只採用四種方法之中一種，如圖 a，也可能四

圖 a

種方法同時進行，如圖 b 。

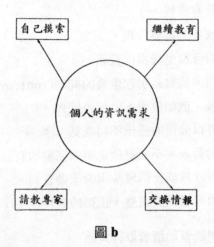

自己摸索　　　繼續教育

個人的資訊需求

請教專家　　　交換情報

**圖 b**

　　根據前述，極少數的個人，在採取四種方法取得資訊時也會遵守某種秩序，如圖 c 。

　　前面所謂「個人」都不是圖書館的讀者，在 a , b , c 三圖之中，只有 c 圖中所指的個人，比較有可能被圖書館爭取成為讀者。英文名詞稱為 Prospective Reader，中文我勉強譯為「期望讀者」。圖書館是將知識資源組織起來以供讀者使用的社教機構，c 圖個人「鍥而不捨」、「循序漸進」的行為顯示出和圖書館運作原理極為接近的「性向」（ Aptitude ）。公共圖書館最為人詬病之處就是很難擴充讀者群，因此如何吸引「期望讀者」成為實際的讀者，將讀者群膨脹成為讀者族是我圖書館界必需深入研究的課題。

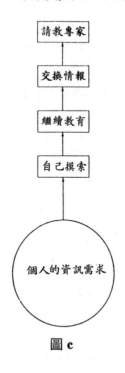

圖 c

我說圖 c 中個人行為所反映出來的性向接近圖書館運作的原理並不是完全沒有根據。試看公共圖書館參考工作的簡略流程，如圖 d，就會發現二者之間追求資訊的步驟有近似之處，只是秩序有所變動而已。

A. 接近讀者（Consultation）

公共圖書館參考服務一定要能配合社會民眾的需求，這點史帝芬斯曾在其著作公共圖書館的參考工作一書中再三強調，他說：「圖書館參考館員應該『未雨綢繆』，儘早了解他所服務的社會，

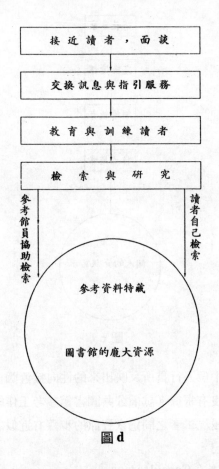

圖 d

隨時注意可能遭遇到的參考問題。」❷史帝芬斯所講的只是應有
的準備，至於如何接近讀者，從面談中體會讀者所提出問題的本
意，李斯（Alan M. Rees）進一步的以流程圖說明參考步驟的
運作❸，如圖 e。

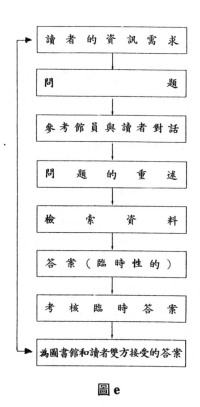

圖 e

圖 e 在美國圖書館協會出版品中刊載，因此可以說代表了A.L.A.的意見。

B. 交換訊息（ Communication ）

Communication 的本意是通訊和傳播，我在聽！仔細的聽！一文曾經指出現代圖書館的關鍵字是一個「通」字 ⓮：

資訊與資訊之間要「通」。

館員與資訊之間要「通」。

館員與讀者之間要「通」。

讀者與資訊之間要「通」。

現代社會資訊爆破，任何一所圖書館都不能在資源上自給自足，我用交換訊息字樣實有深意。我認為圖書館在參考服務的全程中不僅要繼續的與讀者交換訊息（或情報），圖書館與圖書館間也要積極溝通，密切連繫，以達到利用資源共享，彼此支援參考服務的目的。

C. 教育讀者（Educating the User）

如何教育讀者，是公共圖書館讀者服務的重點之一。我的母校丹佛大學在 1973 年曾經召開一次國際會議評鑑圖書館的讀者教育工作，並將大會論文編輯成為專書。這部著作盛名卓著，內容包羅萬千，是專業館員必讀的文獻，此書的書名就是教育讀者（Educating the Library User）⑮。前述的羅斯庭以圖書為例解說參考館員應該如何推動讀者教育，他指出三項步驟：

· 教導讀者如何利用圖書館及圖書資源。

· 指導讀者選擇圖書。

· 輔導讀者從圖書資源之中找到他所需要的資訊。⑯

教育讀者並不是輕鬆的工作，指引讀者到卡片櫃，和在排列索引的書桌前教導他們字順排列方法都是無關宏旨的小事，嚴格的說算不得「圖書館技術」（Library Know-how）。羅斯庭說「提供人口數字或確切日期是件輕而易舉的工作，如果換成教導讀者怎樣取得人口數字或確切日期，讓參考館員試試看。」⑰，姑且不考慮教育讀者的難、易和得失。安蘭(Marian M. Allen)指稱「許多人都不喜歡依賴旁人，如果能夠教會他們自己動手，他們會由衷的感謝」，僅此一點，就值得推動讀者教育工作。

### D. 檢索與研究（ Investigation and Research ）

圖書館學在傳統上就是一種以「問題」爲中心（ Problem-oriented ）的科學。布夏（ Charles H. Busha ）與哈特（Stephen P. Harter ）在合著的一本重要著作圖書館學的研究方法（ Research Methods in Librarianship ）中指出：圖書館員有一種傾向，他們將注意的焦點放在「眞實世界」（real world)上，而很少留心理論的發展。舉例來說，在現在發表的文獻中，有關資訊檢索和儲存的文章都只是討論若干當前流行資訊系統的得失，而從來看不到和這些近代科技有關的哲學和理論的研究。」他頗爲憤慨的說「科學不應該和事實報告混淆」❸。我雖然在大體上同意這兩位同行的評語，但我仍然要提出我個人的觀點。多年以來我始終堅持圖書館學是偏重「行動」的科學，由「動」而「變」所遭遇的當然是「眞實世界」。以臺北市立圖書館參考問題選粹爲例，其中絕大多數內容都是事實問題（ Factual Information ），如果讀者關心的是硬繃繃的事實，我們有無必要躲在象牙塔上大談虛無縹緲的理論呢？我是贊成圖書館應該要建立理論體系的，不過參考工作是以因應讀者需求爲服務目標的，而讀者永遠是對的。

## 二　怎樣做好參考服務？

參考工作是公共圖書館讀者服務的第一線，參考工作是否做得得心應手，關係到公共圖書館的信譽和成敗。我敢大膽的斷言，一所良好的公共圖書館一定會有一個傑出的參考部門，充實的參考特藏和優秀的參考專業館員。「充實」和「優秀」是因，「傑出」是果。

　　所謂參考工作並不限於只是解答讀者疑難問題而已，柏特勒很清楚的告訴參考館員：「解答問題只是在參考室內進行的許多運作中的一種活動」（ One of the many activities ）⓲。圖書館事業的基礎是建立在讀者、館員、資源三大因素的和諧關係之上，參考服務是圖書館的主要部份，豈能例外！茲就這三方面略加討論。

A. 參考特藏

(1) 採購計劃第一優先

　　館藏規劃是近代圖書館事業的熱門項目，自八〇年代以來，參考資料的出現好像「雨後春筍」，圖書館參考部門既無經濟能力也沒有這種必要來照單全收。湯默士（ Diana M. Thomas ）以詢問的口氣說：「參考室中收藏有這一本參考書而沒有另外一種資料，我們將怎樣對讀者解釋？」⓴　因此她力主參考室不僅要有一套計劃，而且要見諸文字，把黑字寫在白紙上，列舉採購原則，排列優先秩序，同時更澄清目標。這樣做來，參考專業館員，尤其新就職的同仁，能夠體會自己的單位書藏和母體圖書館全館資源的關係，更為參考服務指出了一個正確的方向。她所提出的若干意見都是金玉良言，參考館員不妨抽空閱讀她和另外兩位女學人（都是加州大學教授）合寫的「有效率的參考館員」一書，必有所得。

(2) 參考資料的類型

參考資料的種類繁多，毋庸贅述，若干學人爲了便於處理，將參考資料分組爲兩大類型：

· 爲了解答日常問題而貯存的一般性資料（ Common Information ）

是要經常維持和不斷充實的參考工具書。例如連續性出版品，圖書館採購部門通常以固定長期訂購(standing order） 檔來管理，但是參考館員必需隨時注意假使在參考書架上美國統計摘要（Statistical Abstract of the United States ）祇收藏到1985年爲止，或是蒐集到1990年而中間缺少1985、1987兩卷，使用者不會埋怨採編單位，首當其衝的是參考館員。

· 爲了因應特殊需求而準備的專科資料（ Specific Information ）

麥瑞（Florence B. Murray ）認爲參考服務受到治學方法轉變的影響最顯著的現象是學術研究越來越專門化，她言外之意認爲，在資訊社會裡想再找一個「上知天文，下知地理，無所不通，無所不曉」，「走路的百科全書」是不可能的，她說：今日的學術界人士不再存有達到滿腹經綸，掌握天下群籍的念頭了。「他只在小的角落研究，以『精』易『博』」 ❹。這類參考資料需要更迭、補充和加強。如何做到恰到好處，參考館員的書本知識隨時受到考驗。

(3)　參考資料的數量

公共圖書館的參考資料究竟應該有多少數量才算夠用，
殊無定論。到目前為止，我還沒有看到有關此一問題的
文獻。在我們國家裡，公共圖書館所藏參考資料以印製
品的工具書為主，據我所知臺北市立圖書館總館諮詢服
務組（即參考組）的參考工具書數量如下：

・中文參考書　　32,000 冊
・西文參考書　　 2,000 冊

我手頭沒有國外公共圖書館參考書藏的數字，而且中外
國情不同，強行比較不僅有欠公允，而且沒有意義，但
從若干參考書指南之類書目中可以給我們帶來若干啓示。
例如：

・美國圖書館學會編中小型圖書館參考書推荐書目(Re-
ference Books for Small and Medium-Sized
Libraries.) ㉒
參考書　　　1,046 種

・1970～1980 最佳參考書（Best Reference Books
1970-1980 ）㉓
參考書　　　 920 種

・參考服務：解題參考書目補篇 1976～1982 （ Refe-
rence Service：Annotated Bibliographic Guide,
Supplement 1976-1982 ）㉔
參考書　　　1,668 種

從上列三種書目我們所得到的啓示是：

- 卷冊（Volume）不等於種（title）。
- 所謂「推荐」、「最佳」、「補篇」只是參考書的一部份。
- 中小型圖書館的體積限制了參考書的數量。

因此我建議臺北市圖三點：

㈠　應該將數量計算方式由「卷冊」改爲「種」。

㈡　積極加強西文參考工具書的數量。

㈢　進行清點（Inventory）和淘汰（Weeding）工作，保持書架上新穎青春的朝氣。

(4)　參考工具書的排列與組織

參考工具書在書架上的排列與組織以便利取得資訊爲目的，因此與流通書籍（circulating book）的排列與組織方法不同。流通書籍依主題分類便利使用者在萬千書籍中找到某一冊特定的書，參考工具書的運用主要的是要在某一種書或多種資源之中找到資訊。因此在參考室的工具書必須先依圖書的「形式」（Form）再依照「主題」(Subject)組織與排列。杜遜（Stanley D. Truelson Jr.）在討論參考特藏的組織時指稱：依照形式安排，然後根據主題細分參考特藏永遠比先依主題組織，再以形式細分來得有用㉕。他更主張參考資料要集中，因爲如果分散會減低檢索效率。關於參考工具書的組織與架上排列工作，我對臺北市圖祇有一個建議：

- 如果將來增設學科部門（Subject Departments）千萬不可將參考工具書拆散，這種做法是違背圖書館學原則的。

(5) 參考問題的事後處理

解答參考問題是參考服務的主要責任，記得我在丹佛市立公共圖書館（D. P. L.）服務的時候，每一工作天在總參考室值班兩小時（因為工作負荷太重，館方規定專業館員每天值班時間不得超過兩小時，兩人同時值班，過於忙碌時，還有不排固定工作站〔Floating〕的專業館員支援）。在解答問題之後必須抽空填寫參考問題記錄單（Reference Question Sheet）註明問題內容、解答所用資料、指引單位（Refer to ）以及備註（讀者是否滿意，資料是否合用）。記錄單上必須簽名並記下時間，每天下班後記錄單就送請單位主管（一定是資深、專業人員）審核。圖書館上午九時開門，同仁八時到館參加會報，檢討參考問題解答的得失，並將問題隨後建檔，以節省解答相同問題的時間。凱茲（William A. Katz）將參考問題分為四類 ❻ ：

· 指引性問題（Direction ）

· 快速參考問題（Ready Reference ）

· 特殊檢索（Specific Search ）

· 研究工作（Research ）

羅奇爾（Carlton Rochell）引用康乃爾大學 (Cornell University) 圖書館的設計，不僅將參考問題分類並且提出需用時間和資源 ❼ ：

· 資訊和指引問題（ Informational and Directional

Questions）

・參考問題（ Reference Questions ）

在十五分鐘內解答，運用兩種或兩種以上資料。

・檢索問題（ Search Questions ）

需用十五分鐘至一小時時間，運用三種或多種資料。

・困難問題（ Problem Questions ）

需用一小時以上時間。

・目錄性問題（ Bibliography Questions ）

需用時間至少一小時。

臺北市立圖書館刊出參考問題選粹是極了不起的成就，希望諮詢服務組能將參考問題建檔，並且分析、統計，將來工作同仁增加時，不妨試行採用參考問題記錄單。

(6) 臺北市立圖書館諮詢服務組基本資料如下：

・館員：共九名，均極優秀，其中專業館員四人。

・開放時間：每天上午八時三十分至晚間九時，共十二・五小時。

・參考問題：平均每天解答三十個參考問題。

・出版品：參考問題選粹年刊。

根據上述基本資料，加上我曾到總館多次，親眼所見，我覺得在人力嚴重不足的情形之下，諮詢服務組的九位年輕朋友施出混身解數，拿出了每一分力量將參考工作做得可圈可點，有聲有色，內心對她們的敬意油然而生。陳敏珍組長要我在參考問題選粹第七輯中寫篇文字，她指定範圍是有關臺北市圖參考諮詢服務建言，或是提供參考諮詢服務新觀念，這兩點我都很難做到。首先，我已多年不做參考服務，我認爲我已經嚴重脫節，其次臺北市圖諮詢服務組在她領導之下表現極爲傑出，我想不出怎樣建言，但爲了對我的得意門生有所交代，我願意提出來我個人一兩點意見：

・我國各型圖書館（公共圖書館也包括在內）的參考服務還是停留在以印製品，尤其是圖書爲主要資源的階段（Print Orient），參考服務自動化也許不能一蹴而幾，但是若干有能力和人力的主要圖書館不妨先引進唯讀性光碟（CD ROM）或者多採用非書資料。

・以圖書爲主的現象，可能短期內不可能擺脫，圖書內容錯誤難免，毛錫（Fredric J. Mosher）建議參考館員要多查詢幾種工具書，才能對讀者問題提出答案❷，以確保正確。

・若干參考館員，求好心切，惟恐出錯，羅斯庭稱爲「懼錯症」（errorophobia）❷。有了這心理病態的專業館員，只敢運用他有把握的幾種工具書，使諮詢工作受到妨害而不自覺。我們的參考工作和參考工具書密不可分，因此主持參考服務的負責人必需要預防和留心這種現象。

・圖書館是爲讀者設立的，因此要儘各種可能了解讀者，我們的習慣是將答案交給提出問題的讀者，就算功德圓滿，至於讀者如何運用他從參考館員那裡取得的答案很少人過問，我們是否應該相機舉行「讀者調查」

（User Study），這不一定是諮詢服務組有能力或應該做的事，但是為了服務，參考館員不妨促成這件有意義的工作。

• 讓讀者和資訊結合起來，是圖書館最高目標，教育讀者是以「兩相情願」為前提，不可勉強。我們為讀者服務是天經地義的事，而省掉讀者的時間比省掉我們自己的時間更有價值 ❸ 。

• 一個好的圖書館，一定有良好的參考服務。這句話大家都懂。

• 有怎樣的參考館員，就會出現怎樣的讀者，這句話的意思請讀這篇文字的參考館員多想想。

## 附　　註

❶　Learned, William S., *The American Public Library and the Diffusion of Knowledge* ( New York : Harcourt, Brace Co., 1924.)

❷　Williams, Patrick, *The American Public Library and the Problem of Purpose* ( New York: Greenwood Press, 1988), pp. 99-126.

❸　Stevens, Rolland E. and Jone M. Walton, *Referene Work in the Public Library* ( Littleton, Colo.: Libraries Unlimited, 1983 ), P.15.

❹　沈寶環，〈圖書館事業何去何從？〉《書香季刊》創刊號（，民78年6月30日），頁5。

❺　Leigh, Robert D. *The Public Library in the United States* ( New York: Columbia Press, 1950 ), p.96.

❻　Butler, Pierce, *Survey of the Reference Field in Reference Services*, Selected by Authur Ray Knowland ( Hamdem, Conn.: The Shoe String Press, 1964 ), pp.55-57.

❼　同❻ ，p.53.

❽　Shores, Louis, *Reference Becomes Learning: The Fourth R. in Reference Services*, Selected by Authur Ray Knowland ( Hamden, Conn., 1964 ), p.236.

❾　Rothstein, Samuel, *Reference Service: The New Dimension in Librarianship*, In Reference Services, Selected by Authur Ray Knowland ( Hamden, Conn., 1964 ), p.38.

❿　Butler, op. cit., p. 56.

⓫　Stevens, op. cit., p. 20.

⓬　同⓫ ，p.15.

⓭　Linderman, Wilfred B. ed., *The Present Status and Future Prospects of Reference / Information Service* ( Chicago: A.L.A., 1967 ), p.58.

⓮　沈寶環，《圖書館學與圖書館事業》 （臺北：臺灣學生書局，民77年），頁24。

⑮ Lubans, John, *Educating the Library User* ( New York: R. R. Bowker Co., 1974. )

⑯ Rothstein, op. cit., pp.37-38.

⑰ Linderman, op. cit., p.38.

⑱ Busha, Charles M. and Stephen P. Harter, *Research Methods in Librarianship* ( New York: Academic Press, 1980 ), p.4.

⑲ Butler, op. cit., p.60.

⑳ Thomas, Diana M., Ann T. Hinckey and Elizabeth R. Eisenbac, *The Effective Reference Librarian* ( New York: Academic Press, 1981 ), p.28.

㉑ Murray, Florence B., *Reference and Cataloging in the Last Quarter Century*, in Reference Service, Selected by Arthur Ray Ray Rowland ( Hamden, Conn.: The Shoe String Press, 1964 ), pp.24-25.

㉒ American Library Association, *Reference Books for small and Medium-Sized Libraries* ( Chicago: A.L.A., 1979.)

㉓ Holte, Susan and B. dan ed., *Best Reference Books* 1970 - 1980 ( Littleton, Colo.: Libraries Unlimited, 1981.)

㉔ Murfin, M. Jorie and Lubomyr R. Wynar ed., *Reference Service*: Annotated Bibliographic Guide, Supplement 1976 - 1982 ( Littleton, Colo.: Libraries Unlimited, 1983 ).

㉕ Truelson, Stanley D. JR., *The Totally Organized Reference Collection*, in Reference Service, Selected by Arthur Ray Rowlland ( Hamden, Conn., 1964 ), p.97-98.

㉖　Katz, William A., *Introduction to Reference Work* V. I.
　　( New York：McGraw-Hill, 1982 ), p.11-14.

㉗　Rochell, Carlton, *Practical administration of Public Librar-*
　　*ies* ( New York: Harper and Row, 1981 ), p.179.

㉘　Mosher, Frederic J, *A Sermon for Beginning Reference*
　　*Librarians* , in References *Services*, Selected by Author Ray
　　Rowland ( Hamden, Conn.: The Shoe String Press, 1964),
　　p.239.

㉙　Rothstein, op. cit., p.40.

㉚　同㉙ , p.40.

國家圖書館出版品預行編目資料

圖書館讀者服務
／沈寶環主編. --初版. --臺北市：
臺灣學生，民81
面；　　公分. --(圖書館學與資訊科學叢書；27)


ISBN 957-15-0362-2(精裝)
ISBN 957-15-0363-0(平裝)


1.圖書館 - 參考服務 - 論文，講詞等


023.607　　　　　　　　　　　　　　　81001169

# 圖書館讀者服務（全一冊）

主　編　者：沈　　　寶　　　環
出　版　者：臺　灣　學　生　書　局
發　行　人：丁　　　文　　　治
發　行　所：臺　灣　學　生　書　局
　　　　　　臺北市和平東路一段一九八號
　　　　　　郵政劃撥帳號○○○二四六六八號
　　　　　　電　話：三　六　三　四　一　五　六
　　　　　　傳　眞：三　六　三　六　三　三　四
本書局登
記證字號：行政院新聞局局版臺業字第一一○○號
印　刷　所：常　新　印　刷　有　限　公　司
　　　　　　地址：板橋市翠華街8巷13號
　　　　　　電　話：九　五　二　四　二　一　九
定價　精裝新臺幣四三○元
　　　平裝新臺幣三六○元
中　華　民　國　八　十　一　年　三　月　初　版
中　華　民　國　八　十　五　年　九　月　初　版　二　刷
02318　　　　版權所有‧翻印必究
ISBN　957-15-0362-2（精裝）
ISBN　957-15-0363-0（平裝）

臺灣**學 t 書局**出版

# 圖書館學與資訊科學叢書

※尚有其他圖書館學類圖書十餘種請參考　學生書局　書目